UNION GÉNÉRALE D'ÉDITIONS
8, rue Garancière - PARIS VIᵉ

LA REVOLUTION SEXUELLE

SEXUELLE

Pour une autonomie
caractérielle de l'homme

par

WILHELM REICH

10 18

PLON

Cet ouvrage a paru en langue anglaise sous le titre:

THE SEXUAL REVOLUTION

Traduit de l'anglais par
Constantin Sinelnikoff

Traduction revue et corrigée par
le Wilhelm Reich Infant Trust Fund

NOTE DU TRADUCTEUR

Le traducteur remercie Louis Evrard, qui prit l'initiative de cette publication, et Daniel Guérin, qui lui a communiqué des documents et renseignements utiles; leur diligence a permis à cette publication, conçue il y a quelques années, d'être menée à bonne fin.

Rappel des éditions successives de *La Révolution Sexuelle*:

1. *Geschlechtsreife, Enthaltsamkeit, Ehemoral* (Maturité sexuelle, continence, morale conjugale), Muenster Verlag, Vienne 1930.

2. Traduction française sous le titre *La Crise sexuelle,* suivi de *Matérialisme dialectique et Psychanalyse* (traduction quelque peu expurgée par le P.C.F.), Editions Sociales Internationales, Paris 1934.

3. *Die Sexualität im Kulturkampf. Zur sozialistischen Umstrukturierung des Menschen.* (La sexualité dans le combat culturel.) Sexpol Verlag, Copenhague 1936. La première partie, « Das Fiasko der Sexualmoral » (le fiasco du moralisme sexuel), est constituée du texte précédent, revu et augmenté. (Ajouts principaux: ch. I, ch. III, ch. IV, 2, c et 3, 1ʳᵉ partie (ci-dessous, p. 116 à 127), préface.)

5

4. *The Sexual Revolution. Toward a self-governing character structure.* (La Révolution sexuelle.) Orgone Institute Press, 1945, Vision Press, London, 1952. Farrar, Straus & Cudahy, New York, 1962. Traduction anglaise du texte précédent, revu et corrigé par l'auteur (voir ci-dessous, p. 21).

5. *La Rivoluzione Sessuale.* Feltrinelli, Milano, 1963. Traduction du texte anglais précédent.

6. *Die Sexuelle Revolution. Zur charakterlichen Selbsteuerung des Menschen.* Europäische Verlagsanstalt, Frankfurt am Main, 1966.
Quelques corrections de détail par rapport au manuscrit ayant servi aux éditions anglaises.

Le texte que nous donnons ici, traduit de l'anglais, tient compte des modifications que Reich apporta à son livre de 1936 en vue de l'édition américaine de 1945; ces modifications consistent surtout en un changement de terminologie, auquel Reich fait allusion ci-dessous, p. 21. Nous n'avons pas été autorisés à fournir un apparat critique indiquant le vocabulaire de 1936 renié par Reich.

Néanmoins, en ce qui concerne tout le reste, le tion a été supervisée par le Wilhelm Reich Infant Trust Fund, qui a opéré un certain nombre de corrections. Cependant, dans tous les cas litigieux ou difficilement traduisibles les termes allemands originaux ont été mentionnés.

Sur quelques termes difficiles:

LA RÉVOLUTION SEXUELLE

1. PULSION:

Nous avons traduit, conformément à l'usage, l'anglais *impulse* par pulsion, quelquefois par impulsion, plus rarement encore par instinct ou tendance, selon le contexte.

L'original allemand présente une grande variété de termes: *Trieb, Antrieb, Impulse, Regungen, Ansprüche, Trieb-regungen, -ansprüche,* dont l'usage ne suit aucune règle.

Cependant, nous avons souvent suivi le traducteur de l'édition anglaise en utilisant les termes « besoins » ou « exigences » *(needs, demands)* lorsqu'il s'agissait de l'allemand Ansprüche.

2. COMPULSION, CONTRAINTE, OBSESSION:

Reich précise qu'il entend par mariage le mariage coercitif *(Zwangsehe)*, et par morale la morale contraignante ou obsessionnelle *(Zwangsmoral)*, et l'anglais comporte souvent l'adjectif *compulsive* avec ces termes: *compulsive marriage, morality.* Le sens étant le plus souvent celui d'une détermination objective, nous avons régulièrement traduit *compulsion (Zwang), compulsive,* par coercition, coercitif, sauf dans les cas où il s'agit évidemment de la contrainte endogène, où nous avons employé les termes « compulsion », « compulsionnel », voire « obsession ».

Cependant, le texte original de Reich ainsi que son point de vue sociogénétique se prêtent assez mal à une distinction nette de l'interne et de l'externe, laquelle importe souvent assez peu à l'idée exprimée. L'aspect externe (social) de l'interdit étant néanmoins dominant, cela justifie l'usage dominant des termes « coercition » et « coercitif ».

3. RÉPRESSION, REFOULEMENT:

Nous avons traduit sans problème et de façon univoque:

— *suppression* (Unterdrückung) par « répression », et

— *repression* (Verdrängung) par « refoulement ».

4. ÉCONOMIE SEXUELLE:

Nous avons renoncé à distinguer verbalement les nuances de sens recouvertes par les termes « die sexuelle Okonomie », « die Sexualökonomie », « der sexuelle Haushalt », « der Sexualhaushalt ». L'anglais distingue par exemple « sex-economy » de « the sexual economy» et « the sexual household ». Nous avons aussi renoncé à traduire l'adjectif « sexualökonomisch » (l'anglais traduit *sex-economic*, l'italien *sessuo-economico*) autrement que par les formes nominales « de l'économie sexuelle », « par l'économie sexuelle », « conforme à l'économie sexuelle », ce qui implique parfois un préjugé concernant le sens.

« Le terme *économie sexuelle* (sex-economy) se réfère au mode de régulation de l'énergie biologique, ou, ce qui revient au même, à l'économie des énergies sexuelles de l'individu. *L'économie sexuelle* désigne la façon en laquelle un individu agence son énergie biologique; la quantité qu'il maintient bloquée par rapport à celle qu'il décharge dans l'orgasme. Les facteurs qui déterminent ce mode de régulation sont de nature sociologique, psychologique et biologique. La science de l'économie sexuelle a consisté en ce corps de connaissances qui résulta de l'étude de ces facteurs. Elle permet de désigner l'œuvre de Reich depuis sa réfutation de la philosophie freudienne de la culture jusqu'à la découverte de l'orgone, moment où elle fut dépassée par l'orgonomie, ou science de l'Energie Vitale. »

(Définition du *Wilhelm Reich Infant Trust Fund*.)

5. POLITIQUE SEXUELLE:

« Le terme « de politique sexuelle » (sex-political) et « politique sexuelle » (sex-politics) renvoie à l'application pratique des conceptions de l'économie sexuelle au domaine social à l'échelle collective. Ce travail fut accompli dans le cadre des organisations d'hygiène mentale et des organisations révolutionnaires, en Autriche et en Allemagne entre 1927 et 1933. »

(Définition du *Wilhelm Reich Infant Trust Fund*.)

6. DÉMOCRATIE DU TRAVAIL:

« La démocratie du travail n'est pas un système idéologique. Ce n'est pas non plus un système « politique » qui pourrait être imposé à la société par la propagande de partis, de politiciens isolés ou de groupes idéologiques... La démocratie du travail est la somme de toutes les fonctions vitales naturellement développées et en développement, qui gouvernent organiquement les relations humaines rationnelles.

« Ce qui est nouveau dans la démocratie du travail c'est ceci: pour la première fois dans l'histoire de la sociologie, un ordre futur *possible* de la société humaine est déduit, non pas d'idéologies ou de conditions qui restent à créer, mais de processus naturellement donnés et qui ont toujours été agissants. Ce qui est nouveau en ceci, c'est l'abandon et le refus de toute espèce de politique et de démagogie. Est également nouveau ceci que, au lieu que les masses laborieuses soient dégagées de toute responsabilité sociale, elles en sont au contraire *chargées*. En outre, que les démocrates (du travail) n'ont pas d'ambitions politiques ni ne sont autorisés à en acquérir. De plus, qu'elle développe consciemment la démocratie formelle (qui se réduit à voter pour des représentants idéologiques, sans autre res-

9

ponsabilité de la part du votant) en une démocratie vraie, effective et pratique, à l'échelle internationale; une démocratie qui naît, par un développement organique progressif, des fonctions d'amour, de travail et de connaissance. De plus, qu'elle combat le mysticisme et l'idée de l'Etat totalitaire non par une idéologie, mais par les fonctions pratiques de la vie que gouvernent leurs propres lois naturelles...

« Bref, la démocratie du travail n'est pas un programme politique, mais une fonction bio-sociologique fondamentale de la vie, récemment découverte. »

(Définition du *Wilhelm Reich Infant Trust Fund*.)

7. STRUCTURE CARACTÉRIELLE:

« La somme intégrale des attitudes caractérielles et musculaires (spasmes musculaires chroniques) typiques, qu'un individu construit afin de bloquer ses excitations émotives et ses sensations organiques. C'est la manière typique d'agir et de réagir d'un individu. »

(Définition du *Wilhelm Reich Infant Trut Fund*.)

*L'amour, le travail et la connaissance
sont les véritables sources de notre vie.
Aussi devraient-ils la gouverner.*

L'éditeur de Katiouchka pose la question:
« Pourquoi vivons-nous? » Peut-être veut-il
s'engager dans une discussion philosophique
profonde? Peut-être aussi est-il frappé par
l'insignifiance de la vie humaine? Dans le
premier cas, il a notre accord. Mais s'il s'agit
de la seconde éventualité, cela serait fâcheux.
Car la seule réponse possible à cette question
est que « le but de la vie est de vivre », si
bizarre et unilatéral que cela paraisse. La
totalité de la signification de la vie est la vie
elle-même, le processus de la vie — il faut
d'abord aimer la vie, se laisser complètement
immerger en elle. C'est alors seulement qu'il
devient possible d'embrasser la signification
de la vie, de comprendre le sens de la vie. La
vie, à l'opposé des créations de l'homme, ne
requiert aucune théorie. Celui qui accomplit
pleinement ses fonctions vitales n'a pas besoin
de théorie de la vie.

> Du journal de l'élève
> Kostia Riabtsev.

Etant donné qu'il ne nous appartient pas de
forger un plan qui vaille pour tous les temps
à venir, il est d'autant plus certain que ce que
nous devons faire pour le présent, c'est une
évaluation critique impitoyable de tout ce qui
est, impitoyable au sens où notre critique ne
doit craindre ni ses propres résultats ni le
conflit avec les pouvoirs établis.

> Karl Marx.

PRÉFACE DE LA QUATRIÈME ÉDITION

Vingt années se sont écoulées depuis que la matière de la première partie de ce livre a vu le jour sous le titre de GESCHLECHTSREIFE, ENTHALT-SAMKEIT, EHEMORAL [1], aux éditions Muenster-Verlag à Vienne. Vingt ans sont peu de chose dans le domaine de la vie biologique; pourtant, dans la première moitié de ce vingtième siècle si agité, la société humaine a souffert plus de malheurs que durant plusieurs siècles précédents. On peut affirmer que, dans les deux dernières décennies, toutes les notions par lesquelles l'homme a tenté de comprendre clairement son existence ont été remises en question. Parmi ces notions, aucune n'a été plus ébranlée que celle de moralité sexuelle, notion qui, il y a trente ans à peine, semblait être un guide sûr de la vie humaine. Nous sommes en train de vivre une réévaluation de tout ce qui concerne la sexualité des êtres humains. Parmi ces valeurs révisées, celles qui touchent à *la vie sexuelle des enfants et adolescents* ont été particulièrement affectées par ce processus.

Quand je fondai la Société Socialiste d'Information et de Recherche Sexuelles *(Sozialistische Gesellschaft für Sexualberatung und Sexualforschung)* à Vienne en 1928, *les droits génitaux des enfants et adolescents* étaient interdits. Il était impensable que des parents puissent tolérer les jeux génitaux des enfants — ou même les considérer comme l'effet

[1] Maturité sexuelle, continence, morale conjugale.

15

d'un développement naturel et sain. La seule pensée que de jeunes êtres puissent satisfaire leur besoin d'amour par l'étreinte naturelle était horrifiante. Celui qui se permettait seulement d'évoquer ces droits était vilipendé. Dans la lutte entreprise contre les premières tentatives pour asurer la vie amoureuse des enfants et des adolescents, les groupes qui d'habitude étaient ennemis jurés, firent alliance: calotins de toutes croyances, socialistes, communistes, psychologues, docteurs, psychanalystes, etc. Dans les localités où je donnais des consultations d'hygiène sexuelle et aux réunions de groupes d'hygiène mentale — dont de nombreux Autrichiens ont peut-être gardé le souvenir — des professeurs d'éthique et de philosophie prenaient la parole pour prophétiser la déchéance de l'espèce humaine comme conséquence de l'immoralité. Des politiciens irresponsables qui avaient promis aux masses le paradis sur terre, nous expulsèrent de leurs organisations parce que nous défendions *les droits des enfants et adolescents à l'amour naturel*. Et certes, cette façon purement médicale de présenter l'exigence biologique aurait immédiatement entraîné de sérieuses conséquences pour la structure sociale et économique d'ensemble de la société: logements à prévoir pour les jeunes gens, moyens d'existence garantis pour parents, éducateurs et jeunes gens; une restructuration complète du caractère des éducateurs; une critique de tous les mouvements politiques qui assoient leur existence et leur activité sur la déréliction essentielle de l'homme; une auto-suffisance intérieure fondamentale de l'être humain s'étendant aux masses; *l'autonomie dans l'éducation des enfants* afin d'assurer l'accès graduel à l'auto-suffisance pour les adultes. Telles furent les premières tentatives de réévaluation de la condition biologique de l'homme.

La pression qui s'exerçait de tous côtés sur ce travail d'hygiène sociale devint si forte que je décidai de me transporter en Allemagne. En septembre 1930, j'abandonnai mon cabinet médical florissant et mon enseignement psychanalytique à Vienne et je me rendis à Berlin. Je ne revins qu'une seule fois en Autriche, en avril 1933; durant ce bref séjour, je fus à même de m'adresser à une grande assemblée d'étudiants à l'Université de Vienne. J'esquissai pour eux quelques conclusions de mon travail sur la nature du fascisme. En tant que psychiatre et biologiste, je considérais la catastrophe allemande comme le résultat d'une situation de détresse biologique de masses humaines, tombées sous la coupe d'une poignée de bandits assoiffés de pouvoir. Je fus rempli d'aise par l'audience que j'obtins de la jeunesse étudiante viennoise à ce moment-là. Mais il n'y eut pas un seul politicien professionnel pour daigner m'écouter. Depuis lors, le problème de la vie biologique de l'animal humain a pris des dimensions considérables. A l'époque où j'écris (mars 1949), nous avons, aux Etats-Unis, engagé une lutte difficile pour la reconnaissance de la révolution biologique qui travaille l'humanité depuis quelques décennies. Cela nous entraînerait trop loin de notre sujet d'examiner ceci dans le détail. Mais il est *un point* qui doit être fortement souligné.

Ce qui, dans l'Autriche des années 1920-1930, paraissait si étrange et périlleux, est aujourd'hui, dans l'Amérique de 1949, l'objet d'un débat public vivant. Un tournant se produisit vers 1946, peu après la Seconde guerre mondiale. Il se manifesta par la publication d'articles de journaux discutant du naturel de l'auto-satisfaction génitale chez l'enfant. Le mouvement pour l'hygiène mentale s'était emparé de l'esprit public aux Etats-Unis. Aujourd'hui, on y admet que *l'avenir de l'humanité dépend de la solu-*

17

tion apportée au problème de la structure caracté-
rielle de l'homme. Pendant les deux dernières années
en particulier, l'idée *d'autonomie* dans l'éducation
des enfants a fait son chemin et commencé à attirer
l'attention de la masse. Bien sûr, ici comme ailleurs,
il se trouve des hypocrites sexuels en haut-lieu —
personnalités du gouvernement qui enragent lorsqu'ils entendent parler d'auto-discipline *(Selbststeuerung)* Ce sont les politiciens de la pire espèce
parmi les affamés du pouvoir. Mais le progrès du
mouvement d'hygiène mentale et *l'affirmation* de la
sexualité biologique naturelle de l'enfant et de l'adolescent ne sont plus en doute. Ce mouvement ne peut
plus être arrêté.

Je ne dis pas que la victoire a été remportée. Il y
aura encore de graves conflits durant des décennies.
Mais je dis que l'affirmation fondamentale de la
vie amoureuse *naturelle* fait son chemin et ne peut
être arrêtée, malgré le nombre des redoutables
ennemis de la vie. A ma connaissance, également,
l'Amérique et le seul pays où « la vie, la liberté et
la recherche du bonheur » sont des éléments de la
constitution. Je rassure le lecteur en lui affirmant que
je suis pleinement conscient des tendances réactionnaires aux Etats-Unis. Mais ici, comme nulle part
ailleurs, il est possible de *combattre pour la poursuite du bonheur et les droits de la vie.* Le livre
d'Alexandre Neill: *The Problem Family,* qui invo-
quait le principe de l'économie sexuelle dans l'éducation, s'est immédiatement vendu à des milliers
d'exemplaires. Mon livre *La Révolution Sexuelle*
reçut également un bon accueil lors de sa publication. En Amérique, il existe des organisations
influentes et reconnues de parents et d'enseignants,
qui soutiennent le principe de l'auto-discipline, et
de plus celui de l'économie sexuelle, dans l'éducation de l'enfant. Il est des universités où les ques-

tions sexuelles font partie des cours sur les principes de la vie. Ici ou là, on trouve hésitation, silence ou même hostilité, mais l'hygiène sexuelle est une réalité pour des millions de personnes.

J'aurais aimé augmenter ce livre de l'examen de nos connaissances actuelles dans ce domaine. Mais j'ai dû y renoncer. La situation politique et sexuelle de ces vingt dernières années constitue un tableau indivisible: ce tableau est toujours valable pour l'essentiel. Les expériences scientifiques et médicales réalisées depuis 1930 dans le domaine de l'économie sexuelle ont été décrites dans des études spécialisées. C'est pourquoi je publie *La Révolution Sexuelle* sous une forme presque inchangée.

Je dois insister une fois de plus sur le fait que depuis plus de dix-sept ans mon travail est resté indépendant de tous mouvements et partis politiques. Il s'agit désormais d'une œuvre traitant de la vie humaine — et qui se trouve souvent en opposition aiguë avec la menace politique à l'égard de cette vie.

W. R.
Forest Hills, New York,
mars 1949.

PRÉFACE DE LA TROISIÈME ÉDITION

La troisième édition de mon livre DIE SEXUALITÄT IM KULTURKAMPF (première édition en 1930, deuxième édition augmentée en 1936), paraît pour la première fois en langue anglaise, grâce aux efforts infatigables du Dr Theodore P. Wolfe. Elle est inchangée en ce qui concerne le contenu. Elle a exigé cependant de notables modifications de *terminologie*, pour les raisons que voici:

Les matériaux de ce livre ont été primitivement réunis dans les années 1918 à 1935, dans le cadre du mouvement de libération européen [1]. Ce mouvement était tombé dans la croyance erronée qu'une idéologie autoritaire était synonyme de mode de vie « bourgeois » et qu'une idéologie libertaire était synonyme de mode de vie « prolétarien ». Cette illusion fondamentale signifia le déclin du mouvement de libération européen. Les événements sociaux des douze dernières années furent une sanglante leçon à l'égard de cette illusion. Ils montrèrent qu'idéologie autoritaire et idéologie libertaire n'ont rien à voir avec la configuration économique des classes. L'idéologie d'une couche sociale n'est pas le reflet immédiat de sa situation économique. L'excitabilité émotionnelle et mystique des masses populaires est, dans le processus social, d'une importance égale, si ce n'est bien supérieure, aux intérêts purement économiques. La coercition (all. *Zwang*) autoritaire imprègne *toutes* les couches de la société, dans toutes les nations, tout de même que la pensée et l'action

[1] Entendez: du mouvement communiste. N. d. T.

21

dirigées vers la liberté. Il n'y a pas de limites de classe pour les structures caractérielles comme il y en a pour les situations économiques ou sociales. Ce n'est pas une question de « lutte de classes » entre le prolétariat et la bourgeoisie, comme une théorie sociologique mécaniste voudrait le faire croire. Non, il s'agit bien d'un combat des travailleurs dont la structure caractérielle est adaptée à la liberté contre des travailleurs à structure autoritaire et des parasites sociaux; il se trouve des membres des couches sociales supérieures à structure caractérielle capable de liberté, pour combattre, au péril de leur vie, en faveur des droits de *tous* les travailleurs et contre les dictateurs qui, en l'occurrence, émanent du prolétariat. La Russie soviétique, qui doit son existence à une révolution prolétarienne, est aujourd'hui, en 1944, réactionnaire en matière de politique sexuelle, tandis que l'Amérique, avec son substrat de révolution bourgeoise, est au moins progressiste, en politique sexuelle. Les concepts sociaux du XIXe siècle, à contenu purement économique, ne s'appliquent plus à la stratification idéologique qui apparaît au cours des conflits de cultures du XXe siècle.

Les luttes sociales d'aujourd'hui, réduites à leur plus simple expression, opposent les intérêts qui *sauvegardent et affirment la vie à ceux qui la détruisent et la nient*. La première question concernant la situation sociale n'est plus: « Etes-vous riche ou pauvre? », mais: « Avez-vous de l'intérêt, et combattez-vous pour la défense et l'accroissement de la liberté dans la vie humaine? Faites-vous tout ce qui est en votre pouvoir pour rendre les masses laborieuses assez indépendantes dans leur pensée, leur action et leur façon de vivre, pour qu'une auto-régulation complète de la vie humaine soit possible dans un avenir pas trop éloigné? »

Si la question sociale fondamentale est ainsi concrètement formulée, il devient évident que l'effort social doit être centré sur le fonctionnement vital de tout membre de la société, y compris les plus pauvres. A ce titre, la signification que je dus attribuer, il y a plus de quinze ans, à la répression sociale de la sexualité, prend d'énormes proportions. L'économie sexuelle, sociale et individuelle, a montré que la suppression de la vie sexuelle infantile et juvénile était le mécanisme par lequel se construisent les structures caractérielles assurant la servitude politique, idéologique et économique. Il ne suffit plus d'exhiber une carte de parti blanche, jaune, rouge ou noire, pour prouver qu'on possède cette mentalité-ci ou celle-là. Il s'agit d'affirmer pleinement, d'aider et de protéger, les manifestations libres et saines de la vie chez le nouveau-né, l'enfant, l'adolescent et l'adulte, *d'une façon qui exclue infailliblement et définitivement toute tromperie sociale*; ou de les réprimer et de les ruiner, quel qu'en soit le prétexte ou l'instrument idéologique, que ce soit dans l'intérêt de tel ou tel Etat « prolétarien » ou « capitaliste », au nom de telle ou telle religion, la juive, la chrétienne ou la bouddhiste. Ceci vaut partout et tant qu'il y aura de la vie, et doit être admis si l'on veut mettre fin à la mystification organisée des masses laborieuses, si l'on veut prouver en agissant que l'on prend au sérieux les idéaux démocratiques.

La nécessité d'un changement radical des conditions de la vie sexuelle a désormais imprégné la pensée sociale en général, et ce processus va s'accélérant. Un effort de compréhension de la vie amoureuse infantile se répand dans des milieux de plus en plus étendus. Certes, il n'y a toujours pas d'affirmation sociale pratique de la vie amoureuse de l'adolescent; certes, la pédagogie officielle évite le contact avec ce « point chaud » qu'est le problème sexuel de la puberté; néanmoins, l'idée que le besoin de rapports sexuels est évident et naturel chez l'adolescent ne soulève plus la même horreur que lorsque j'en parlai pour la première fois en 1929. Le succès qu'obtint l'économie sexuelle dans de si nombreux pays est dû aux nombreux et bons éducateurs, ainsi qu'aux parents compréhensifs, qui reconnurent que les besoins sexuels des enfants et adolescents étaient tout à fait naturels et justifiés. Certes, il subsiste toujours la honte d'une législation sexuelle médiévale et des institutions atroces comme les maisons de correction; mais la vision rationnelle de la vie sexuelle infantile et juvénile a irréversiblement gagné du terrain.

Une nouvelle période de rationalisme devra défendre son bien contre les puissants survivants de l'irrationalisme médiéval. Certes, il y a encore des théoriciens de la « dégénérescence héréditaire » et de la « criminalité congénitale »; mais le constat de l'origine *sociale* du crime et des maladies de l'affectivité se répand de plus en plus largement. Certes, il y a encore de trop nombreux médecins qui veulent recourir à des mesures telles qu'attacher les mains des enfants pour prévenir la masturbation; mais des opinions opposées se font entendre jusque dans les quotidiens. Certes, on envoie encore des adolescents normaux dans des maisons de correction parce qu'ils exercent leurs fonctions amoureuses naturelles; mais il y a de plus en plus de juges qui savent que cette législation et ces institutions sont des crimes sociaux. Certes, il subsiste encore un moralisme calotin et inquisiteur de grande envergure, qui condamne la sexualité naturelle comme étant l'œuvre du diable; mais il se trouve un nombre croissant d'étudiants en théologie qui accomplissent un travail social et se libèrent quant à eux de leur moralisme. Il se trouve même des évêques pour préconiser les recours anti-conceptionnels, quoiqu'ils désirent en voir restreindre l'usage au mariage légal. Certes, il y a encore trop de jeunes gens qui sont des naufragés du combat pour le bonheur amoureux; mais il arrive aussi qu'on reproche à un père, dans une discussion publique radiodiffusée, de condamner sa fille pour avoir eu un enfant sans être légalement mariée. Certes, il existe toujours des lois matrimoniales coercitives qui font du divorce une affaire de chantage; mais le dégoût inspiré par ces lois et ces procédures de divorce s'accroît et se généralise.

Ce que nous sommes en train de vivre, c'est une véritable et profonde révolution de la vie culturelle. Elle se déroule sans parades, uniformes, roulements de tambour ou d'artillerie; mais ses victimes ne sont pas moins nombreuses que celles des batailles des guerres civiles de 1848 ou de 1917. Les sens de l'animal homme, dans le domaine de ses fonctions vitales, s'éveillent d'un sommeil millénaire. La révolution de notre vie atteint aux racines de notre existente affective, sociale et économique.

En particulier, les révolutions de *la vie familiale*, ce talon d'Achille émotionnel de la société, se déroulent de façon chaotique. Elles sont chaotiques parce que notre structure familiale autoritaire, héritée de l'antique patriarcat, est ébranlée dans ses fondations par le processus d'apparition d'une forme *naturelle* de vie familiale, et parce que la société n'encourage pas ce processus. Ce livre ne discute pas des relations familiales naturelles, mais critique les formes coercitives de la famille autoritaire, qui sont maintenues par une législation stricte, par la structure caractérielle réactionnaire de l'homme et par une opinion publique irrationnelle. Les événements qui se déroulèrent en Russie au cours de la révolution sociale à partir de 1917, et qui font l'objet de la deuxième partie de ce livre, démontrent le danger émotionnel et social que représentent ces révolutions: la crise de la famille, que la Russie soviétique tenta de résoudre dans un court laps de temps dans les années 20, atteint désormais le monde entier, plus lentement, mais plus complètement. Lorsque je parle de « révolution profonde de la vie culturelle », j'entends principalement la *substitution d'une forme naturelle de famille à la famille patriarcale autoritaire*. Mais c'est précisément cette forme naturelle de relation entre homme et épouse et entre parents et enfants, qui rencontre encore les obstacles sociaux les plus dangereux.

Le mot « révolutionnaire » dans ce livre, comme dans d'autres écrits d'économie sexuelle, ne désigne pas l'usage de la dynamite, mais l'usage de la vérité; il ne désigne pas l'organisation de réunions secrètes et la distribution d'écrits illégaux, mais l'appel ouvert à la conscience humaine, sans restrictions mentales, circonlocutions et échappatoires; il ne désigne pas le gangstérisme politique, avec exécutions, audiences, conclusions et ruptures de pactes; le terme révolutionnaire signifie radical, c'est-à-dire *qui va à la racine des choses*. L'économie sexuelle est révolutionnaire au sens des révolutions que furent en médecine la découverte des bactéries ou de la vie psychique inconsciente, en technologie la découverte des lois de la mécanique et de l'électricité, en économie la découverte de la nature de la force productive, la force de travail. L'économie sexuelle est révolutionnaire parce qu'elle révèle les lois de la formation du caractère humain et parce qu'elle fonde la lutte pour la liberté sur les lois fonctionnelles de l'énergie biologique, plutôt que sur des slogans libertaires. Nous sommes révolutionnaires en approchant les processus de la vie avec les méthodes de la *science naturelle*, au lieu de les aborder de façon mécaniste, politique ou mystique. La découverte de l'orgone [1], qui agit chez les vivants en tant qu'énergie biologique, confère à nos recherches sociales un solide fondement de science naturelle.

L'évolution sociale de notre temps est partout orientée *vers un internationalisme sans conditions.* La soumission des peuples à la férule des politiciens doit être remplacée par une conduite scientifique des affaires sociales. Ce qui importe, c'est la société des hommes, et non l'Etat. Ce qui est important, c'est la vérité, non la tactique. La science naturelle doit faire face à la plus grande tâche qu'elle ait jamais rencontrée: celle de prendre définitivement en charge la responsabilité de l'avenir d'une humanité torturée. La politique a définitivement fait son temps. Les savants, qu'ils le veuillent ou non, sont appelés à guider les processus sociaux, et les politiciens devront apprendre bon gré mal gré à faire du travail utile. Aider le nouvel ordre scientifique et rationnel de la vie, pour lequel tant de personnes se battent de tous côtés, est l'un des buts de ce livre. Celui qui est honnête, au sens de la santé des fonctions vitales, et qui a conscience d'avoir une responsabilité sociale, ne pourra ni ne voudra le mésinterpréter ou le mal utiliser.

W. R.
Novembre 1944.

[1] Cf. *La fonction de l'orgasme*, ch. IX. (N. d. T.).

« ORGONE: Energie cosmique primordiale; elle est présente partout et peut être mise en évidence de façon visuelle, thermique, électroscopique et par le compteur Geiger-Müller. Dans les organismes vivants, elle est la bio-énergie, l'énergie vitale (W. Reich). » Découverte par W. Reich entre 1936 et 1940. N.d. W.R.I.T.F.

PRÉFACE DE LA DEUXIÈME ÉDITION

En octobre 1935, trois cents psychiatres célèbres invitèrent le monde entier à une réflexion. L'Italie venait d'envahir l'Abyssinie. Des milliers d'hommes, de femmes et d'enfants avaient été massacrés. On commençait à se faire une idée des dimensions du massacre collectif en cas de nouvelle guerre mondiale.

Qu'une nation comme l'Italie, où des millions d'individus mouraient de faim, puisse obéir sans révolte et dans l'enthousiasme à l'appel aux couleurs, cela pouvait être attendu; et pourtant le fait parut incompréhensible. Cela confirmait l'impression générale que, non seulement quelques pays ont à leur tête des individus chez qui les psychiatres ne manqueraient pas de reconnaître des signes de dérangement mental, mais que, de plus, les populations mêmes sont malades dans l'ensemble: leurs réactions sont anormales, en contradiction avec les désirs propres des individus et avec leurs propres possibilités. Voici quelques types de réactions anormales: mourir de faim face à l'abondance; rester exposé au froid, à la pluie et à la neige, en présence de charbon, de matériel de construction et de place pour bâtir; croire qu'une puissance divine à longue barbe blanche régit toutes choses et que l'on est à la merci de cette puissance pour le bien comme pour le mal; massacrer d'innocentes personnes avec enthousiasme, et croire que l'on doit conquérir une région dont on n'avait jamais entendu parler auparavant; marcher en haillons et se considérer en même temps comme le représentant de la « grandeur de la nation »; oublier ce qu'un politicien avait promis avant de devenir chef de l'Etat; déléguer à quelque individu que ce soit, fussent-ils hommes d'Etat, un pouvoir quasi absolu sur sa propre vie et son propre destin; être incapable de comprendre que les soi-disant grands timoniers de l'Etat doivent eux aussi dormir, manger, répondre à l'appel de la nature, qu'eux aussi sont gouvernés par des pulsions affectives inconscientes et incontrôlables, et souffrent de dérangements sexuels comme tout autre mortel; considérer comme évident qu'il faut battre les enfants dans l'intérêt de la « culture »; refuser aux adolescents, qui sont dans la fleur de l'âge, le bonheur de l'union sexuelle; et l'on peut multiplier les exemples à l'infini.

Le manifeste des trois cents psychiatres était une intervention pratique de la part d'une science qui ne se considère pas comme normalement liée à une pratique. Mais son action était incomplète: quoiqu'il décrivît les phénomènes correctement, il n'allait pas à leur racine. Il ne posait pas la question de la *nature* du mal général de nos contemporains. Il ne demandait pas pour quelle raison les masses manifestaient une disposition si démesurée pour l'auto-sacrifice en faveur d'une poignée de marchands de canons. Il ne constatait pas la différence entre la satisfaction des vrais besoins et la satisfaction illusoire procurée par l'enthousiasme nationaliste, satisfaction qui est de l'ordre des extases mystiques des fanatiques religieux.

La faim et la misère des masses, jointes à l'accroissement de la production, loin de donner naissance à une planification rationnelle de l'économie, conduisaient à une consécration de la faim et de la paupérisation chez les masses elles-mêmes. Le mouvement socialiste perdait son élan. Le problème ne relève pas de la psychologie des hommes d'Etat, mais de celles des masses.

Les hommes d'Etat d'aujourd'hui sont les amis, frères, cousins ou beaux-pères des magnats de la finance. Le fait que la masse des individus pensants et instruits ne le voit pas et n'agit pas en conséquence est en soi un problème qui ne peut être résolu par des tests « psychotechniques » de l'individu. Les perturbations mentales, parmi lesquelles on doit compter l'altération de la pensée rationnelle, la résignation, la soumission à l'autorité et aux *Führers*, sont, réduites à leur plus simple expression, l'effet d'un trouble de l'harmonie de la vie végétative, en particulier de la vie sexuelle telle que la détermine une société autoritaire.

Les symptômes grotesques des aliénés ne sont que l'exagération de ces attitudes mystiques et crédules que manifestent des peuples entiers lorsqu'ils tentent de conjurer les guerres par la prière. Dans les hôpitaux psychiatriques du monde entier, qui hébergent environ quatre individus sur mille, on n'accorde pas davantage attention à la régulation de la vie végétative sous son aspect sexuel que ne le fait la politique générale.

La science officielle n'a pas écrit à ce jour le chapitre SEXUALITÉ. Cependant, on ne peut douter plus longtemps de la genèse des réactions psychiques anormales par l'insatisfaction et le détournement de l'énergie sexuelle. Soulever le problème relatif à *la régulation sociale de la vie sexuelle humaine* revient donc à rechercher les racines de la maladie psychique collective.

C'est l'énergie sexuelle qui gouverne la structure de l'affectivité et de la pensée humaines. La « sexualité » (sous son aspect physiologique de fonction parasympathique), est l'énergie vitale *per se*. La

31

réprimer équivaut à troubler les fonctions vitales fondamentales, non seulement au sens strictement médical, mais de façon tout à fait générale. L'expression sociale la plus importante en est l'irrationalité dans l'action humaine: mysticisme, religiosité, disponibilité pour la guerre, etc. Le point de départ de la politique sexuelle doit donc être la question: *quel est le motif de la répression de la vie amoureuse de l'homme?*

Résumons brièvement la théorie de l'économie sexuelle en ce qui concerne les rapports du psychisme humain et les facteurs socio-économiques. La société forme, modifie et réprime les besoins humains; au cours de ce processus, une structure psychique se constitue, structure qui n'est donc pas innée, mais qui se développe en chaque individu au cours du combat entre le besoin et la société. Il n'y a pas de structure congénitale des pulsions, mais une structure acquise au cours des toutes premières années de la vie. Il n'y a de congénital qu'une plus ou moins grande quantité d'énergie végétative. La société autoritaire crée la structure servile, faite d'obéissance et de révolte simultanées. Une société non autoritaire devra produire des individus « libres ». Elle devra donc avoir connaissance, non seulement du mode de production de la structure individuelle de type autoritaire, mais aussi des forces à mettre en œuvre pour produire une structure non autoritaire.

Etant donné que la fonction sexuelle constitue le noyau du fonctionnement psychique, le noyau de la psychologie pratique ne peut être que la politique sexuelle. Ceci est exprimé par la littérature et le cinéma: 90 % des romans de tous ordres, et 99 % des films ou œuvres théâtrales reposent sur un appel aux besoins sexuels insatisfaits.

Les besoins biologiques, le besoin de nourriture

et de satisfaction sexuelle, sont causes de la nécessité d'une organisation sociale en général. Les « modes de production » qui en résultent altèrent les besoins fondamentaux, sans pour autant les détruire, et créent donc de nouveaux types de besoins. Ces besoins modifiés nouvellement créés déterminent un développement ultérieur de la production, des moyens de production (machines et outils), et en même temps des relations sociales et économiques entre les individus. Sur la base de ces relations interpersonnelles dans la production, se développent certaines conceptions de la vie, morales, philosophies, etc. Ces conceptions correspondent approximativement à l'état du développement technique à toute époque donnée, c'est-à-dire à la capacité de comprendre et de maîtriser l'existence humaine. L'« idéologie » sociale ainsi développée construit à son tour une structure humaine. A ce titre, elle devient un pouvoir matériel; elle existe dans la structure humaine sous la forme de ce qu'on appelle « tradition ». Le développement ultérieur diffère entièrement selon l'hypothèse que c'est la société tout entière qui contribue à la formation de l'idéologie sociale ou que seule une minorité y contribue. Si une minorité détient le pouvoir politique, alors elle possède également le pouvoir de constituer la structure idéologique générale. En conséquence, dans une société autoritaire, la façon de penser de la majorité du peuple correspond aux intérêts de ceux qui dominent politiquement et économiquement. Dans une véritable démocratie, une démocratie du travail *(Arbeitsdemokratie)* en revanche, l'idéologie sociale correspondrait aux intérêts vitaux de *tous* les membres de la société.

Jusqu'à présent, l'idéologie sociale a été pensée comme la simple somme des conceptions concernant le processus économique telles qu'elles se forment

33

« dans la tête des gens ». Mais, après la victoire de la réaction politique en Allemagne et l'enseignement que nous apporte la conduite irrationnelle des masses, l'idéologie ne peut plus désormais être considérée comme un simple reflet. Dès lors qu'une idéologie s'est enracinée dans la structure psychique d'un peuple et l'a modifiée, elle est devenue un *pouvoir politique matériel*. Il n'existe pas de processus socio-économique de quelque importance historique qui ne soit ancré dans la structure psychique des masses et qui ne s'exprime dans le comportement des masses. Il n'y a rien de l'ordre d'un « développement des forces productives *per se* » ; il n'existe qu'un développement de l'inhibition dans la structure psychique humaine, dans la pensée et le sentiment, sur la base de processus socio-économiques. Le processus économique, c'est-à-dire le développement des machines, est fonctionnellement *(funktionell)* identique au processus psychique structural de ceux qui réalisent le processus économique, l'accélèrent ou l'inhibent, et qui en subissent aussi l'influence. L'économie est inconcevable hors de la structure affective agissante de l'homme ; il en est de même pour l'affectivité, la pensée et l'action humaines hors du substrat économique. Négliger unilatéralement l'un ou l'autre conduit au *psychologisme* («les forces psychiques sont l'unique moteur de l'histoire »), ou à l'*économisme* (« le développement technique est le seul moteur de l'histoire »). Au lieu de tant discourir sur la dialectique, il faudrait tenter de comprendre les relations vivantes entre les groupes d'individus, la nature et les machines ; leur fonctionnement est unitaire, et en même temps en rapport de conditionnement réciproque. Il ne sera certainement pas possible de maîtriser le processus culturel actuel sans comprendre que le noyau de la structure psychologique est la structure sexuelle, et que le processus culturel est essentiellement déterminé par les besoins sexuels.

La vie sexuelle étroite, misérable, prétendument « apolitique » doit être étudiée dans son rapport avec les problèmes de la société autoritaire. La politique n'a pas pour domaine les déjeuners diplomatiques, mais la vie quotidienne. La conscience sociale est donc indispensable dans la vie quotidienne. Si les 1800 millions d'habitants de la planète parvenaient à comprendre l'action des cent principaux diplomates, tout irait pour le mieux; la société et les besoins de l'homme ne seraient plus dès lors gouvernés par l'intérêt des armuriers et des politiciens. Mais ces 1800 millions d'hommes seront incapables de maîtriser leur propre destin tant qu'ils n'auront pas pris conscience de leur vie personnelle dans sa modestie. Ce qui les en empêche, ce sont ces deux puissances intérieures: *le moralisme sexuel* et *le mysticisme religieux.*

L'ordre économique des deux cents dernières années a considérablement modifié la structure humaine. Cependant, ce changement est insignifiant au regard de l'appauvrissement généralisé de l'homme entraîné par des millénaires de répression de la vie naturelle, en particulier de la sexualité naturelle. C'est cette suppression multimillénaire qui est l'unique origine de ce terrain psychologique collectif de peur de l'autorité et de servilité à son égard, d'incroyable humilité d'un côté, assortie de brutalité sadique d'un autre côté, terrain sur lequel l'ordre capitaliste des deux derniers siècles a pu prendre racine.

Il ne faudrait cependant pas oublier que ce furent des processus socio-économiques qui inaugurèrent, il y a des millions d'années, ce changement de la structure humaine. Il n'est donc plus question d'un processus lié à un machinisme industriel se déroulant en deux siècles, mais d'une structure humaine d'environ 5000 ans d'âge, structure qui jusqu'à présent s'est montrée incapable de mettre les machines à son service. Si éclatante et révolutionnaire que fut la découverte des lois de l'économie capitaliste, elle ne suffit pas à résoudre le problème de la soumission à l'autorité. Il y a certes un peu partout des groupes d'individus et des fractions de classes dépossédées qui combattent pour « le pain et la liberté », mais l'écrasante majorité du peuple se cantonne dans l'attente et la prière, ou tente de combattre pour la liberté du côté de ses ennemis. Les masses font l'expérience de la dureté du besoin à chaque heure du jour. Le fait que l'on n'est disposé à ne leur accorder que le pain, et non pas tous les plaisirs de la vie, loin d'accroître leurs exigences, en émousse au contraire la vigueur. Ce qu'est ou pourrait être réellement la liberté, personne ne l'a encore concrètement expliqué aux masses. On ne leur a pas exposé de façon tangible les possibilités de bonheur général dans la vie. Et lorsque cela fut tenté, ce fut sous la forme de distractions pathologiques, superficielles et chargées de sentiments de culpabilité. Le noyau du bonheur dans la vie est le bonheur *sexuel*. Aucune personnalité de quelque importance politique n'a osé faire remarquer ceci; on a affirmé, en revanche, que la sexualité était une affaire privée qui n'avait rien à voir avec la politique. La réaction politique n'est pas de cet avis!

Le traducteur français de mon livre *Geschlechtsreife, Enthaltsamkeit. Ehemoral* (*La crise sexuelle*, Editions Sociales Internationales, Paris, 1934), compare le freudo-marxisme au marxisme, et affirme que la façon de penser propre à la psychanalyse modifie la formulation marxiste: « Reich », écrit-il, « ne considère pas que la crise sexuelle soit en premier lieu le résultat de la contradiction entre la morale et les institutions capitalistes en décadence, et les nouveaux rapports sociaux, la nouvelle morale en développement, mais le résultat de la contradiction entre les besoins sexuels naturels, éternels, et la réglementation sociale capitaliste. » De telles objections sont toujours instructives et conduisent à préciser et à compléter les formulations.

Le critique fait ici une distinction entre la différence des classes d'une part, et le conflit entre besoin et société d'une part. Ces deux oppositions ne doivent toutefois pas être considérées comme purement divergentes; toutes deux doivent recevoir la même explication de fond. Il est vrai que, du point de vue objectif de la lutte des classes, la crise sexuelle est une expression du conflit entre le capitalisme en déclin et la révolution montante; mais elle est en même temps l'expression du conflit entre le besoin sexuel et le mécanisme social. Comment accorder ces deux points de vue? Du point de vue objectif, la crise sexuelle est une manifestation de la différence des classes; mais comment se manifeste-t-elle pour la subjectivité? Qu'est-ce que cette « nouvelle moralité prolétarienne »? La moralité capitaliste, moralité de classe, est *contre* la sexualité et engendre donc le conflit au premier chef. Le mouvement révolutionnaire élimine le conflit en construisant tout d'abord une idéologie favorable au sexe et en lui donnant la forme pratique d'une nouvelle législation et d'un nouveau mode de vie sexuel. C'est dire que l'ordre social autoritaire et la répression sociale de la sexualité vont de pair, et que la « moralité » révolutionnaire et la satisfaction des besoins sexuels vont ensemble. L'expression de « nouvelle moralité révolutionnaire » n'a pas de sens par elle-même; elle acquiert un contenu par l'idée d'une satisfaction ordonnée des besoins, non limitée au domaine sexuel. Faute de se reconnaître ce contenu concret essentiel, l'idéologie révolutionnaire reste verbale et en conflit avec la réalité. Ce conflit entre l'idéologie et la réalité est facile à observer en Union Soviétique.

Si l'expression « nouvelle moralité » doit avoir un sens, ce ne peut être que celui de superfluité de toute réglementation morale et d'instauration d'une auto-régulation de la vie sociale. Celui qui ne meurt pas de faim n'a pas d'impulsion au vol et n'a donc pas besoin d'une moralité qui l'empêche de voler. La même loi fondamentale vaut pour la sexualité: celui qui est sexuellement satisfait n'a pas d'impulsion à violer et n'a pas besoin d'une moralité contrariant cette impulsion. Il s'agit d'une auto-régulation selon l'économie sexuelle *(sexualökonomische Regulierung),* opposée à la régulation morale coercitive. Le communisme, ayant ignoré les lois de la sexualité, tenta de garder la forme de la moralité conservatrice en en modifiant seulement le contenu; il en est résulté une « nouvelle moralité » qui se substitue à l'ancienne. C'est une erreur. Tout de même que, selon Lénine, l'Etat ne subit pas un simple changement de forme (sauf pendant la période transitoire de la dictature du prolétariat), mais «dépérit », la moralité coercitive ne doit pas seulement changer de forme, mais dépérir.

La seconde erreur de notre critique est de croire que nous admettons une sexualité *absolue,* qui entre en conflit avec la société. C'est une erreur première de la psychanalyse officielle que de considérer les pulsions *(Triebe; impulses)* comme des données biologiques absolues; et certes cela ne provient pas de la nature de la psychanalyse, mais de la vision mécaniste des analystes qui, comme cela se produit toujours dans les conceptions mécanistes, complètent cette vision par des thèses métaphysiques. — Les pulsions se développent, se transforment et dégénèrent. — Les périodes au cours desquelles se réalisent les modifications biologiques sont toutefois si longues au regard du temps des changements sociaux qu'elles nous paraissent être des données absolues, alors que ceux-ci paraissent relatifs et temporaires. Si nous examinons des processus sociaux concrets et limités dans le temps, nous pouvons nous contenter de la découverte d'un conflit entre une pulsion biologique déterminée et le sort que lui réserve l'ordre social. Il n'en est pas de même pour les lois biologiques du processus sexuel: il faut ici tenir rigoureusement compte de la relativité et de la variabilité de la structure émotionnelle. Si, par exemple, nous considérons les processus de la vie individuelle comme les conditions premières de tout processus social, il nous suffit d'admettre que la vie et les besoins vitaux existent. Mais cette vie n'est pas absolue. Si nous prenons en considération des laps de temps d'échelle cosmique, la vie est alors quelque chose qui émerge de la matière inorganique et qui y retournera. Ces considérations nous font mieux comprendre que toute autre l'extrême petitesse et l'insignifiance des illusions humaines concernant les tâches « spirituelles, transcendantes », et la grande importance, au contraire, de la connexion entre la vie végétative de l'homme et le tout de la nature. On pourrait mal interpréter ceci en disant que la lutte sociale est à son tour insignifiante au regard des processus cosmiques dont l'homme et la société ne sont qu'une partie négligeable; on pourrait dire qu'il est insignifiant que des peuples se massacrent, qu'ils portent un Hitler au pouvoir ou tentent de réduire le sous-emploi, relativement au mouvement stellaire dans la sphère des fixes; qu'il vaudrait mieux se contenter de jouir de la nature. Cette interprétation serait fallacieuse, car le point de vue scientifique s'oppose à la réaction et est en faveur de la démocratie du travail *(Arbeitsdemokratie)*. La réaction tente d'enfermer l'infinité cosmique et le sentiment de la nature qui la reflète dans le cadre de l'idéal minuscule de l'abstinence sexuelle et du sacrifice aux projets nationalistes. La démocratie du travail tente, au contraire, d'amener l'exiguïté de la vie individuelle et sociale sur l'orbite des grands processus de la nature; elle tente d'éliminer le conflit qui travaille la société par suite des milliers d'années d'exploitation, de mysticisme et de répression sexuelle; bref, elle est favorable à la sexualité naturelle et hostile à la moralité anti-naturelle, favorable à une planification économique internationale et hostile à l'exploitation et au nationalisme.

L'idéologie national-socialiste possède un noyau rationnel, exprimé dans le slogan de « fidélité au sang et à la terre », qui confère un élan exceptionnel au mouvement réactionnaire. La pratique national-socialiste, en revanche, ne cesse d'adhérer aux forces sociales qui contrarient le principe de l'action révolutionnaire, à savoir l'unification de la société, de la nature et de la technique. Elle ne cesse d'adhérer au principe de la société de classes, nullement éliminée par l'illusion de l'unité du peuple, ainsi qu'à la propriété privée des moyens de production, nullement éliminée par l'idée de « bien public ». Le national-socialisme exprime par son idéologie, de façon mystique, ce qui constitue le noyau rationnel dans le mouvement révolutionnaire: l'idée d'une société sans classes et d'une vie en harmonie avec la nature. Le mouvement révolutionnaire quant à lui, quoique n'ayant pas encore la parfaite conscience de son idéologie propre, a éclairci les conditions économiques et sociales d'une réalisation de sa vision rationnelle de la vie, d'une réalisation du bonheur dans la vie.

**
*

Ce livre résume la critique des conditions de vie

et des conceptions sexuelles existantes, au nom des thèses d'économie sexuelle *(sexualökonomische Einsichten)* acquises au fil des années de pratique médicale. La première partie *(Le Fiasco du moralisme sexuel)* a déjà été publiée, il y a six ans, sous le titre *Geschlechtsreife, Enthaltsamkeit, Ehemoral.* Elle a été augmentée par endroits, mais reste inchangée dans l'ensemble. La deuxième partie *(La Lutte pour la « Nouvelle vie » en Union Soviétique)* est nouvelle. Elle utilise des matériaux réunis durant les dix dernières années. La présentation de l'étouffement de la révolution sexuelle en Russie Soviétique fera clairement comprendre pourquoi, dans mes premiers écrits d'économie sexuelle, je me référais constamment à l'Union Soviétique. Durant ces quatre dernières années, beaucoup de choses ont changé. En liaison avec une régression d'ensemble aux principes autoritaires, les réalisations de la révolution sexuelle soviétique se sont trouvées de plus en plus abandonnées.

Inutile de le dire, il n'a pas été possible d'examiner tous les problèmes attenants au nôtre. Une critique des théories psychopathologiques en vigueur eût été pertinente, ainsi qu'un examen d'ensemble de la religion. Mais l'infinité des problèmes a dû le céder à l'exigence de maintenir le livre à une dimension raisonnable. La politique sexuelle du fascisme et de l'Eglise, en tant qu'organisation politico-sexuelle patriarcale, a été examinée dans mon livre *Massenpsychologie des Faschismus* [1]. Le livre que voici n'est pas un manuel de sexologie ni une histoire de la crise sexuelle des temps présents. Il se limite à une exposition, fondée sur des exemples particuliers, des traits *fondamentaux* des conflits de la vie sexuelle de notre époque. Les notions d'économie sexuelle présentées ici ne sont pas le résultat d'un travail de bureau. Sans

[1] Traduction anglaise: *The Mass Psychology of Fascism.*

de nombreuses années de contact étroit avec la jeunesse de la classe ouvrière, de la classe moyenne et des milieux intellectuels, et sans une vérification constante des expériences ainsi réunies par le travail thérapeutique avec les patients, pas une seule phrase de ce livre n'eût été écrite. Ceci doit être dit en prévision d'un certain genre de critique; la discussion est nécessaire et fructueuse; mais c'est un gaspillage dérisoire de temps et d'énergie que de l'entamer sans aller aux sources directes de l'expérience sexologique: la vie des masses frustes ou mal éduquées, les individus qui souffrent et se battent, et que les *Führers* inspirés de Dieu appellent *sous-hommes*. Sur la base de mon expérience pratique en Allemagne et en Autriche, expérience clinique et sociologique, je pouvais me permettre d'avoir une opinion sur le cours de la révolution sexuelle en Russie Soviétique, quoique je n'eusse pas un contact personnel permanent avec les événements. Il est possible que certains aspects de la situation en politique sexuelle *(sexualpolitische Verhältnisse)* soient présentés quelque peu unilatéralement. Mais le but recherché n'était pas d'énoncer des vérités absolues, mais de donner une présentation générale des tendances et des conflits de base. Il va de soi que les éditions ultérieures tiendront compte d'éventuelles corrections concernant les faits.

Je voudrais enfin dire à mes amis qui, préoccupés, me conseillent de quitter le « terrain dangereux de la politique », et de me limiter à la science naturelle, que la sexologie, dans la mesure où elle mérite ce nom, est révolutionnaire, qu'elle le veuille ou non. Qui voudrait, dans un bâtiment en flammes, écrire calmement des traités esthétiques sur le sens de la couleur chez les grillons?

W. R.
Novembre 1935.

Première Partie

LE FIASCO
DU MORALISME SEXUEL

CHAPITRE PREMIER

LES BASES CLINIQUES DE LA CRITIQUE OPÉRÉE PAR L'ÉCONOMIE SEXUELLE *

1. — DE LA RÉGULATION MORALE À LA RÉGULATION PAR L'ÉCONOMIE SEXUELLE *

Les thèses d'économie sexuelle* qu'on expose ici se fondent sur l'observation clinique des patients qui, au cours d'un traitement d'analyse caractérielle réussi, subissent un changement de structure psychique. On soulèvera à juste titre la question de savoir si les découvertes concernant la transformation d'une constitution névrotique en une constitution saine, peuvent s'appliquer aux problèmes de la structure collective et de ses éventuelles altérations.

Au lieu d'entreprendre une discussion théorique, examinons plutôt les faits. Il n'est pas douteux que la conduite irrationnelle collective ne peut être comprise que sur la base des observations faites chez l'individu névrosé. Après tout, le principe est le même que celui de la lutte contre une épidémie, que l'on combat par l'examen de victimes particulières, destiné à découvrir le bacille et son action, identique chez toutes les victimes de l'épidémie. Le comportement pathologique de l'individu moyen laisse apparaître clairement les attitudes auxquelles nous ont accoutumés les patients isolés: l'inhibition sexuelle générale; le caractère compulsif *(Triebhaftig)* des

* Le texte allemand porte: *die sexualökonomische Kritik, das sexualökonomische Prinzip, die sexualökonomischen Anschauungen;* l'anglais: *sex-economic criticism, regulation, concepts.* Rappelons que nous avons recours à la forme nominale pour traduire ces adjectifs (N. d. T.).

exigences morales; l'incapacité d'imaginer la compatibilité de la satisfaction sexuelle avec le travail; la croyance bizarre que la sexualité des enfants et des adolescents est une aberration pathologique; l'incapacité d'envisager toute autre forme de sexualité que la monogamie à vie; le manque de confiance en ses propres forces et son propre jugement, avec l'aspiration subséquente à un Père omniscient et conducteur, etc. Les conflits de base de l'individu moyen sont toujours les mêmes; les différences dans l'histoire individuelle n'apportent que des différences de détail. Si l'on tente d'appliquer aux masses ce que nous avons appris de l'individu, il faut se limiter à ce qui se réfère aux conflits typiques de tout individu; dans ces conditions, les observations relatives aux changements de structure chez l'individu peuvent aussi valoir pour les masses.

Les patients viennent à nous avec des troubles typiques. Leur capacité de travail est toujours affectée; les réalisations ne correspondent pas aux exigences que formule la société, ni d'ailleurs aux aptitudes que le sujet sent en lui-même. L'aptitude à la satisfaction sexuelle est toujours considérablement réduite, sinon entièrement annihilée; l'aptitude naturelle à la satisfaction génitale est régulièrement remplacée par des types de satisfaction non-génitaux (prégénitaux); on trouve une représentation sadique de l'acte sexuel: fantasmes de viol, etc. Il est toujours possible de démontrer que ce changement dans le caractère et le comportement sexuel a reçu sa forme définitive vers l'âge de quatre ou cinq ans. La perturbation du rendement social et sexuel apparaît tôt ou tard au grand jour. Chaque patient est accablé d'un conflit entre l'instinct et la morale; ce conflit est insoluble dans les conditions de refoulement sexuel de type névrotique: les exigences morales que le patient, sous l'effet de la pression sociale, s'impose à lui-même, entretiennent et renforcent la répression *(Aufstauung)* de ses besoins sexuels, et en un sens plus large, végétatifs; plus le trouble de la puissance génitale est sévère, plus la discordance entre le *besoin* de satisfaction et l'*aptitude* à la satisfaction est marquée; ce qui entraîne en retour une accentuation de la pression morale nécessaire pour contrôler les énergies réprimées; étant donné enfin que le conflit d'ensemble est essentiellement inconscient, l'individu est incapable de le résoudre par lui-même.

Lors du conflit entre l'instinct et la morale, entre l'ego et le monde extérieur, l'organisme psychique est contraint à se *cuirasser (Panzern)* contre l'instinct aussi bien que contre le monde extérieur, de se rendre *« froid »*. Ce « cuirassement » de l'organisme psychique a pour conséquence une limitation plus ou moins marquée de l'aptitude à vivre et de l'activité vitale. On peut bien dire que la plupart des hommes souffrent de cette cuirasse; un mur les sépare de la vie. Elle est la principale raison de la solitude de tant d'hommes au sein de la vie collective.

Un traitement par l'analyse caractérielle libère les énergies végétatives de leur fixation à la cuirasse. Le résultat *immédiat* en est une intensification des impulsions antisociales et perverses, ainsi que de l'anxiété sociale et de la pression morale. Si toutefois on parvient à dissoudre, en même temps, les fixations infantiles au foyer parental, aux traumatismes infantiles et aux tabous antisexuels, une quantité croissante d'énergie fait retour au système génital. De ce fait, les besoins génitaux naturels retrouvent une vie nouvelle ou s'éveillent pour la première fois. Si, en outre, on parvient à éliminer les inhibitions génitales et l'anxiété génitale, en sorte que le patient acquière l'aptitude à la satisfaction orgastique complète, et si le patient à la chance de rencontrer un partenaire sexuel convenable, on peut alors observer un changement d'ensemble dans le comportement du patient, dont l'étendue est souvent surprenante. Examinons les aspects les plus importants de ce changement.

Alors qu'auparavant la totalité de la pensée et de l'action était déterminée par des motifs inconscients et irrationnels, le patient devient désormais de plus en plus capable d'agir et de réagir de façon rationnelle. Au cours de ce processus, les tendances au mysticisme, à la religiosité, à la dépendance de type infantile, aux croyances superstitieuses, etc., disparaissent progressivement, et sans que l'on exerce d'action « éducatrice » sur le patient. Alors qu'antérieurement le patient était complètement cuirassé, incapable de contact avec lui-même et avec son entourage, susceptible d'avoir seulement des *pseudo*-contacts non-naturels, il développe maintenant une aptitude croissante au contact naturel et immédiat avec ses pulsions comme avec l'environnement. Le résultat en est un développement visible du comportement naturel, spontané, se substituant au comportement artificiel et emprunté.

On pourrait dire que la plupart des patients présentent une double nature: vus de l'extérieur, ils paraissent empruntés et étranges; pourtant, derrière cette façade pathologique, il y a quelque chose de sain. Ce qui rend les individus différents c'est essentiellement, dans l'état actuel des choses, leur superstructure névrotique individuelle. Au cours du processus de guérison, la différenciation individuelle s'efface considérablement et fait place à une *simplification* du comportement; le résultat de cette simplification c'est que les patients en voie de guérison deviennent plus ressemblants dans leurs traits fondamentaux, sans toutefois perdre leurs caractéristiques individuelles. C'est ainsi que chaque individu malade va dissimuler de façon originale son inaptitude au travail; s'il perd ce trouble qui l'empêche de travailler et acquiert confiance en ses capacités, il perd en même temps ces traits de caractère qui lui permettaient de surcompenser son sentiment d'infériorité; mais alors que les surcompensations sont susceptibles d'être hautement individualisées, la confiance en soi fondée sur la facilité dans la réalisation est chez tout le monde foncièrement semblable.

Cela vaut également pour l'attitude à l'égard de la sexualité. Celui qui réprime sa sexualité développe toutes sortes de défenses morales et culturelles. Lorsque les patients retrouvent le contact avec leurs propres besoins sexuels, ces différenciations névrotiques disparaissent; l'attitude à l'égard de la sexualité devient semblable chez tous les individus; elle se caractérise par la reconnaissance (*Bejahung*) du plaisir et l'absence de sentiment de culpabilité. Auparavant, le conflit insoluble entre le besoin instinctuel et l'inhibition morale contraignait le patient à agir, en toute circonstance, conformément à quelque loi extérieure et supérieure à lui; tout ce qu'il pensait ou faisait était évalué par rapport à une unité de mesure morale, quoiqu'il protestât en même temps contre cette compulsion. Lorsque le patient, au cours du processus d'acquisition d'une nouvelle structure, se rend compte du caractère indispensable de la satisfaction génitale, il se débarrasse de cette camisole morale et avec elle de la répression (*Stauung*) des besoins instinctuels. Auparavant, la pression morale avait intensifié l'impulsion et l'avait rendue antisociale; ce qui exigeait en retour une intensification de la pression morale. Maintenant que l'aptitude à la satisfaction devient égale à l'intensité des pulsions, la régulation morale devient inutile, l'ancien mécanisme de maîtrise de soi n'est plus nécessaire. C'est que l'énergie s'est retirée des pulsions antisociales, et il ne reste plus grand-chose qui doive

être contrôlé. L'individu sain n'a pratiquement plus
de moralité en lui, car il n'a pas de pulsions qui
appellent l'inhibition morale. Ce qui subsiste, d'impulsions antisociales est aisément contrôlable, dès
lors que les besoins génitaux de base sont satisfaits.
Tout ceci apparaît clairement dans l'attitude de l'individu qui est parvenu à la puissance orgastique [1]. Le
rapport avec une prostituée devient impossible; les
fantaisies sadiques disparaissent; attendre l'amour
comme un droit ou même violer le partenaire devient
inconcevable, ainsi que l'idée de séduire des enfants;
les perversions anales, exhibitionnistes ou autres disparaissent, et avec elles l'anxiété sociale et les sentiments de culpabilité qui les accompagnent; la fixation incestueuse aux parents, frères et sœurs perd
son intérêt, ce qui libère l'énergie liée dans ces
fixations. Bref, tous ces phénomènes indiquent l'aptitude de l'organisme à l'*auto-régulation*.

Ceux qui ont acquis l'aptitude à la satisfaction
orgastique sont bien davantage capables de relations
monogamiques que ceux qui souffrent de stase
sexuelle. Et l'attitude monogamique de ces individus
n'est pas due à l'inhibition d'impulsions polygami-
ques ou à des scrupules moraux; elle se fonde sur le
principe d'économie sexuelle *(sexualökonomisch)*
qui pousse à répéter l'expérience d'un plaisir et d'une

[1] Sur cette notion. cf. infra p. 194; et *La Fonction de l'orgasme*, IV,
3 et V, 5. Il s'agit de « La capacité de s'abandonner au flux de
l'énergie biologique sans aucune inhibition, la capacité de décharger
complètement toute l'excitation sexuelle contenue au moyen de contrac-
tions involontaires agréables au corps ». (La Fonction de l'orgasme,
p. 85.) Reich a élaboré cette notion vers 1923, lorsque, travaillant sur
l'hypothèse que toute névrose doit s'accompagner d'un trouble actuel
de la génitalité, il constata que les critères de *puissance éjaculative*
et de *puissance érective*, dont disposait alors la psychanalyse, étaient
insuffisants pour qualifier le sain; ils n'excluent pas en effet la stase
neurovégétative. Reich fut ainsi conduit à donner une description plus
soignée de la puissance, sous ses aspects physiologiques et psychologiques, qu'il appelle *puissance orgastique*, et qui exclut toute situation
névrotique; l'hypothèse de départ est ainsi vérifiée dans tous les cas.
(N. d. T.)

satisfaction intenses vécus avec le même partenaire; ce qui requiert une harmonie sexuelle complète entre les partenaires; il n'existe à cet égard aucune différence entre l'homme sain et la femme saine. Si en revanche on ne dispose pas d'un partenaire approprié, ce qui est la règle dans les conditions actuelles, l'aptitude à la monogamie se convertit en son inverse, la recherche inquiète d'un partenaire approprié. Si on le (ou la) trouve, l'attitude monogamique se rétablit automatiquement et subsiste tant que durent l'harmonie et la satisfaction sexuelles; la pensée et le désir d'autres partenaires soit n'apparaissent pas du tout, soit, en raison de l'intérêt pour le partenaire, ne débouchent pas sur l'action. Toutefois, la relation primitive se dissout inévitablement si elle se défraîchit et si une nouvelle relation promet davantage de plaisir; ce fait, aussi indiscutable soit-il, entre en conflit insoluble avec l'ordre sexuel de notre société, où les intérêts économiques et la considération des enfants sont en opposition avec le principe de l'économie sexuelle; et ce sont justement les individus les plus sains qui, sous un ordre social négateur du sexe, sont promis aux souffrances les plus intenses.

Tout autre est la conduite des individus dont la puissance orgastique est *perturbée*, c'est-à-dire celle de la majorité des individus: étant donné qu'ils retirent moins de plaisir de l'acte sexuel, ils peuvent se passer plus facilement de partenaire sexuel pour une période plus ou moins longue, et d'ailleurs sont moins difficiles, parce que l'acte sexuel n'a pas grande signification pour eux. Le caractère indifférencié *(Die Wahllosigkeit)* de leurs relations sexuelles est une conséquence de cette perturbation. Ces individus sexuellement perturbés sont plus aptes à se soumettre aux exigences d'une monogamie à vie. Leur fidélité, cependant, ne repose pas sur la satisfaction sexuelle, mais sur un système d'inhibitions morales.

Lorsqu'un patient en voie de guérison trouve un partenaire sexuel qui lui convient, non seulement tous ses symptômes nerveux disparaissent, mais le patient découvre en outre, et souvent avec surprise, qu'il est capable de régler sa vie et de résoudre ses conflits de façon non névrotique, avec une facilité inconnue auparavant. En tout ceci, il suit naturellement le principe de plaisir. La simplification de son attitude qui s'exprime dans sa structure psychique, sa pensée et ses sentiments, élimine bien des sources de conflit dans son existence; il acquiert en même temps une attitude critique à l'égard de l'ordre moral d'aujourd'hui.

Il est donc clair que le principe de la *régulation morale* s'oppose à celui de l'*auto-régulation par l'économie sexuelle (sexualökonomische Selbststeuerung).*

Etant donné que notre société, sexuellement malade, refuse toute collaboration à l'entreprise de promotion de la santé sexuelle, la thérapeutique de rétablissement de la puissance orgastique se heurte à toutes sortes d'obstacles infranchissables: c'est d'abord le nombre limité d'individus sexuellement sains que le patient peut envisager comme partenaires éventuels, lorsqu'il approche de la guérison; ce sont ensuite les diverses limitations qu'impose la morale sexuelle coercitive. La personne qui est devenue sexuellement saine doit de toute évidence cesser d'être inconsciemment hypocrite pour devenir consciemment hypocrite à l'égard de toutes ces institutions et situations sociales qui empêchent le développement de sa sexualité saine et naturelle. D'autres personnes développent une capacité de modifier leur entourage de telle façon que l'effet restreignant de l'ordre social actuel devienne négligeable.

L'expérience clinique que nous venons de résumer [1] nous autorise à tirer des conclusions générales concernant la situation *sociale*. Certes, les vastes perspectives ouvertes par ces conclusions, qui touchent à des problèmes tels que la prévention des névroses, la lutte contre le mysticisme et la superstition, le vieux problème du prétendu conflit entre la nature et la culture, l'instinct et la morale, etc., étaient à première vue faites pour étonner et déconcerter. Mais des années de confrontations avec les travaux ethnologiques et sociologiques ne laissaient aucun doute quant à l'exactitude de ces conclusions tirées de la mutation de structure psychique observée chez les sujets passant du principe de moralité au principe d'auto-régulation de l'économie sexuelle. Supposons maintenant qu'un mouvement social réussisse à modifier les conditions sociales de façon à remplacer la négation *(Verneinung)* actuelle de la sexualité par une affirmation *(Bejahung)* (avec tous ses réquisits économiques), alors un changement de structure psychique des masses pourrait se réaliser. Ce qui ne signifie pas, bien entendu, qu'il serait en ce cas possible de soumettre à un traitement tous les membres de la société, comme le pensent certains mauvais interprètes de l'économie sexuelle. Cela signifie simplement que l'expérience acquise au cours de l'entreprise de modification des structures psychiques individuelles fournit une base théorique valable pour une nouvelle forme d'éducation de l'enfant et de l'adolescent, éducation qui ne produirait ni n'entretiendrait le conflit entre la nature et la culture, l'individu et la société, la sexualité et la socialité.

On doit reconnaître toutefois en fait que les expériences thérapeutiques et les découvertes théoriques rendues possibles par l'introduction de la théorie de

[1] Pour un exposé complet, cf. *Die Funktion des Orgasmus* (1927) et *Charakteranalyse* (1933). (N. d. T. Repris in: *La Fonction de l'orgasme* et *Character Analysis*.)

l'orgasme en psychothérapie sont pratiquement en opposition avec toutes les notions antérieurement élaborées par la science. L'antithèse absolue entre la sexualité et la culture *(die Kultur)* est un dogme inviolable qui régente la moralité, la culture *(die Kultur)*, la science, la psychologie et la thérapeutique. En tout cela, la psychanalyse de Freud joue certainement le rôle essentiel, car en dépit de ses découvertes cliniques et scientifiques originaires, elle s'en tient fermement à cette antithèse. Il est donc indispensable de décrire brièvement les contradictions radicales de la théorie psychanalytique de la culture, qui furent la cause de la dégénérescence du travail scientifique en une métaphysique. Cette théorie de la culture *(Kulturtheorie)* est une source de grande confusion.

2. — UNE CONTRADICTION DANS LA THÉORIE FREUDIENNE DE LA CULTURE

A) *Refoulement sexuel et renoncement à l'instinct*

Une discussion sérieuse des conséquences sociologiques de la psychanalyse présuppose l'élucidation de la question suivante: la prétendue sociologie et vision du monde *(Weltanschauung)* psychanalytique, telle qu'elle se présente dans les dernières œuvres de Freud et s'élabore en formulations souvent grotesques dans les écrits de disciples comme Roheim, Pfister, Müller-Braunschweig, Kolnai, Laforgue et d'autres, est-elle un développement normal et logique de la psychologie analytique? Ou bien cette sociologie et vision du monde doit-elle l'existence à une rupture avec le travail analytique clinique, à une interprétation incomplète ou erronée des résultats cliniques? Si l'on peut mettre en évidence une telle rupture à l'intérieur de la théorie clinique même, si de plus on peut montrer la liaison entre cette théorie clinique et les concepts sociologiques de base, on aura trouvé la source essentielle d'erreur dans la sociologie psychanalytique (une autre source d'erreur étant l'équation de l'individu à la société).

Le point de vue freudien en philosophie de la culture a toujours été que la culture doit son existence au refoulement de l'instinct et au renoncement à l'instinct. L'idée de base est que les réalisations de la culture sont l'effet d'une sublimation de l'énergie sexuelle; il s'ensuit logiquement que la répression et le refoulement sexuels sont un facteur indispensable du processus culturel. Cette formulation est incorrecte pour des raisons historiques évidentes: il existe des sociétés d'une haute culture qui ne pratiquent aucune répression sexuelle et ont une vie sexuelle entièrement libre [1].

Ce qui est vrai dans cette théorie, c'est simplement que la répression crée la base psychologique collective d'une *certaine* culture, à savoir la culture *patriarcale*, sous ses diverses formes. Ce qui est inexact, c'est l'affirmation que la répression sexuelle est au fondement de la culture en général. Comment Freud en arrive-t-il à cette idée? Certes pas par des raisons conscientes d'ordre politique ou philosophique *(weltanschaulichen)*. Bien au contraire, ses premiers travaux, comme celui sur « la morale sexuelle culturelle » *(Die « kulturelle » Sexualmoral...)*, sont nettement orientés vers une critique de la culture, au sens d'une révolution sexuelle. Freud abandonna cette voie; bien plus, il s'opposa à toutes les tentatives dans cette direction, dont il dit une fois « qu'elles n'étaient pas sur la voie de la psychanalyse ». Ce furent précisément mes premières tentatives de politique sexuelle, impliquant une critique de la culture,

---

[1] Cf. W. Reich, *Der Einbruch der Sexualmoral*, 1935.

qui conduisirent aux premières divergences sérieuses entre Freud et moi-même.

Par l'analyse des mécanismes psychiques, Freud découvrit que l'inconscient était plein d'impulsions antisociales. Tout usager de la méthode psychanalytique peut confirmer ces découvertes. Tout homme a des fantasmes de meurtre du père et de prise de possession de la place du père auprès de la mère. On peut trouver chez quiconque des impulsions sadiques, inhibées par des sentiments de culpabilité plus ou moins conscients; on peut trouver chez la plupart des femmes de violentes impulsions à châtrer l'homme, à acquérir le pénis, par exemple en l'avalant; l'inhibition de ces impulsions, qui continuent à œuvrer dans l'inconscient, n'a pas comme unique résultat l'adaptation sociale, mais aussi toutes sortes de perturbations (comme par exemple le vomissement hystérique); les fantasmes sadiques de l'homme, voulant blesser ou transpercer la femme dans l'acte sexuel, conduisent à toutes sortes d'impuissance s'ils sont inhibés par l'anxiété et les sentiments de culpabilité; dans le cas contraire, ils peuvent conduire à des activités perverses ou au meurtre sexuel. Des impulsions à l'absorption des matières fécales peuvent se trouver chez de nombreux individus, sans distinction de classe sociale. Des découvertes psychanalytiques, comme celle selon laquelle la tendresse excessive d'une mère pour son enfant ou d'une femme pour son mari dépend de l'intensité de ses fantasmes de meurtre, étaient extrêmement inconvenantes pour les champions de « l'amour maternel sacré » ou du « sacrement de mariage »; ces découvertes sont cependant exactes. On pourrait multiplier ces exemples à l'infini; mais revenons à notre sujet. Ces contenus de l'inconscient apparaissent comme étant des résidus d'attitudes infantiles envers parents, frères, etc... Les enfants doivent en effet, pour exister, s'adapter à notre culture, réprimer ces impulsions; le prix qu'ils payent pour cela est l'acquisition d'une névrose, c'est-à-dire une réduction de leur capacité de travail et de leur puissance sexuelle.

La découverte de la nature antisociale de l'inconscient était exacte; tout de même que celle de la nécessité du renoncement à l'instinct pour l'adaptation à l'existence sociale. Cependant, deux faits sont en opposition: d'un côté, l'enfant doit refouler ses pulsions pour devenir capable d'adaptation culturelle; d'un autre côté, il acquiert, par ce processus même, une névrose qui le rend derechef incapable de développement culturel et d'adaptation, et finalement antisocial. Pour rendre possible la satisfaction instinctuelle naturelle, il faut éliminer le refoulement et libérer les pulsions; c'est la première condition de la guérison, quoique non pas la guérison elle-même comme les premières formulations de Freud pouvaient le faire croire. Que faut-il donc substituer au refoulement des pulsions? Certes pas les pulsions elles-mêmes car, conformément à la théorie psychanalytique, cela signifierait l'impossibilité de survivre dans cette culture.

Nous trouvons à plusieurs reprises, dans la littérature psychanalytique, l'affirmation que la mise au jour de l'inconscient, la reconnaissance de sa réalité, n'implique nullement que l'on doive déboucher sur l'action correspondante. L'analyse décrète ici une loi qui vaut pour la vie comme pour la durée du traitement: « Vous avez le droit et le devoir de *dire* tout ce que vous voulez, ce qui ne signifie pas que vous pouvez aussi *faire* tout ce que vous voulez. »

Cependant, l'analyste responsable était — et demeure — confronté à la question du sort réservé aux pulsions refoulées et maintenant libérées. La réponse psychanalytique était: *sublimation* et *réprobation (Verurteilung)*. Etant donné qu'une petite minorité de patients seulement se montre capable de sublimation à un degré suffisant, la seule issue est le renoncement *(Verzicht)* par un refus conscient de l'instinct. Le refoulement devrait être remplacé par la réprobation. Cette exigence était justifiée par la thèse suivante: l'enfant faisait face à ses pulsions avec un moi faible et peu développé et n'avait donc d'autre possibilité que le refoulement; l'adulte dispose d'un moi fort et adulte pour faire face à ses pulsions et les traiter par la réprobation. Bien que cette formulation contredise l'expérience clinique, elle devint et resta la thèse en vigueur. Cette façon de voir prévaut également dans la pédagogie psychanalytique, telle qu'elle se présente chez Anna Freud, par exemple.

Etant donné que, dans cette conception, c'est par le renoncement à l'instinct substitué au refoulement que l'individu devient capable de culture, et étant donné que la société est considérée comme se comportant à la façon d'un individu, il s'ensuit que la culture est fondée sur le renoncement à l'instinct.

Toute cette construction paraît inattaquable et bénéficie de l'approbation, non seulement de la majorité des analystes, mais aussi des représentants des conceptions abstraites de la culture en général. Cette substitution du renoncement et de la réprobation au refoulement semble écarter le spectre grimaçant qui menaçait le monde lorsque Freud le mit en face de ses premières découvertes. Ces découvertes montraient en effet clairement que le refoulement sexuel rend les individus non seulement malades mais aussi incapables de travail et de réalisation culturelle. Le monde entier se mit à enrager contre Freud à cause de la menace à l'égard de la morale et des mœurs, et reprocha à Freud de prêcher la « libération » *(Sichausleben)*, menaçant ainsi la culture, etc. L'immoralisme prétendu de Freud fut une des armes les plus efficaces de ses premiers opposants. Ce spectre ne s'évanouit pas avant que la théorie de la réprobation ne fût proposée; le fait que Freud avait assuré dès l'abord qu'il soutenait « la culture », que ses découvertes ne constituaient aucune menace à son égard, avait fait peu d'impression; ce qui est visible dans la perpétuation du bavardage sur le « pansexualisme ». Puis, après le perfectionnement apporté par la théorie de la réprobation, l'hostilité antérieure fit place à une acceptation partielle. Car, pourvu que les instincts ne fussent pas « libérés » *(ausgelebt),* cela n'avait aucune importance, d'un « point de vue culturel », que ce fût le mécanisme du rejet ou du refoulement de l'instinct qui jouât le rôle du Cerbère empêchant les ombres des bas-fonds d'apparaître à la surface. Et l'on pouvait même enregistrer un progrès: le passage du refoulement inconscient du mal au renoncement volontaire à la satisfaction instinctuelle. Etant donné que la morale ne prescrit pas d'être asexuel mais, au contraire, de résister à la tentation sexuelle, tout le monde pouvait désormais s'entendre.

La psychanalyse, auparavant condamnée, était maintenant devenue elle-même capable de s'acculturer, malheureusement par « le renoncement à l'instinct », c'est-à-dire le renoncement à sa propre théorie des instincts.

Je regrette d'être obligé de détruire certaines illusions. Tout ce système est entaché d'une erreur de raisonnement facile à démontrer. Ce qui ne signifie en aucune façon que les découvertes psychanalytiques sur lesquelles reposent ces conclusions soient erronées; elles sont au contraire tout à fait exactes; elles sont néanmoins lacunaires, et plusieurs formulations théoriques trop abstraites détournent l'esprit des bonnes conclusions.

LA RÉVOLUTION SEXUELLE

B) *Satisfaction de l'instinct et renoncement à l'instinct*

Ces psychanalystes allemands qui, par mentalité bourgeoise ou sous la pression de la situation politique allemande, tentèrent une mise au pas *(Gleichschaltung)* de la psychanalyse, justifièrent leur attitude anti-scientifique par des citations empruntées aux écrits de Freud. Celles-ci contiennent en fait des formulations qui annulent le caractère révolutionnaire des découvertes cliniques de la psychanalyse et qui démontrent clairement la contradiction entre le savant et le philosophe bourgeois de la culture chez Freud. L'une de ces citations dit:

« C'est une incompréhension grave, que l'ignorance seule peut expliquer, de dire que la psychanalyse attend la guérison de la maladie névrotique d'un « libre exercice » de la sexualité. Au contraire, le fait de rendre conscients les désirs sexuels refoulés rend possible leur *contrôle* (souligné par moi, W. R.), contrôle qui n'aurait pu être réalisé par le refoulement. Il serait plus exact de dire que l'analyse libère le névrosé des chaînes de sa sexualité. »

(*Ges. Schriften,* Bd. XI, p. 217 sq.)

Si par exemple la fille, âgée de 17 ans, d'un haut dignitaire national-socialiste, souffre d'attaques hystériques résultant d'un désir refoulé de relations sexuelles, ce désir, grâce au traitement psychanalytique, sera reconnu, pour commencer, comme un désir incestueux, et sera rejeté comme tel. Fort bien. Mais qu'advient-il du besoin sexuel? Selon la formulation exprimée ci-dessus, la jeune fille est « libérée » des chaînes de sa sexualité. D'un point de vue clinique cependant, il apparaît que, lorsque la jeune fille, grâce à l'analyse, se libère de son père, elle se libère seulement des filets du désir incestueux, mais *non pas de sa sexualité en tant que telle.* La formulation de Freud néglige ce fait essentiel.

La controverse scientifique sur le rôle de la génitalité trouva justement son origine dans ce problème clinique: c'est ici que divergent les thèses de l'économie sexuelle et de la psychanalyse réajustée. La formulation freudienne postule que la jeune fille renonce à toute vie sexuelle. Sous cette forme, la psychanalyse est acceptable, même pour un dignitaire nazi, et devient, entre les mains d'analystes comme Müller-Braunschweig, un instrument de « formation de l'homme noble ». Cette forme de psychanalyse n'a toutefois rien de commun avec la psychanalyse contenue dans les livres qu'Hitler avait brûlés. La seconde sorte de psychanalyse, qui n'est pas entravée par des préjugés réactionnaires, affirme sans équivoque que la jeune fille ne peut aller mieux que si elle transfère ses désirs génitaux de son père à un ami qui la satisfasse. Mais voilà qui s'oppose à toute l'idéologie nazie et qui soulève, inévitablement la question de l'ordre sexuel régnant. Car pour pouvoir vivre selon l'économie sexuelle, il ne suffit pas que la jeune fille ait une sexualité génitale libérée, il lui faut en outre une chambre calme, des anticonceptionnels convenables, un ami capable d'amour, c'est-à-dire quelqu'un d'autre qu'un national-socialiste structuralement négateur de la sexualité; il lui faut des parents compréhensifs et une atmosphère sociale favorable à la sexualité; ces besoins sont d'autant plus impérieux qu'elle a moins de possibilité financière de briser les barrières sociales imposées à la vie sexuelle de l'adolescent.

Le remplacement du refoulement sexuel par le renoncement ou la réprobation serait tout simple s'il n'y avait une dépendance de ces mécanismes eux-mêmes à l'égard de l'économie de la vie instinctuelle.

Le renoncement à l'instinct n'est possible que sous des conditions d'économie sexuelle déterminées. Il en est de même pour la sublimation. L'expérience de l'analyse caractérielle montre clairement que le renoncement durable à une impulsion antisociale n'est possible que lorsque l'économie sexuelle est en ordre de marche, c'est-à-dire s'il n'y a pas de stase sexuelle qui fournisse de l'énergie à l'impulsion à laquelle il faut renoncer. *Une économie sexuelle ordonnée n'est par conséquent possible que par la réalisation du type de satisfaction sexuelle qui convient à chaque âge.* Cela signifie qu'un adulte ne peut abandonner les désirs infantiles et pathogènes que s'il expérimente la satisfaction génitale complète. Les modes de satisfaction pervers et névrotiques, contre lesquels la société devrait être protégée, ne sont en eux-mêmes que des substituts de la satisfaction génitale et n'apparaissent que lorsque la satisfaction génitale est perturbée ou rendue impossible. Cette constatation fait clairement comprendre que l'on ne peut parler de satisfaction ou de rejet de l'instinct en général, mais qu'il faut s'interroger concrètement sur la satisfaction de *telle* pulsion, le renoncement à *telle* pulsion. Si la thérapeutique analytique considère que sa tâche est d'éliminer les refoulements et non de prêcher la morale, elle ne peut alors vouloir que le renoncement à une seule sorte de satisfaction: celle qui ne correspond pas à l'âge ou au stade de développement considéré. Ainsi, une fille ne pourra renoncer à la fixation infantile à son père que par la prise de conscience de cette fixation; mais cela n'implique pas de renoncement aux désirs sexuels comme tels, car l'énergie continue à pousser vers la décharge. Alors qu'il est facile de lui faire abandonner les désirs pour son père, il n'est pas possible de l'amener à renoncer à la satisfaction sexuelle avec un garçon de son âge, si ce n'est par des arguments moraux; le faire malgré tout est en opposition avec les principes de la thérapeutique et les possibilités de guérison. D'un autre côté, elle ne peut vraiment dissoudre la fixation à son père que sous la condition que sa sexualité trouve son objet naturel et avec lui une *satisfaction actuelle*. Sinon, ou bien la fixation infantile ne se résout pas, ou bien une régression à d'autres visées infantiles intervient, et le problème fondamental subsiste.

On peut en dire autant de *toute* affection névrotique. Si une femme est insatisfaite dans son mariage, elle réactivera inconsciemment des besoins sexuels infantiles, et ne pourra y renoncer que lorsque sa sexualité aura trouvé une autre issue satisfaisante. Il est vrai que le rejet des désirs sexuels infantiles est un présupposé de l'établissement d'une sexualité normale; mais l'établissement d'une vie sexuelle normale avec une satisfaction actuelle est aussi un préalable indispensable de l'abandon des objectifs instinctuels infantiles. Un pervers sexuel ou un meurtrier sexuel ne peut être guéri de ses impulsions pathologiques que s'il trouve un accès à une vie sexuelle biologiquement normale. L'alternative n'est donc pas entre le renoncement à l'instinct ou la libération de l'instinct, mais entre le renoncement à *telles* pulsions, et la satisfaction de *telles* pulsions.

A parler dans l'abstrait de la nature mauvaise de l'inconscient refoulé, on obscurcit ce qui importe essentiellement, non seulement à la thérapeutique et à la prévention des névroses, mais aussi à l'éducation. Freud découvrit que l'inconscient des névrosés — c'est-à-dire de l'énorme majorité des individus dans notre civilisation — est plein d'impulsions infantiles, cruelles et asociales. Cette découverte est exacte. Mais elle laissait dans l'ombre le fait que l'inconscient contient également maintes pulsions qui représentent des exigences biologiques naturelles, telles que le désir sexuel de l'adolescent ou de l'individu enchaîné à un mariage malheureux. L'intensité des impulsions infantiles et asociales ultérieures provient, historiquement et économiquement, de l'insatisfaction de ces exigences naturelles; une partie de l'énergie libidinale condamnée vient renforcer les impulsions infantiles primitives, une autre partie en crée de nouvelles, essentiellement asociales, telles que les désirs exhibitionnistes ou de meurtre sexuel. La recherche ethnologique montre que ces impulsions n'existent pas chez les peuples primitifs jusqu'à un certain stade de développement économique, et ne font leur apparition que lorsque la répression sociale de la vie amoureuse normale est instituée.

Ces impulsions antisociales, qui résultent de la répression sociale de la sexualité, et qui doivent être refoulées parce que la société en interdit à juste titre l'exercice, sont considérées par la psychanalyse comme des *faits biologiques*. Cette conception est tout à fait comparable à celle d'Hirschfeld, pour qui l'exhibitionnisme est dû à des hormones exhibitionnistes spécifiques. Ce biologisme mécaniste naïf est très difficile à démasquer parce qu'il remplit une fonction précise dans notre société: déplacer le problème du domaine sociologique au domaine biologique, où il devient insoluble.

Il y a place pour une *sociologie de l'inconscient* et de la sexualité asociale, c'est-à-dire pour une histoire sociale des impulsions inconscientes, en ce qui concerne leur intensité comme leur contenu.

Font partie du domaine sociologique, non seulement le refoulement lui-même, mais aussi les causes du refoulement. L'étude des « pulsions partielles » devra tirer des enseignements des données ethnologiques, comme ce fait que dans certaines sociétés matriarcales il n'y a pratiquement pas de phase anale du développement de la libido, phase qui est considérée comme prenant normalement place, dans notre société, entre les phases orale et génitale; et il en est ainsi parce que, dans ces sociétés, les enfants sont en nourrice jusqu'à trois ou quatre ans, et entrent immédiatement ensuite dans une phase d'activité génitale ludique.

La notion psychanalytique d'impulsion asociale, étant absolue, conduit à des conclusions que l'expérience dément. Si l'on se rend compte, au contraire, du caractère relatif des impulsions asociales, on parvient à des conclusions fondamentalement différentes, et qui intéressent non seulement la psychothérapie, mais aussi la sociologie et l'économie sexuelle. Les activités anales d'un enfant d'un ou deux ans n'ont rien de « social » ou d' « asocial ». Si cependant on maintient la thèse abstraite que ces activités sont asociales, on devra mettre en vigueur, dès l'âge de six mois, un système d'éducation destiné à rendre l'enfant « capable de culture »; le résultat sera tout à fait le contraire, à savoir l'incapacité de sublimer l'analité et le développement de troubles névrotiques anaux. La conception mécaniste d'une antinomie entre la sexualité et la culture, a pour conséquence que même des parents ayant l'expérience de l'analyse prennent des mesures pour prévenir la masturbation infantile, ne serait-ce que sous la forme d'« habiles diversions ». Autant que je sache, aucun écrit d'Anna Freud ne fait mention de ce qu'elle admettait dans la conversation privée, à savoir que les découvertes psychanalytiques amènent nécessairement à conclure que la masturbation infantile est un phénomène physiologique qui *ne* devrait *pas* être inhibé. Si l'on maintient l'idée que ce qui est refoulé et inconscient est avec cela antisocial, on devra condamner, par exemple, les exigences génitales de l'adolescent. Cette idée est concrétisée par l'affirmation commode que le « principe de réalité » exige l'ajournement de la satisfaction instinctuelle.

Le fait décisif que ce principe de réalité est *lui-même* relatif, puisqu'il est engendré par la société autoritaire dont il dessert les fins, est soigneusement passé sous silence; en faire état, dit-on, est « de la politique », et la science n'a rien à voir avec la politique. Ces théoriciens refusent de voir que n'en pas faire état est aussi de la politique. Ces attitudes ont mis en danger le progrès de la psychanalyse; elles ont non seulement empêché la découverte de certains faits, mais surtout elles ont empêché de tirer les conséquences pratiques de certains faits définitivement établis, en leur donnant une interprétation fallacieuse dans les termes des théories culturelles conservatrices. Etant donné que la psychanalyse traite sans cesse de l'influence exercée par la société sur l'individu, porte des jugements sur le sain et le pathologique, le social et l'asocial, et ne se rend pas compte en même temps du caractère révolutionnaire de sa méthode et de ses découvertes, elle se meut dans un cercle vicieux tragique: elle découvre que le refoulement sexuel met la culture en danger et en même temps qu'il est une condition nécessaire de la culture.

Résumons les faits que la psychanalyse a méconnus, et qui sont en contradiction avec la théorie psychanalytique de la culture:

— L'inconscient est lui-même quantitativement et qualitativement déterminé par la société.

— L'abandon des impulsions infantiles et asociales présuppose la satisfaction des besoins sexuels physiologiques normaux.

— La sublimation, en tant que réalisation culturelle essentielle de l'appareil psychique, n'est possible qu'en l'absence de refoulement sexuel; chez l'adulte, elle ne s'applique qu'aux impulsions *pré-génitales,* mais non aux génitales.

— La satisfaction génitale — facteur d'économie sexuelle décisif dans la prévention des névroses et l'instauration de l'aptitude à l'activité sociale — est en contradiction, à tous égards, avec les lois actuelles et avec toute religion patriarcale.

— L'élimination du refoulement sexuel, proposée par la psychanalyse comme thérapeutique aussi bien que comme science sociologique, est en opposition complète avec tous ces éléments culturels de notre société qui reposent précisément sur ce refoulement.

Dans la mesure où la psychanalyse maintient son adhésion à la culture patriarcale, elle le fait aux dépens de son propre ouvrage. Le conflit entre les concepts culturels patriarcaux des psychanalystes d'une part, et les résultats scientifiques qui militent contre cette culture d'autre part, est résolu par ces analystes en faveur de la vision du monde patriarcale. Lorsque la psychanalyse n'ose pas accepter les conséquences de ses découvertes, elle invoque le caractère prétendument apolitique (« non-pragmatique ») de la science, alors qu'en fait, chaque étape de la théorie et de la pratique psychanalytiques met en jeu des conséquences politiques (« pragmatiques »).

Si l'on examine les idéologies cléricales, fascistes et réactionnaires, du point de vue de leur contenu inconscient, on s'aperçoit qu'elles sont essentiellement des réactions de défense. Elles sont déterminées par la peur de l'enfer inconscient que chacun porte en soi. Ce fait ne permettrait de justifier la moralité ascétique que dans l'hypothèse où les impulsions asociales inconscientes seraient absolues et d'origine biologique; en ce cas, la réaction politique aurait raison, et toute tentative pour éliminer la misère sexuelle serait dépourvue de sens. C'est alors que le monde patriarcal serait fondé à faire valoir que la destruction des « qualités les plus hautes », des « valeurs fondamentales », du « divin » et du « moral » en l'homme, conduirait au chaos sexuel et moral. C'est ce que l'on veut dire inconsciemment lorsque l'on parle de « bolchevisme ». Le mouvement révolutionnaire — à l'exception de l'aile favorable à une politique sexuelle — ignore cette relation, si bien qu'il se trouve souvent aux côtés de la réaction politique lorsqu'il en vient aux questions fondamentales de l'économie sexuelle. Certes, il va à l'encontre de la loi d'économie sexuelle pour des raisons différentes de celles de la réaction politique: il ignore en effet cette loi et ce qu'elle implique. Il croit en la nature biologique et absolue des impulsions asociales et par conséquent en la nécessité de l'inhibition et de la régulation morale. Il méconnaît, comme ses opposants, le fait que la régulation morale de la vie instinctuelle crée précisément ce qu'elle prétend maîtriser: les impulsions asociales.

L'économie sexuelle, d'un autre côté, montre que les impulsions asociales inconscientes — pour autant qu'elles sont réellement asociales et non pas simplement considérées comme telles par les moralistes — sont l'effet de la réglementation morale et subsisteront tant que subsistera cette réglementation. Seule la régulation par l'économie sexuelle peut éliminer l'antinomie de la nature et de la culture; avec l'élimination du refoulement sexuel, les impulsions perverses et asociales seront également éliminées.

3. — PULSIONS SECONDAIRES ET RÉGLEMENTATION MORALE

Un argument fort important dans la lutte entre le « bolchevisme » et l'« antibolchevisme » fasciste est l'allégation que la révolution sociale avait complètement détruit la morale et conduisait au chaos sexuel. Cet argument était ordinairement réfuté par l'allégation inverse que c'était au contraire le capitalisme qui avait produit le chaos social, et que la révolution apporterait sans aucun doute la sécurité dans la vie sociale. En Union soviétique, la tentative de remplacer le principe moral autoritaire par l'autonomie *(Selbststeuerung)* fut un échec.

La tentative de rivaliser avec la société autoritaire dans le recours à l'auto-discipline morale ne fut pas plus convaincante. Il aurait fallu tout d'abord comprendre pourquoi l'individu moyen est tellement prisonnier de la notion de moralité, pourquoi l'idée de « révolution sociale » est pour lui synonyme de l'idée de chaos sexuel et culturel. Nous avons déjà répondu partiellement à cette question dans notre étude sur l'idéologie fasciste: pour l'inconscient de l'individu moyen, dont la structure psychique est négatrice de la sexualité, le « bolchevisme » signifie le « libre exercice *(Ausleben)* de la sexualité sensuelle ». Affirmer qu'il serait possible, au cours d'une révolution sociale, d'appliquer immédiatement, et de façon pratique, les découvertes de l'économie sexuelle susceptibles d'éliminer la réglementation morale, serait une grave incompréhension de la pensée de l'économie sexuelle.

Aussitôt que la société détient la propriété des moyens sociaux de production et détruit l'appareil autoritaire, elle est inévitablement confrontée avec le problème de savoir comment la vie humaine doit être réglée: moralement ou « librement ». Il est tout à fait évident qu'une élimination immédiate des normes morales et de la régulation morale est hors de question. Nous savons que les individus, avec leur structure psychique actuelle, sont incapables de se diriger eux-mêmes; ils sont peut-être susceptibles d'instaurer immédiatement une démocratie économique, mais non pas une société rationnelle et auto-gérée. C'est après tout ce que voulait dire Lénine lorsqu'il affirmait que l'Etat ne peut disparaître que progressivement. Si l'on veut éliminer la réglementation morale et la remplacer par l'autonomie, il faut savoir dans quelle mesure l'ancienne réglementation morale était nécessaire, et dans quelle mesure elle était néfaste à l'individu et à la société.

La thèse moralisatrice de la réaction politique est qu'il y a contradiction absolue entre l'impulsion biologique et l'intérêt social. S'appuyant sur cette contradiction, la réaction invoque la nécessité d'une réglementation morale; car, dit-elle, si l'on « éliminait la morale », les « instincts animaux » reprendraient le dessus et cela « conduirait au chaos ». Il est évident que cette notion d'une menace de chaos social ne fait qu'exprimer la peur des instincts. La morale est-elle donc nécessaire? Oui, étant donné que les impulsions asociales mettent réellement en danger la vie sociale. Ceci étant posé, comment serait-il possible d'éliminer la réglementation morale?

On ne peut répondre à cette question sans examiner au préalable les découvertes de l'économie sexuelle: la réglementation morale réprime et prévient la satisfaction des besoins végétatifs *naturels*. Cela entraîne l'apparition d'impulsions *secondaires*, *pathologiques* et *asociales* qu'il faut de toute nécessité inhiber à leur tour. La moralité ne doit donc pas son existence à la nécessité de réprimer des pulsions asociales. Elle se développa, dans la société primitive, lorsqu'une couche sociale supérieure, s'approchant du pouvoir par l'accroissement de sa puissance économique, eut un intérêt déterminé à réprimer les besoins naturels, qui, néanmoins, en eux-mêmes, ne gênaient *nullement* la sociabilité[1]. La réglementation morale acquit une raison d'être à

[1] Cf. Reich. *Der Einbruch der Sexualmoral*, 1935.

partir du moment où ce qu'elle engendrait fit *réelle-ment* courir un danger à la vie sociale. Par exemple, la répression de la satisfaction naturelle de la faim conduisit au vol, ce qui entraîna en retour la néces-sité d'une condamnation du vol.

Ainsi, dans toute discussion concernant la néces-sité de la morale, la possibilité de remplacer un système de morale par un autre, ou même de subs-tituer l'autonomie à la réglementation morale, on ne peut progresser d'un pouce si l'on ne distingue pas les pulsions biologiques *naturelles* des pulsions *secondaires* asociales qui doivent leur existence à la morale coercitive. L'inconscient de l'homme vivant dans une société autoritaire comporte deux sortes d'impulsions. Si l'on réprime — comme on doit le faire — les pulsions asociales, les pulsions biolo-giques naturelles subissent le même sort. Mais alors que pour la réaction politique les concepts d'instinct et d'« asocial » désignent une seule et même chose, la distinction ci-dessus invoquée indique la solution du dilemme.

Aussi longtemps que la modification de la struc-ture psychique humaine n'aura pu se réaliser à un degré suffisant pour que la régulation naturelle de l'énergie végétative exclue automatiquement toute tendance asociale, il sera impossible d'abolir la réglementation morale. Ce processus de modification de la structure psychique est condamné à durer très longtemps. L'élimination de la régulation morale et son remplacement par la régulation selon l'économie sexuelle ne sera possible que dans la mesure où le domaine des impulsions biologiques naturelles se sera étendu aux dépens des impulsions secondaires asociales. Que cela peut se réaliser, et de quelle façon, nous le savons avec certitude par l'expérience de l'analyse caractérielle chez le patient individuel. Nous y voyons comment le patient ne démobilise ses instances morales que dans la mesure où il retrouve sa sexualité naturelle. Avec la perte de la réglementation morale, il perd aussi son asocialité; il développe une moralité naturelle, contrastant avec la moralité compulsionnelle, dans la mesure où il devient génitalement sain.

Ainsi, la révolution sociale à venir — si elle agit comme elle le doit — ne supprimera pas brutalement la réglementation morale. Elle commencera par modifier la structure psychique des individus en sorte qu'ils deviennent capables de vie sociale et de travail sans autorité et pression morale, par une réelle indépendance et une discipline volontaire impossibles à imposer de l'extérieur. Et certes, dans cette période transitoire, la réglementation morale ne devra s'appliquer qu'aux impulsions antisociales. La punition d'actes comme la séduction d'enfants par les adultes ne sera pas abolie tant que la structure psychique d'un grand nombre d'adultes contiendra l'impulsion à séduire les enfants. Dans cette mesure, les conditions postérieures à la révolution pourraient sembler identiques à celles de la société autoritaire. La différence, très importante, serait cependant qu'une société non autoritaire ne mettrait aucun obstacle à la satisfaction des *besoins naturels*. Elle ne se contenterait pas, par exemple, de ne pas interdire une relation amoureuse entre deux adolescents; elle lui donnerait pleine protection. Elle ne se contenterait pas, par exemple, de ne pas interdire la masturbation infantile; elle traiterait sévèrement tout adulte qui empêcherait l'enfant de développer sa sexualité naturelle.

Nous devons toutefois nous garder d'une conception absolue et rigide de l'« impulsion sexuelle ». L'impulsion secondaire est aussi déterminée, non seulement par son but, mais aussi par la période à laquelle elle se développe et par les conditions dans lesquelles elle cherche la satisfaction. Une seule et même manifestation peut être naturelle dans une situation et à un moment donnés, asociale et non naturelle dans une autre situation et à un autre moment. Par exemple: si un enfant d'un an ou deux mouille son lit ou joue avec ses matières fécales, il s'agit d'une phase normale du développement prégénital. A ce moment, punir l'enfant pour ces impulsions est une action qui mérite elle-même la punition la plus sévère. Si cependant, le même individu, à l'âge de 14 ans, accomplit ces mêmes actions, cela serait une impulsion secondaire, asociale et pathologique; l'individu ne devrait pas être puni, mais hospitalisé. Mais dans une société libre, cela ne suffirait pas; la tâche la plus importante serait plutôt de changer l'éducation en sorte que ces impulsions pathologiques ne se développent pas du tout.

Prenons un autre exemple. Si un garçon de 15 ans entreprenait une relation amoureuse avec une fille de 13 ans, une société libre, non seulement n'interviendrait pas, mais encouragerait et protégerait cette relation. Si cependant, le garçon de 15 ans tentait de séduire des petites filles de 3 ans ou tentait d'obliger une fille de son âge à entrer en relations sexuelles, cela serait considéré comme antisocial. Cela indiquerait que l'impulsion saine du garçon à établir une relation sexuelle normale avec une fille de son âge a été inhibée. Il faut dire en somme que, *dans la période de transition d'une société autoritaire à une société libre, le principe doit être d'user de la réglementation morale pour les impulsions secondaires et asociales, et de l'auto-régulation de l'économie sexuelle pour les besoins biologiques naturels,* l'objectif étant de mettre progressivement hors d'usage les impulsions secondaires et avec elles la compulsion morale.

Les formulations concernant les impulsions secondaires pourraient aisément être interprétées par les moralistes et autres individus malades de façon à servir leurs propres objectifs. Mais il devrait être possible avant longtemps de rendre si claire la différence entre les impulsions primaires et secondaires que l'hypocrisie morale traditionnelle ne puisse plus se réintroduire dans la vie sexuelle de l'homme par la porte de service. L'existence de principes moraux sévères est la preuve, et l'a toujours été, de l'insatisfaction des besoins biologiques, et en particulier sexuels. Toute espèce de réglementation morale est *en soi* négatrice du sexe, condamnant ou niant les besoins sexuels naturels. Toute espèce de moralisme est négateur de la vie, et la tâche essentielle d'une société libre est de rendre possible la satisfaction des besoins naturels de ses membres.

L'économie sexuelle, tout comme les réglementations morales, a pour objectif un « comportement moral ». Mais, pour l'économie sexuelle, la « moralité » a une tout autre signification: il ne s'agit pas de quelque chose qui soit diamétralement opposé à la nature, mais d'une harmonie complète de la nature et de la civilisation. L'économie sexuelle combat la réglementation morale obsessionnelle, mais non pas la morale au sens d'une affirmation de la vie.

4. — LA « MORALITÉ » DE L'ÉCONOMIE SEXUELLE

Partout dans le monde, des individus luttent pour un nouveau cours de la vie sociale. Ils se heurtent, dans cette lutte, aux conditions économiques et sociales les plus difficiles; mais en outre, ils sont inhibés, aveuglés et menacés, par leur propre structure biopsychique, qui est fondamentalement la même que celle des individus qu'ils combattent. *L'objectif de la révolution culturelle est le développement chez les individus d'une structure psychique qui les rendrait capables d'autonomie.* Ceux qui luttent aujourd'hui pour réaliser cet objectif, vivent souvent selon des principes conformes à cet objectif libertaire; mais ce ne sont que des « principes ». Nous devons affirmer clairement qu'aujourd'hui il n'y a pas d'individus qui aient une structure d'acceptation de la sexualité solide et pleinement développée, car nous sommes tous passés par un appareil d'éducation autoritaire, religieux et négateur de la sexualité. Néanmoins, en donnant forme à notre vie personnelle, nous réalisons un mode de vie que l'on pourrait considérer comme réglé par l'économie sexuelle. Certains réussissent mieux, d'autres moins bien, à réaliser cette modification de structure. Celui qui a travaillé longtemps dans les organisations d'ouvriers, sait que l'on peut trouver chez eux, par-ci par-là, quelque anticipation de la future régulation par l'économie sexuelle.

Quelques exemples peuvent éclairer ce qu'est la « moralité de l'économie sexuelle » et comment elle anticipe la moralité de l'avenir. Il faut insister sur ce fait qu'en vivant de cette façon nous ne nous isolons pas dans une île; ce qui nous permet d'acquérir ces notions et de vivre en accord avec elles, c'est le fait que ces modes de vie et ces nouveaux « principes moraux » font partie du processus général de développement de la société, processus qui se réalise tout à fait indépendamment des vues de tel ou tel individu, de tel ou tel groupe politique ou culturel.

Il y a quinze ou vingt ans, c'était une disgrâce pour une fille non mariée de *n'*être *pas* vierge. De nos jours les filles de tous les milieux et de toutes les classes sociales — à des degrés divers et plus ou moins clairement — ont commencé à acquérir l'idée que c'est une disgrâce d'être *encore* vierge à l'âge de dix-huit, vingt ou vingt-deux ans.

Naguère, c'était un crime moral, appelant une

sanction énergique, qu'un couple ayant l'intention de contracter mariage commençât la relation sexuelle au préalable. Aujourd'hui très spontanément, et en dépit de l'influence de l'Eglise, de la médecine scolastique et des esprits puritains, l'idée se répand qu'il est contraire à l'hygiène, imprudent, voire désastreux, que deux personnes se lient l'une à l'autre sans s'être d'abord convaincues qu'elles sont assorties dans ce qui est à la base de leur vie commune, c'est-à-dire dans leur vie sexuelle.

Les relations sexuelles extra-conjugales, considérées comme un vice il y a quelques années et définies comme « turpitude morale » par la loi, sont devenues habituelles et de nécessité vitale aujourd'hui (1936), par exemple dans la jeunesse ouvrière et des classes moyennes en Allemagne.

Il y a quelques années, l'idée qu'une fille de quinze ou seize ans — bien que sexuellement mûre — eût un petit ami, paraissait absurde; c'est devenu aujourd'hui l'objet de discussions sérieuses; dans quelques années, cela sera aussi naturel qu'est aujourd'hui le droit pour une femme non mariée d'avoir un partenaire sexuel. Dans une centaine d'années, des exigences comme celle de l'absence de vie sexuelle chez les femmes professeurs provoqueront les mêmes sourires incrédules qu'aujourd'hui l'évocation des temps où les hommes mettaient des ceintures de chasteté à leurs femmes. Tout aussi ridicule apparaîtra cette idée admise par l'idéologie régnante: que l'homme doit séduire la femme, alors qu'une femme n'a pas vocation à séduire un homme.

On est encore bien loin d'admettre que l'on ne doit pas entreprendre de relations sexuelles si le partenaire ne le désire pas. Le concept de « devoir conjugal » possède une base juridique et des sanctions juridiques. Néanmoins, dans nos cliniques d'hygiène sexuelle et nos cabinets médicaux, nous

avons pu sentir se manifester une disposition contraire: l'attitude qui consiste pour un homme,
nonobstant l'idéologie sociale et légale, à ne pas
avoir de relation avec sa partenaire lorsqu'elle ne
le désire pas; ni même, lorsqu'elle n'est pas génitalement excitée. On considère encore en effet comme
« naturel » que les femmes subissent l'acte sexuel
sans aucune participation intérieure. C'est pourtant
un aspect de la moralité naturelle de n'avoir de rapport sexuel que lorsque les deux partenaires sont
entièrement disponibles au point de vue génital; ce
qui implique l'élimination de l'idéologie masculine
de violence, et de la croyance de la femme au fait
qu'elle doit être séduite ou l'objet d'une douce violence. On admet communément que l'on doit veiller
jalousement à la fidélité du partenaire. Les faits
divers et les statistiques de crimes passionnels montrent éloquemment combien notre société est pourrie à cet égard. Néanmoins, on voit apparaître progressivement l'intuition que personne n'a le droit
d'interdire à son ou à sa partenaire d'entrer dans
une relation sexuelle temporaire ou durable avec
quelqu'un d'autre. Il n'a d'autre droit que de se reti-
rer de la relation ou de reconquérir le partenaire.
Cette attitude, qui est en parfait accord avec les
découvertes de l'économie sexuelle, n'a rien à voir
avec un radicalisme de l'indifférence, avec l'idée que
l'on ne doit pas être jaloux du tout, que « cela n'a
aucune importance » que le partenaire entreprenne
une nouvelle relation. Il est tout à fait naturel de
souffrir à l'idée qu'un partenaire *aimé* étreint quelqu'un d'autre. Cette *jalousie naturelle* doit être soigneusement distinguée de la *jalousie possessive*. De
même qu'il est naturel de ne pas vouloir qu'un partenaire aimé soit dans les bras de quelqu'un d'autre,
il n'est pas naturel d'interdire au partenaire une nouvelle relation si, au cours d'un mariage ou de toute

autre relation durable, on a cessé d'être avec lui en rapports sexuels.

Ces exemples suffisent à montrer que la vie sexuelle et personnelle, si compliquée aujourd'hui, se réglerait spontanément avec la plus grande facilité si les individus étaient pleinement capables d'expérimenter le plaisir dans la vie. L'essence de la régulation par l'économie sexuelle consiste dans le rejet de toute norme ou règle absolue et dans la reconnaissance de la volonté de vivre et de la joie de vivre comme ordonnateurs de la vie sociale. Le fait qu'aujourd'hui, par suite du désordre de la structure humaine, cela n'est pour ainsi dire pas reconnu, n'est pas un argument à l'encontre du principe d'autorégulation; bien au contraire, cela milite contre la réglementation morale qui est à l'origine de cette structure pathologique.

Il y a *deux* sortes de « moralité », mais *une seule* sorte de réglementation morale. Cette sorte de « moralité » que tout le monde admet et soutient comme allant de soi (ne pas violer, ne pas tuer, etc.) ne peut s'établir que sur la base d'une entière satisfaction des besoins naturels. Mais l'autre sorte de « moralité » que nous refusons (abstinence sexuelle des enfants et adolescents, fidélité conjugale obligatoire, etc.) est en soi pathologique et crée le chaos même qu'elle prétend contrôler. Elle est l'ennemi originaire de la moralité naturelle.

Il se trouve des personnes qui prétendent que la vie selon l'économie sexuelle détruira la famille; elles babillent au sujet du « chaos sexuel » qu résulterait d'une vie amoureuse saine, et impressionnent les masses par leur qualité de professeurs ou d'auteurs à succès. Mais il faut savoir de quoi l'on parle: il s'agit tout d'abord d'éliminer l'esclavage *économique* des femmes et des enfants, ainsi que leur esclavage *moral*; tant que cela ne sera pas fait, le mari n'aimera pas sa femme, ni la femme son mari, ni ne s'aimeront parents et enfants. Par conséquent, ce que nous voulons détruire, c'est la *haine* que crée la famille, bien qu'elle puisse prendre l'apparence extérieure de l'amour ». Si l'amour familial est ce grand privilège de l'homme que l'on dit, il devra le prouver par lui-même. Si un chien qui est enchaîné à la maison ne s'enfuit pas, personne ne le considérera pour autant comme un compagnon fidèle. Aucune personne sensée ne parlera d'amour lorsqu'un homme cohabite avec une femme qui est pieds et poings liés. Aucun homme quelque peu honnête ne sera fier de l'amour d'une femme qu'il achète par l'entretien qu'il lui assure ou par sa puissance sociale. Aucun homme convenable ne prendra l'amour qui n'est pas donné librement. La moralité compulsionnelle telle qu'elle se présente dans le devoir conjugal et l'autorité familiale est la moralité d'individus peureux et impuissants qui sont incapables d'expérimenter par l'effet d'une capacité d'amour naturelle ce qu'ils essayent en vain d'obtenir grâce à l'aide de la police et des lois du mariage.

Ces individus tentent de vêtir l'humanité tout entière d'une camisole du même modèle que la leur, parce qu'ils sont incapables de tolérer la sexualité naturelle chez les autres. Elle les gêne et les rend jaloux, parce qu'ils aimeraient eux-mêmes vivre ainsi et ne le peuvent pas. Loin de nous l'idée d'obliger quelqu'un à abandonner la vie familiale s'il le désire; en revanche, nous ne voulons pas que l'on y contraigne quelqu'un qui ne la désire pas. Laissons faire celui qui peut et veut vivre toute sa vie dans la monogamie; celui qui ne le peut pas, pour qui cela serait une ruine, devrait avoir la possibilité d'organiser sa vie d'une autre façon. Mais si l'on veut établir une « nouvelle forme de vie », il faut connaître les contradictions de l'ancienne.

CHAPITRE II

MISÈRE DU RÉFORMISME
EN MATIÈRE DE SEXUALITÉ

La réforme sexuelle vise à l'élimination des conditions de vie sexuelle qui, en dernière analyse, s'enracinent dans les situations économiques et s'expriment en maladies psychiques. Dans la société autoritaire, le conflit entre la moralité qui est imposée à l'ensemble de la société par une minorité, dans l'intérêt du maintien de son pouvoir, et les besoins sexuels de l'individu, conduit à une crise insoluble dans le cadre de l'ordre social existant. Jamais, au cours de l'histoire de l'humanité, ce conflit n'a été d'aussi grave et cruelle conséquence que durant ces trois dernières décennies. C'est pourquoi ce fut la période où l'on discuta et écrivit le plus au sujet des réformes sexuelles; c'est pourquoi cette « ère de technique et de science » fut aussi la période la plus riche en échecs complets des tentatives de réforme sexuelle. Le contraste entre la misère sexuelle anémiante et le progrès considérable de la sexologie est parallèle au contraste entre la misère économique des masses laborieuses et les progrès techniques remarquables de notre ère industrielle.

Il se trouve d'autres paradoxes apparents, tels que la mort d'environ 20 000 femmes par an en Allemagne entre 1920 et 1932, par suite d'avortements, à quoi il faut ajouter 75 000 infections graves dans les mêmes circonstances, ceci en pleine période de progrès dans l'asepsie et la chirurgie; tels que la croissance du sous-emploi des travailleurs de l'industrie, entraînant la ruine physique et morale de leur famille, en pleine période de rationalisation de la production. Ces contrastes, loin d'être dépourvus de signification, sont au contraire parfaitement intelligibles si l'on veut comprendre leur liaison avec les structures économiques et sociales qui les engendrent. Nous nous proposons de montrer que la misère sexuelle et l'impossibilité de résoudre le problème sexuel font partie intégrante de l'ordre social qui leur a donné naissance.

Les tentatives de réforme sexuelle sont situées dans l'effort culturel général. Les libéraux, comme Norman Haire, veulent combattre un défaut particulier de notre société, sans la critiquer dans l'ensemble, et tel est l'objet de leur réforme sexuelle. Les socialistes, les « réformistes », essaient aussi, par le biais d'une réforme sexuelle, d'introduire une parcelle de socialisme dans notre société. Ils voudraient, renversant l'ordre des causes, instituer une réforme sexuelle avant de modifier la structure économique.

Les réactionnaires ne comprendront jamais que la misère sexuelle fait partie intégrante de l'ordre social qu'ils défendent. Ils en recherchent la cause soit dans la peccabilité de l'homme, soit dans quelque décision surnaturelle ou quelque volonté de souffrir tout aussi mystérieuse, soit dans l'inobservance des préceptes d'ascétisme et de monogamie qu'ils ont eux-mêmes prescrits. On ne peut attendre d'eux qu'ils admettent leur propre complicité avec l'ordre même qu'ils tentent sincèrement de modifier par leurs réformes. L'admettre pourrait bien ébranler leur assise économique, à partir de laquelle précisément ils entreprennent leurs réformes.

La réforme sexuelle est une tentative, datant de quelques dizaines d'années, pour soulager la misère sexuelle: les problèmes de la prostitution, du mal vénérien, de la misère sexuelle, de l'avortement, des crimes sexuels, des névroses, sont constamment au centre de l'intérêt public. Mais aucune des mesures réformistes préconisées n'a entamé la misère sexuelle prévalente. Qui plus est, *toute réforme proposée se traîne à la remorque des modifications qui se sont réellement produites dans les rapports entre sexes.* Le déclin du mariage, la progression des divorces et de l'adultère, contraignent à discuter d'une réforme matrimoniale; les relations extra-conjugales sont de plus en plus admises *de facto*, nonobstant les vues des sexologues moralisateurs; les rapports sexuels chez les jeunes gens de 15 à 18 ans concernent de vastes catégories d'individus; pendant ce temps, les mouvements de réforme sexuelle débattent encore du problème de l'extension de l'abstinence sexuelle des adolescents jusqu'à plus de vingt ans, ou de la question de savoir si la masturbation est normale. L'avortement « criminel » et l'usage des anticonceptionnels se répandent largement, cependant que les mouvements de réforme sexuelle se demandent si, outre les indications médicales, des indications sociales ne sont pas requises pour autoriser l'avortement.

Nous voyons donc que les changements concrets dans la vie sexuelle précèdent toujours de loin les efforts négligeables des réformateurs. Ce retard du réformisme montre qu'il y a quelque chose de fondamentalement vicié dans ces tentatives de réforme, à savoir une contradiction interne qui freine tout effort et le condamne à la stérilité.

Notre tâche sera donc de découvrir le sens caché de ce fiasco de la réforme sexuelle chez les conservateurs, ainsi que le lien qui unit ce genre de réformisme et ses échecs à l'ordre social autoritaire. Ce lien n'est pas simple, et en particulier, le problème de la formation des idéologies sexuelles est d'une complexité qui justifie une étude particulière [1]. Nous

[1] Cf. *Der Einbruch der Sexualmoral* et *Die Massenpsychologie des Faschismus* (The Mass Psychology of Fascism).

ne traiterons ici qu'une partie du problème, nous contentant d'élucider les connexions suivantes:

1. L'institution du mariage en tant qu'entrave à la réforme sexuelle.

2. La famille autoritaire en tant qu'appareil d'éducation.

3. L'exigence d'abstinence sexuelle pour la jeunesse en tant que forme d'apprentissage, logique dans un système autoritaire, du mariage monogamique à vie et de la vie familiale patriarcale.

4. La contradiction entre la réforme sexuelle traditionnelle et l'idéologie matrimoniale traditionnelle.

Nombre de ces connexions sont passées inaperçues, tout d'abord parce que les critiques du réformisme ont porté leur attention sur les formes extérieures de la vie sexuelle, à savoir les conditions de logement, de l'avortement, la législation matrimoniale, etc., alors que les besoins et mécanismes sexuels étaient pratiquement laissés dans l'ombre. Il y a peu de chose à ajouter à cette critique sociologique, où s'illustrèrent en Europe des hommes comme Hodann, Hirschfeld, Brupbacher, Wolff, et qui se trouva brillamment illustrée par la révolution sexuelle en Russie durant les années 1918 à 1921 [1].

Toutefois, une juste estimation des conséquences psychiques et culturelles de l'ordre sexuel autoritaire, pour l'économie sexuelle de l'individu et de la société, présuppose la connaissance des mécanismes psychiques et somatiques de la sexualité. La critique sociologique doit donc être complétée par notre critique médicale, qui se fonde sur l'expérience de l'analyse caractérielle et des recherches sur l'orgasme.

[1] Cf. Les travaux de Genss sur le problème de l'avortement en Russie; Wolfsohn: *Soziologie der Ehe und Familie*; Batkis: *Die sexuelle Revolution in der Sowjet-Union*.

CHAPITRE III

L'INSTITUTION DU MARIAGE
COMME SOURCE DES CONTRADICTIONS
DE LA VIE SEXUELLE

L'objectif que poursuit le réformisme est l'instauration d'une morale conjugale. Comme soutien de cette morale, nous trouvons le mariage, institution conservatrice qui repose à son tour sur de solides intérêts économiques. La moralité conjugale est la projection ultime, dans la superstructure idéologique, de facteurs économiques, et en tant que telle imprègne la pensée et l'action de tout réformateur traditionnel de la sexualité, rendant par là impossible toute réforme sexuelle effective.

Quel est le lien entre les facteurs économiques et la moralité conjugale? La conséquence immédiate des intérêts économiques, c'est la valeur accordée à la chasteté prénuptiale de la femme et à la fidélité de l'épouse. Gruber, spécialiste allemand d'hygiène sexuelle, avait conscience de cette motivation ultime et décisive lorsqu'il écrivait:

« Nous devons cultiver la chasteté de la femme comme le bien national le plus précieux, car c'est la seule assurance que nous ayons d'être vraiment les pères de nos enfants, et de travailler et peiner pour notre chair et notre sang. Il nous faut cette garantie pour une vie familiale sûre, base indispensable de la prospérité de la nation. C'est cette raison, et non l'égoïsme masculin, qui justifie les exigences plus sévères de la loi et de la morale à l'égard de la femme, en ce qui concerne la chasteté prénuptiale et la fidélité conjugale. Car la liberté de la femme

serait de plus grave conséquence que la liberté de l'homme. »
(*Hygiene des Geschlechtslebens*, 53-54, p. 146-147.)

La liaison des lois sur l'héritage à la procréation suffit à lier presque indissolublement la sexualité au mariage: l'union sexuelle de deux personnes n'est plus affaire de sexualité. En effet, la *chasteté extra-conjugale* et la *fidélité conjugale* de la femme ne peuvent être solidement assurées que par un taux élevé de refoulement sexuel; d'où s'ensuit l'exigence d'une chasteté de la fille. A l'origine — comme cela s'observe encore dans certaines sociétés primitives — la fille était libre dans sa vie sexuelle prénuptiale; ce n'était qu'à partir du mariage qu'elle était astreinte à une chasteté extra-conjugale [1]. Dans notre société, notamment durant les dix dernières années du XIXe siècle, la virginité devint une condition absolue du mariage. *La chasteté prénuptiale* et *la fidélité conjugale stricte* devinrent les pierres angulaires de la moralité sexuelle réactionnaire qui, en créant une structure psychique de peur devant la sexualité, renforçait le mariage et la famille autoritaire.

Ainsi donc, cette idéologie est l'expression adéquate d'intérêts économiques. Mais la contradiction interne du processus est dès lors évidente; l'exigence de chasteté des jeunes filles prive les jeunes gens d'objets d'amour, ce qui crée les conditions typiques de notre ordre social, inévitables quoique non désirées en elles-mêmes: le mariage monogamique donne naissance à l'*adultère*, la chasteté des filles donne naissance à la *prostitution*. L'adultère et la prostitution sont le lot de la double morale sexuelle qui accorde à l'homme ,avant comme pendant le mariage, ce qu'elle refuse à la femme, pour des raisons écono-

[1] Cf. BRYK: *Negereros* (Marcus und Weber, p. 77), PLOSS-BARTELS: *Das Weib*, et surtout MALINOWSKI· *La Vie sexuelle des primitifs.*

miques. Etant donné les urgences naturelles de la sexualité, la rigueur de la morale sexuelle engendre l'opposé de ce à quoi elle vise; l'immoralité au sens réactionnaire, c'est-à-dire l'adultère et les relations sexuelles extra-matrimoniales, se redouble en phénomènes sociaux grotesques: la perversion sexuelle d'une part, et la sexualité mercenaire, à l'intérieur comme à l'extérieur du mariage, d'autre part. Le caractère mercenaire de la sexualité extra-matrimoniale ruine de toute nécessité la tendresse des relations sexuelles, ce qui est particulièrement marqué dans la prostitution. Il en résulte que le jeune homme bien élevé va dissocier sa sexualité: satisfaisant ses sens avec une fille des « classes inférieures », il réservera son affection et son respect à une fille de son milieu. Cette scission de la vie amoureuse et cette liaison de la sexualité avec l'argent ont pour conséquence une dégradation et une bestialité *(Brutalisierung)* de la vie amoureuse, dont une conséquence importante est la diffusion des maladies vénériennes, lot commun quoique non voulu de l'ordre sexuel traditionnel. La lutte contre la prostitution, la sexualité extra-matrimoniale et le mal vénérien, est menée sous la bannière de la « continence », corrélative de l'idée que l'activité sexuelle n'est morale qu'à l'intérieur du mariage; une preuve apparente de l'immoralité de la sexualité extra-matrimoniale étant justement son caractère prétendûment dangereux.

Les auteurs réactionnaires doivent cependant reconnaître que le recours à la continence n'est pas une arme efficace contre le mal vénérien, et, bien qu'ils se rendent compte du fait que la morale conjugale est une impasse, ils ne voient pas d'autre issue. Il est vrai que les maladies vénériennes sont infectieuses, mais elles doivent leur extension à la dégradation de la vie sexuelle extra-matrimoniale, contrepartie de la consécration sociale de la relation conjugale. C'est cette contradiction que le sexologue réactionnaire, pour autant qu'il veut rester dans son milieu, est obligé de soutenir idéologiquement.

Dans le problème de l'avortement, on peut voir ce même conflit entre les faits d'une part, et les exigences destinées à soutenir la morale conjugale et l'institution du mariage d'autre part. L'un des arguments les plus répandus contre la légalisation de l'avortement est de type « moral »: les lois condamnant l'avortement mettent un frein à ce qui deviendrait un « dérèglement *(Zügellosigkeit)* général de la vie sexuelle ». Les réactionnaires veulent augmenter le taux de natalité régulièrement décroissant; on sait que la légalisation de l'avortement en Russie soviétique ne conduisit pas à une baisse de la natalité, mais que, s'accompagnant de mesures sociales appropriées, elle entraîna une augmentation considérable de la natalité [1]. Pourquoi ce souci de la natalité? Par souci de la puissance nationale et de la chair à canon.

Il serait inexact de croire que le motif en est le désir d'une armée industrielle de réserve; il a pu en être ainsi lorsque le sous-emploi d'un petit nombre bien déterminé d'ouvriers permettait de maintenir de bas salaires; mais les temps ont changé: le sous-emploi chronique de notre époque a rendu cette motivation caduque. Si bien que les motivations économiques immédiates de l'obstruction faite aux mesures anticonceptionnelles sont devenues insignifiantes par rapport aux motivations idéologiques, lesquelles cependant s'enracinent en dernière analyse dans des intérêts économiques. La motivation principale dans la sanction de l'avortement est la peur des conséquences possibles de sa libération, la peur des conséquences pour la « moralité ». Si l'on rendait

[1] GENSS: *Was lehrt die Freigabe der Abtreibung in Sowjet-Russland?* (Agis-Verlag, 1926.)

l'avortement légal, de façon indistincte pour les femmes mariées comme non mariées, cela impliquerait la reconnaissance des relations extra-matrimoniales et l'abandon de l'obligation morale de marier une fille qui est devenue enceinte; cela minerait l'institution du mariage; or, en dépit de tous les conflits de la vie sexuelle, il y a une nécessité idéologique de maintenir la morale conjugale. Pourquoi? Parce qu'elle constitue l'épine dorsale de la famille autoritaire, qui, à son tour, est *le lieu de formation de l'idéologie autoritaire* et de la structure humaine *(menschlicher Strukturen)*.

Ce fait a été jusqu'ici largement méconnu dans les discussions concernant l'avortement. Peut-être certains feront-ils valoir la possibilité de n'autoriser l'avortement que pour les femmes mariées, en sorte que les intérêts du mariage soient sauvegardés: cette objection vaudrait s'il n'y avait cette pièce maîtresse dans l'idéologie sexuelle que *l'acte sexuel ne doit pas procéder de la recherche d'un plaisir ou d'une satisfaction en dehors de la procréation*. La reconnaissance officielle de l'acte sexuel indépendamment de la procréation signifierait l'abandon de toutes les conceptions officielles et ecclésiastiques de la sexualité. Ainsi, comme l'écrit Max Marcuse dans son recueil *Die Ehe* (*Le Mariage,* chap. sur la prévention des naissances):

« Si l'on parvenait à stériliser temporairement les femmes par une médication interne, la tâche la plus urgente serait de trouver une méthode de distribution de ces drogues qui en assurerait l'emploi exclusif lors des indications d'hygiène, et qui préserverait en même temps de l'énorme danger qu'elles représentent pour l'ordre sexuel et la moralité, et même pour la vie et la civilisation en général. » (399).

On devrait ajouter, bien entendu, que ce danger concerne la culture *autoritaire* et son mode de vie.

Le fascisme allemand, de 1933 à 1935, a tenu compte de ce « danger » dont parlait le réformateur Marcuse en 1927: mille cinq cents stérilisations, qui ne concernaient en rien l'hygiène, furent opérées afin de prévenir cet « énorme danger pour l'ordre sexuel et la moralité, la vie et la civilisation. » Ce qui est désigné comme un « énorme danger », c'est la séparation de la sexualité et de la procréation.

Un calcul arithmétique simple montre tout ce que cela signifie. Aucun réformateur sexuel ne peut raisonnablement attendre d'une pauvre femme qu'elle porte plus de cinq enfants, par exemple. Nonobstant les avis qui font autorité en matière sexuelle, l'homme est ainsi fait par nature qu'il ressent l'excitation sexuelle et le besoin de satisfaction sexuelle, même s'il n'est pas muni d'un livret de famille, et qu'il ressent cette urgence sexuelle avec une périodicité de quelques jours; ce qui veut dire que, s'il vit selon ses besoins biologiques et non pas selon la moralité conventionnelle, il entre en rapports sexuels trois ou quatre mille fois entre quatorze et cinquante ans. Si Marcuse n'était donc intéressé qu'à la conservation de l'espèce, il devrait réclamer une loi autorisant la femme à user de produits anticonceptionnels 2995 fois, à condition de n'en pas user cinq autres fois, ou autant de fois qu'il faudra pour produire cinq enfants.

Mais la vérité est que le réformateur sexuel ne se soucie pas de ces « cinq » actes procréateurs: il est hanté par la peur que les individus, *avec la sanction des autorités*, non seulement désirent, mais même réalisent affectivement ces 3000 actes sexuels agréables. Pourquoi est-il hanté par cette crainte?

1. Parce que *l'institution du mariage* n'est pas adaptée à cet état de fait, et qu'elle doit néanmoins être sauvegardée, en tant que pierre angulaire de

cette usine à forger l'idéologie autoritaire qu'est la famille.

2. Parce qu'il ne pourrait plus davantage éluder le problème de *la sexualité juvénile*, qu'il exécute verbalement en parlant de « continence » ou d'« éducation sexuelle ».

3. Parce qu'il tient à préserver sa théorie de la nature *monogamique* de la femme, voire de l'être humain en général, de l'épreuve des faits, biologiques et physiologiques, qui en signifierait l'effondrement complet.

4. Parce qu'il entrerait en conflit sérieux avec l'Eglise. Il peut éviter ce conflit en se contentant, comme Van de Velde dans son livre *Le Mariage idéal* de préconiser l'érotisme *dans* le mariage, tout en faisant soigneusement remarquer que ses propositions ne sont pas en contradiction avec les dogmes religieux.

L'idéologie morale conventionnelle est la pierre angulaire de l'institution du mariage; elle est contraire à la satisfaction sexuelle et présuppose la négation de la sexualité. L'institution du mariage entraîne l'impossibilité de résoudre le problème de l'avortement.

CHAPITRE IV

L'INFLUENCE DE LA MORALE SEXUELLE CONSERVATRICE

1. — LA SCIENCE « OBJECTIVE » ET « APOLITIQUE »

La caractéristique de l'idéologie sexuelle conservatrice est la négation et la dégradation de la sexualité qui, dans la société autoritaire, se traduit par le processus du *refoulement sexuel*. Il nous importe peu ici de savoir quels sont les besoins sexuels refoulés, quelle est l'ampleur du refoulement et quels en sont les résultats pour l'individu; ce qui nous préoccupe, ce sont les moyens utilisés dans ce processus par l'« opinion publique », dont la sexologie conservatrice est une partie non négligeable, et quels en sont les résultats d'ensemble.

La meilleure expression de l'atmosphère idéologique se trouve dans la *sexologie conservatrice*, ce que nous montrerons en détail lors de la discussion des problèmes du mariage et de la sexualité juvénile. Donnons simplement quelques exemples typiques des préjugés moraux d'une sexologie qui prétend à l'objectivité.

Dans le *Handwörterbuch der Sexualwissenschaft* (lexique de sexologie) de Marcuse, ouvrage indubitablement représentatif de la sexologie officielle, Timerding écrit:

« Toute la théorie de la sexualité s'est toujours réglée sur une prise de position éthique. Les projets de réforme sont presque toujours justifiés par des principes moraux » (p. 710).

« La raison de cette importance du point de vue moral en sexologie réside dans le fait qu'il nous invite

91

à mieux situer la sexualité dans l'ensemble du développement de la personnalité et de l'ordre social » (p. 712).

Comme nous le savons, ce qu'on entend par ordre social et par développement de la personnalité, c'est l'ordre social *réactionnaire* et le développement d'une personnalité capable de *s'adapter à cet ordre*. Toute morale sociale réactionnaire est nécessairement négatrice de la sexualité, quelles que soient les concessions qu'elle accorde aux réalités de la vie sexuelle, quel que soit l'écart par rapport aux principes dans la vie sexuelle des classes dominantes; en raison de leurs contradictions, de nombreux auteurs parviennent à des conclusions qui s'opposent à l'atmosphère sociale régnante; mais cela n'est d'aucune conséquence, et il n'y a jamais d'action qui transgresse les limites fixées par la société réactionnaire, il ne peut en résulter qu'incohérences et absurdités. Voici par exemple ce que Wiese écrit dans le *Handwörterbuch* de Marcuse:

« Outre l'ascétisme religieux, il existe, surtout à notre époque, une bonne dose d'ascétisme, c'est-à-dire d'abstinence par principe, dérivé de motivations philosophiques, morales, sociales, d'une faiblesse érotique physique ou psychique, d'une inclination au spiritualisme, ou d'un mélange de ces diverses motivations avec un instinct religieux inné. On croit souvent qu'il n'est possible de hausser les rapports humains à un niveau culturel supérieur que par la continence... Cet ascétisme moderne... est rarement de la qualité de l'ascétisme religieux authentique; il n'est que le résultat de la satiété ou d'une vitalité affaiblie, incapable de supporter la force ou la variété des émotions sensuelles.

« Compte tenu de tous les genres et degrés de continence, on est en droit de conclure qu'un fort instinct naturel ne peut être éliminé, mais à la rigueur dévié ou altéré. La continence « refoule » la pulsion sexuelle. Mais, bien qu'il faille se garder des exagérations de l'école freudienne, il faut néanmoins reconnaître la validité de la théorie du refoulement de la sexualité par la continence: il peut résulter de la continence beaucoup de fanatisme, de bizarrerie, de haine et d'érotisme en imagination *(Unkeuschheit der Phantasie)*.

« Il n'existe pas chez l'individu normal de penchant naturel à la continence, hormis l'affaiblissement temporaire ou sénile du besoin; l'ascétisme est essentiellement d'origine sociale, et non biologique. Il est parfois un phénomène d'adaptation à des conditions de vie anormales, parfois une idéologie pathologique » (p. 40).

Dans l'ensemble, ces jugements sont exacts; mais l'éventualité de conséquences pratiques est écartée par des procédés tels que la distinction entre l'ascétisme religieux et l'ascétisme d'un autre cru; distinction qui dissimule le fait que l'ascétisme religieux s'enracine également dans une « inclination au mysticisme », et non dans un « instinct religieux inné ». En postulant un « instinct religieux », Wiese ménage une porte de service par où l'ascétisme puisse s'insinuer à nouveau, après avoir été officiellement congédié à la suite de la découverte de son origine sociale et de l'absence de tout « penchant naturel à la continence ».

Une autre porte dérobée que la sexologie officielle ménage à la morale est le discours sur la « spiritualisation » des relations sexuelles. On a bel et bien commencé par condamner la sensualité; mais celle-ci réapparaît furieusement sous diverses formes pathologiques. Que faire de ces forces qui sont désormais plus hostiles qu'auparavant au mode de vie « moral », c'est-à-dire ascétique et chaste? Il ne reste plus qu'à « hausser la sexualité à un niveau spirituel supérieur ». Ce slogan, largement répandu cnez les réformateurs de la sexualité, signifie, malgré l'imprécision des formules, quelque chose de très concret: le renouveau du refoulement et de l'inhibition de la sexualité.

Ce mélange de moralisme et d'observation des faits, caractéristique de la sexologie conservatrice, donne lieu à des idées vraiment absurdes, comme ce qu'écrit Timerding ci-après:

« Si l'on refuse à la femme non mariée le droit à l'amour, il faudra aussi exiger la continence prénuptiale de l'homme. *Et certes, la chasteté prénuptiale complète, si elle était possible, serait la meilleure garantie de la stabilité sociale et épargnerait à l'individu bien des souffrances. Si toutefois cette exigence reste un idéal, réalisé en de rares occasions seulement* (souligné par moi, W. R.), le résultat est mince. *L'idéal de chasteté* devrait devenir la norme de la *morale individuelle;* elle devient toutefois de moins en moins probable, notamment lorsque les chances de se marier dès la maturité sexuelle diminuent. Tant que l'exigence de chasteté restera une exigence de la morale sociale, destinée à protéger la famille, l'individu sera fondé à la rejeter comme n'étant qu'une coercition gênante » (721).

« Il est remarquable que cette idée ait complètement échoué devant les réalités de la vie moderne, et qu'elle soit devenue pratiquement une simple farce » (714).

Nous trouvons dans ce passage les incohérences suivantes: si la femme doit vivre dans la chasteté prénuptiale, pourquoi l'homme ne le devrait-il pas? Juste! L'instauration de l'idéal de chasteté comme norme morale individuelle devient de plus en plus improbable. Juste! Néanmoins, l'idéal de chasteté « devrait » être instauré, bien que « cette idée ait complètement échoué... et... soit devenue une farce »!!!

LA RÉVOLUTION SEXUELLE

Quant à l'idée que « la chasteté prénuptiale est la meilleure garantie de la stabilité sociale », c'est une de ces formules qui se répètent sans cesse et sans être accompagnées de la moindre preuve. Cependant, comme nous le savons déjà, cette proposition est vraie si l'on entend par « stabilité sociale » la stabilité de la société autoritaire. Nous lisons encore:

« Deux façons de voir s'opposent dans l'appréciation de la sexualité du point de vue de l'hygiène: certains font valoir le tort physique et psychique que cause la répression sexuelle et réclament par conséquent une vie sexuelle saine, indépendante des situations économiques; d'autres affirment vigoureusement l'innocuité de la continence absolue, tout en faisant valoir les dangers présentés par le désordre de la vie sexuelle, notamment la profusion et la gravité des maladies vénériennes... La seule prévention sûre, est en fait la continence absolue. Etant donné qu'elle ne peut être exigée que dans des cas exceptionnels, on en revient à l'idéal des rapports sexuels *limités au mariage monogamique. La réalisation de cet idéal assurerait parfaitement le but poursuivi* (souligné par moi W.R.). Les maladies vénériennes décroîtraient rapidement. *Mais cet idéal sera lui aussi bien difficile à réaliser* (souligné par moi, W.R.). De plus, protéger le mariage serait d'un faible secours, vu que le principal danger d'infection se situe avant le mariage. Il n'y a donc qu'un *perfectionnement général de la conscience* dans le domaine sexuel qui puisse nous secourir, en prévenant tout au moins les relations sexuelles imprudentes et instables.

« On peut même imaginer comment une affection solide des personnes libérerait les relations sexuelles des contraintes sociales et légales, et favoriserait ainsi l'établissement de relations durables; elle éliminerait du même coup la prostitution publique et clandestine, faisant décroître le mal vénérien et autres maux physiques et psychiques. On ne peut contester le fait que les individus des deux sexes animés d'un besoin sexuel normal ne se laissent jamais infléchir par les exigences morales officielles. Mais d'un autre côté, on peut maintenir l'idéal des relations sexuelles exclusives avec un partenaire qui donne une satisfaction complète et durable au point de vue physique et affectif. Car il n'est pas douteux que celui qui y parvient doit être tenu pour heureux » (714).

Nous voyons que le réformateur traditionnel lui-même approche de la solution pratique de la misère sexuelle. Mais il ne peut se débarrasser de l'idéologie de la monogamie coercitive; cette dernière pèse sur son jugement, l'accule dans une impasse: « D'un autre côté, on peut maintenir l'idéal... car... celui qui y parvient doit être tenu pour heureux. » Admettons. Mais qui donc y parvient? Et notre moraliste n'a-t-il pas lui-même proclamé le fiasco de l'idéal? Ici aussi, la contradiction s'explique par le substrat économique de l'idéal, d'où résulte l'impossibilité de sa réalisation dans des conditions d'économie sexuelle.

C'est ainsi qu'on oscille entre l'idéologie de la chasteté et celle du mariage parce qu'entre elles deux rôde le spectre du « péril vénérien », impossible à maîtriser puisqu'il est la contrepartie de la moralité conjugale et de l'idéologie de chasteté. Certes, le sexologue s'aperçoit bien que « la libération des relations sexuelles des contraintes sociales et légales favoriserait les relations durables, éliminant la prostitution et faisant décroître le mal vénérien ». Mais la société telle qu'elle est ne peut se passer de l'« ordre moral » et de la « coercition ». Il ne reste donc pas d'autre solution que de « perfectionner la conscience ».

Cette tâche fut entreprise par le maître en matière d'hygiène sexuelle, le professeur Gruber. Il écrit:

. «Le plaisir de la créature est mêlé d'amertume. Le lecteur a certainement pu vérifier maintes fois cette sentence de Maître Eckhart. Et encore n'avons-nous pas parlé en détail des pires maux que peut entraîner le rapport sexuel. »

(*Hygiene des Geschlechtslebens,* p. 121.)

« Le plaisir de la créature est mêlé d'amertume. » Certes! Mais aucun de ceux qui l'affirment ne se demande si cette amertume est d'origine sociale ou biologique. La proposition: *Omne animal post coitum triste* (tout animal est triste après le coït) est devenue un dogme scientifique. Il faut savoir que de tels principes, émanant d'« autorités », ont une grande influence sur ceux qui les écoutent avec respect; ils se gravent si profondément qu'ils faussent chez l'individu les expériences qui pourraient les contredire, et même obnubilent par leur imprégnation toute pensée indépendante, laquelle les conduirait immanquablement à prendre conscience de la situation sociale où l'amertume s'allie nécessairement au plaisir.

Mettons-nous à la place d'un adolescent lisant les jugements suivants d'un sexologue comme Fürbringer:

« De nouveaux problèmes se proposent à l'adolescent, et tout d'abord celui du point de vue médical concernant les dangers de l'activité sexuelle, notamment l'infection. Ce n'est plus désormais un secret que dans notre société la plupart des hommes s'engagent dans l'activité sexuelle avant le mariage. Il ne nous appartient pas d'examiner la question de savoir dans quelle mesure la société admet, voire approuve, ce procédé. » (*Handwörterbuch,* p. 718.)

L'adolescent retient de ceci:

1) Que le point de vue médical, c'est-à-dire le

point de vue pour lequel le profane a le plus grand respect, est que les rapports sexuels « nuisent à la santé ». Celui qui a fait l'expérience des réactions de l'adolescent à de telles affirmations, qui sait comment ils deviennent alors la proie des conflits sexuels et de l'hypocondrie, et comment l'action conjuguée de ces affirmations et des expériences infantiles engendre des névroses, sera d'accord avec nous pour dire qu'il faudrait non seulement protester contre ces affirmations, mais aussi sévir pratiquement contre elles.

2) Que le médecin pense qu'il y a danger d'infection. Gruber affirme que toute femme qui a eu des rapports pré-conjugaux ou extra-conjugaux est suspecte. Certes, il y aurait la solution de n'avoir de rapports sexuels qu'avec un seul partenaire que l'on connaît et que l'on aime; de plus, il est possible de convenir avec ce partenaire d'une fidélité pour la durée de la relation; ou de convenir d'interrompre toute relation pendant les semaines postérieures aux relations avec d'autres partenaires. De cette façon, et de bien d'autres, on pourrait éliminer l'épouvantail du mal vénérien. Mais que devient alors le souci de la moralité? Etant donné que Gruber, Fürbringer et autres savants de la même famille idéologique voient toute vie sexuelle extra-conjugale à travers les « lunettes du bordel », selon l'expression d'Engels, ils sont parfaitement à l'aise dans l'atmosphère de l'idéologie sexuelle réactionnaire et sont capables de proférer des exhortations morales de cet ordre:

« En raison du caractère répugnant et dangereux de la prostitution, écrit Gruber, de nombreux jeunes gens seront tentés de chercher la satisfaction dans ce qu'on appelle une « liaison », jusqu'à ce qu'ils soient en âge de se marier. Mais ils devraient se pénétrer de ceci: une telle liaison ne garantit complètement contre l'infection que si elle est nouée avec

une vierge, et s'il y a fidélité absolue; vu l'importance du mal vénérien, *toute* relation polygame est
extrêmement dangereuse. On ne peut s'attendre à la
fidélité d'une fille qui s'abaisse à une telle « liaison »
d'un cœur léger, fût-ce pour de l'argent et d'une
façon dissimulée. Si, comme souvent, elle est passée
de main en main, elle n'est guère moins dangereuse
qu'une prostituée professionnelle. Le jeune homme
qui a l'ambition d'atteindre à des objectifs plus élevés devrait également se pénétrer de ceci: vivre avec
une fille qui lui est inférieure au point de vue intellectuel et au point de vue affectif, qui ne comprend
pas ses ambitions et qui ne connaît que des plaisirs
vulgaires, doit fatalement abaisser son propre niveau
culturel. Une pareille « liaison amoureuse » souille
psychologiquement bien davantage que la fréquentation occasionnelle d'une prostituée, fréquentation
qui, comme la visite aux lieux d'hygiène, est de
l'ordre du soulagement naturel d'un besoin. »

(*Hygiene des Geschlechtslebens*, p. 142-143.)

La liaison avec une « vierge » protégerait de l'infection, écrit Gruber. Mais pour rendre cette solution
impraticable, il suffit de préciser que:

« Séduire une jeune fille honorable et de sentiments nobles pour réaliser une « liaison amoureuse
temporaire » est une entreprise malhonnête, même
quand elle est parfaitement explicite dans ses intentions.

« Je ne me réfèrerai pas à ce fait que l'acte de
défloration à lui seul porte déjà préjudice à la jeune
fille en ce qu'il rend plus difficile un mariage ultérieur, l'homme, en effet, guidé par un instinct sûr,
préférant la vierge pour épouse.

« Mais l'essentiel est qu'il n'est pas possible de
réaliser cette liaison sans troubler ou blesser profondément l'âme féminine. Car le désir de maternité

est inné chez toute femme de bien *(gutgeartete)*, et ce n'est que lorsque le rapport sexuel renferme la promesse de l'enfantement qu'il peut la rendre pleinement heureuse. Celui qui, par des ruses innommables, induit une femme aux relations sexuelles, lui vole l'heure de bonheur suprême que lui aurait apporté le mariage loyal avec ses premiers enlacements sans réserve. » (p. 144-45).

Ainsi, des observations « scientifiques » sont établies dans l'intérêt de l'institution matrimoniale. L'analyse de femmes frigides qui refusent la sexualité nous a familiarisés avec l'affirmation que « seule la perspective de la maternité rend la femme heureuse dans l'acte sexuel ». Quant à ce que signifient « les premiers enlacements sans réserve dans un mariage loyal », nous l'apprenons aussi par les soins prodigués aux femmes qui sont tombées malades des suites d'un « mariage loyal ».

Qui est mieux armé qu'un célèbre professeur d'université pour un endoctrinement systématique dans la morale sexuelle? La société réactionnaire est habile dans le choix de ses prédicateurs.

Les sommets dans cette dangereuse utilisation de l'« autorité scientifique » à des fins idéologiques réactionnaires sont atteints lorsque Gruber prétend que la continence, loin d'être nuisible, est bénéfique pour la santé, car la semence est alors réabsorbée, fournissant « une source de protéines ». « Il ne peut être question d'une nocivité de la rétention de semence dans l'organisme, car la semence n'est pas une secrétion toxique comme l'urine ou les fèces. » Néanmoins, Gruber hésite à laisser passer tel quel ce non-sens. Il ajoute:

« On pourrait toutefois penser que l'absorption du sperme, pour être utile, doit être limitée, qu'une absorption excessive serait nuisible. On peut répondre à cette objection que la nature, par les pollutions nocturnes — qui sont normales quand elles ne sont pas trop fréquentes — a veillé à prévenir l'accumulation excessive. De plus, la sécrétion du sperme *décroît automatiquement lorsque l'appareil génital ne fonctionne pas.* A cet égard, il en est des testicules comme des autres organes du corps: si on ne s'en sert pas, la circulation du sang s'y ralentit, et *il s'ensuit une baisse de leur nutrition et de leur vitalité.* Par là aussi, un danger se trouve évité. » (souligné par moi, W.R.) (72).

Qu'on veuille bien lire ces phrases avec l'attention qu'elles méritent. Ce que Gruber exprime ici ouvertement, c'est l'essence de toute sexologie réactionnaire: dans l'intérêt de l'ordre moral, de la culture et de l'Etat, on préconise l'atrophie de l'appareil génital. Si nous avions affirmé ceci sans documents à l'appui, personne ne nous aurait cru. L'essence de l'idéologie sexuelle réactionnaire, c'est *l'atrophie sexuelle!* On ne s'étonne plus dès lors que 90 % des femmes et 60 % des hommes soient sexuellement détraqués et que les névroses soient un problème social.

Si l'on recourt à l'« absorption du sperme comme source de protéines », aux pollutions nocturnes et à l'atrophie testiculaire, il ne reste plus qu'à prendre une mesure active: la castration. Mais alors la science « objective » se paralyserait elle-même, au détriment du « progrès humain » et du « développement de la culture ». Cependant, sous la forme de la stérilisation chez les fascistes, cette fleur de notre « culture » a fait son apparition.

Comme *l'Hygiène de la vie sexuelle* de Gruber a été imprimée à 400 000 exemplaires, donc lue par un million de personnes au moins, adolescents surtout, il est facile d'imaginer son influence sociale, comme facteur externe de névrose et d'impuissance.

On pourrait objecter qu'il est partial de ne citer

que Gruber, la majorité des sexologues ne se solidarisant pas avec lui. Mais il est permis de demander lequel de ces sexologues, soi-disant en désaccord, a publié quelque chose pour tenter de contrecarrer son influence. Je ne prends pas en considération les articles sur la masturbation et les pollutions, parus dans des revues scientifiques poussiéreuses; je parle d'une traduction active de la conviction scientifique: par exemple, la publication de brochures populaires pour faire échec à l'ignoble littérature des centaines de milliers d'écrits de médecins ignares en sexologie, qui exploitent la soif populaire de connaissance en ce domaine en vue de se remplir les poches. L'épouvantail de la « maladie vénérienne » et le spectre de la « masturbation » ne peuvent être combattus par des traités ésotériques. On ne peut davantage se réfugier derrière le respect des confrères et la soi-disant « déontologie médicale ». Non, le problème est ailleurs; ceux qui ne se solidarisent pas avec les vues tranchées d'un Gruber hésitent cependant à suivre leur juste point de vue et leur conviction scientifique jusqu'à ses dernières conséquences: ils seraient dès lors conduits à franchir les bornes assignées à la connaissance traditionnelle, et à perdre leur sécurité dans la société conservatrice. On ne prend pas allégrement ce risque.

Il ne manque certes pas de tentatives pour lutter contre ces conceptions. Mais elles sont embarrassées ou conformistes, comme on peut en voir ici l'exemple:

« De même, en vue d'une meilleure appréciation et pour éviter l'ostracisme social trop fréquent à l'égard des matières sexuelles, il est souhaitable de répandre la connaissance des processus physiologiques et psychologiques fondamentaux de la vie sexuelle. La connaissance de faits scientifiquement établis peut être en effet de grande importance pour l'individu qui veut comprendre ses propres émotions et les conduites qu'elles inspirent. Il faut espérer que le progrès de la culture, surtout dans son aspect le plus profond, ne conduira pas en fin de compte à une détérioration des mœurs sexuelles, mais au contraire à leur affinement et leur ennoblissement. »

(H.E. Timerding, *Handwörterbuch*, p. 713.)

La connaissance des bases de la vie sexuelle est « souhaitable » (et non *essentielle*); la connaissance de faits scientifiques « peut être de grande importance » (elle ne l'*est* pas); « il faut espérer... » non... « une détérioration des mœurs... » mais... « leur affinement et leur ennoblissement ». Toutes expressions vides de sens.

Mais ce lamentable état de choses est encore plus grave: les découvertes et la formulation des théories sont en elles-mêmes contaminées par les préjugés moraux. Cela se produit même chez des auteurs qui, en d'autres domaines, ne font pas preuve de préjugés conservateurs. Cela n'a rien pour nous étonner, vu que l'idéologie sexuelle est la plus profondément ancrée des idéologies conservatrices.

Ainsi, c'est un fait bien connu que la frigidité des femmes est fondée sur une inhibition de la sensibilité vaginale, et que la levée de cette inhibition rétablit l'excitabilité vaginale et la puissance orgastique. Cependant, dans une brochure populaire *« Neuland der Liebe. — Soziologie des Geschlechtslebens »*. (Les nouveaux sentiers de l'amour — Sociologie de la vie sexuelle), Paul Krische nous apprend que:

« Le seul siège de l'excitation et du plaisir chez la femme est le clitoris, et non pas, comme l'affirment encore des savants et des médecins, l'intérieur du vagin et l'utérus. Car l'excitation sexuelle est conditionnée par les corps caverneux et les corps de Krause, qui ne se trouvent que dans le clitoris. Ainsi donc, ni l'utérus ni le vagin ne transmettent les sensations du plaisir sexuel, d'autant plus qu'ils sont

aussi les voies de l'enfantement... Pour ne pas faire
de l'accouchement un supplice intolérable, la nature
a réduit la partie sensible au clitoris... en sorte que
la cavité vaginale fût insensible... Mais alors, la
nature a engendré un conflit qu'elle n'a pu résoudre
tout au long de l'histoire de l'humanité: pour rendre
la naissance possible, elle a insensibilisé le canal
vaginal, empêchant du même coup la satisfaction
légitime de la femme dans le coït. » (P. 10.)

Krische ajoute que, dans la race germanique,
« 60 % au moins des femmes n'atteignent que rarement ou même jamais la satisfaction dans l'accou-
plement ». (On pourrait alors se demander comment
les 40 % qui éprouvent la satisfaction s'accommodent
des interdictions de la nature!) Il impute ceci à la
distance prétendument plus grande entre le clitoris
et le vagin dans la race en question. Néanmoins,
un peu plus bas, la morale conservatrice reçoit son
dû:

« L'âge le plus favorable à la gestation se situe
entre vingt et vingt-cinq ans. Ainsi, en vue de prévenir les grossesses prématurées, la nature a instauré comme mesure protectrice une moindre excitabilité sexuelle de la fillette. »

On ne nous dit pas pourquoi la nature a été assez
maladroite pour ne pas retarder l'ovulation jusqu'à
l'âge de vingt ou vingt-cinq ans. On pourrait même
demander pourquoi cette déesse moderne « Nature »
n'a pas accordé sa protection au fort pourcentage de
filles qui, en dépit de tout, souffrent sévèrement de
l'excitation sexuelle. De plus, nous savons que les
filles se masturbent non seulement à l'âge de quatorze ans, mais déjà à trois ou quatre ans, qu'elles
jouent avec des poupées et veulent avoir des enfants
de leurs pères, bien que la « nature » considère que
l'âge de vingt ou vingt-cinq ans est celui « qui convient ». Serait-ce que cette « nature » n'est autre que

la situation économique de la femme dans notre société, jointe à la « bonne conduite » sexuelle? Et qu'en est-il des filles nègres ou croates de quatorze ans? La nature a-t-elle oublié de s'occuper d'elles?

Considérées d'un point de vue objectif, ces théories ne sont que des manœuvres destinées à détourner l'investigation scientifique des véritables causes sociales et psychologiques des troubles sexuels. *Interpréter le besoin sexuel comme une fonction biologique, essentiellement ou exclusivement au service de la procréation, est une des méthodes de refoulement utilisées par la sexologie conservatrice.* C'est une conception finaliste, c'est-à-dire idéaliste, puisqu'elle présuppose une fin qui, de toute nécessité, doit être d'origine surnaturelle. Elle réintroduit un principe métaphysique et par conséquent dérive d'un préjugé religieux ou mystique.

2. — LA MORALE CONJUGALE COMME CAUSE D'ÉTOUFFEMENT DE TOUTE RÉFORME SEXUELLE

a) *Helene Stöcker.*

Dans la section précédente, nous avons tenté de montrer que ce qui engage dans l'impasse toute espèce de réforme sexuelle traditionnelle, c'est l'institution du mariage et la croyance dans sa nature biologique; que toute la misère sexuelle peut se réduire logiquement à l'idéologie matrimoniale, grâce à laquelle la société autoritaire influence de façon décisive toute activité sexuelle. Tous les réformateurs, même les plus avisés et les plus progressistes, alors que leur programme est convenable du point de vue de l'économie sexuelle, achoppent sur ce point. Et c'est pourquoi leurs programmes sont stériles et sans espoir.

LA RÉVOLUTION SEXUELLE

Le mouvement allemand de réforme sexuelle a été écrasé. Mais dans tous les autres pays, il va de l'avant, quoique hypothéqué par toutes les contradictions qui dérivent du rejet de la sexualité de l'adolescent. La discussion qui suit vaut pour toute espèce de réforme sexuelle libérale.

Le *Deutscher Bund für Mutterschutz und Sexualreform* (Ligue allemande pour la protection de la mère et la réforme sexuelle), dont Helene Stöcker fut le guide spirituel, publia son « Programme », élaboré et voté en 1922. Reproduisons tout d'abord ce « *Programme* » qui s'appuie sur des principes valables du point de vue de l'économie sexuelle.

PROGRAMME DE LA LIGUE ALLEMANDE POUR LA PROTECTION DE LA MÈRE ET LA RÉFORME SEXUELLE

1. *Nature et but du mouvement.*

« Ce mouvement se fonde sur une vision du monde optimiste et favorable à la vie, fondée sur la conviction de la valeur suprême de la vie humaine.

« Partant de ces principes, notre mouvement veut rendre aussi riche et féconde que possible la vie commune entre hommes et femmes, parents et enfants, entre hommes en général.

« Notre tâche est donc de faire prendre connaissance à un nombre toujours croissant d'individus du caractère ignoble des situations sociales et des conceptions morales qui tolèrent et développent la prostitution, les maladies vénériennes, l'hypocrisie sexuelle et la continence forcée.

« La confusion des valeurs morales actuelles, les souffrances et les tares sociales qu'elles engendrent, exigent qu'on y porte remède. Cela ne peut se réaliser par une élimination des symptômes, mais uniquement par l'extirpation des causes originaires.

« Mais notre mouvement n'a pas pour seul horizon la suppression des maux; il veut aussi contribuer positivement à l'épanouissement de la vie sociale de la personne. Notre objectif est par conséquent: 1) de protéger la vie à sa source en assurant la *santé de la mère*; et 2) de mettre la sexualité au service, non pas de la seule procréation, mais du développement de l'individu et de la joie de vivre, en réalisant une *réforme sexuelle*.

2. *Le principe général de la moralité.*

« La première condition de l'assainissement des relations humaines et sexuelles en particulier est l'élimination de ces conceptions morales qui fondent leurs exigences sur de prétendus commandements surnaturels, ou bien sur des réglementations profanes arbitraires, ou encore plus simplement sur la tradition. La morale devrait, elle aussi, s'appuyer sur les acquisitions de la *science*. Nous ne pouvons de manière irresponsable conserver un précepte moral qui jadis avait un sens et servait les intérêts de certaines classes. Pour nous, la pierre de touche du « moral » est de savoir s'il peut conduire à une vie plus riche et plus harmonieuse, au point de vue individuel comme au point de vue social.

« Nous refusons donc l'antinomie du corps et de l'esprit: nous ne voulons pas que l'attraction naturelle des sexes soit marquée de l'estampille du « péché », que la « sensualité » soit combattue comme quelque chose d'inférieur ou de bestial, et que la « maîtrise de la chair » soit le principe directeur de la moralité! Pour nous, l'homme est un être unitaire dont les besoins psychiques et physiques ont un droit égal à la sollicitude et à la santé.

« Les préceptes moraux ne méritent ce nom que lorsqu'ils émanent naturellement des situations d'une vie sociale pacifique, c'est-à-dire celles qui assurent aux individus des droits égaux et les meilleures conditions de développement de leurs aptitudes. Est « moral » pour nous, ce qui, sous des conditions déterminées, contribue le mieux à l'épanouissement de la personnalité chez l'individu et à l'avènement de meilleures formes de vie sociale.

3. Morale sexuelle.

« Nos idées morales dominantes et notre système social nourrissent l'hypocrisie sexuelle, la maladie somatique et autres malheurs. Nous considérons donc que notre tâche est de démontrer à des milieux toujours plus larges combien cet état de choses est insupportable et quelle est la confusion qui règne dans ces idées; et de combattre ces idées et ces situations de toutes nos forces. Nous ne voulons pas que la « vertu » soit assimilée à la « continence », ni non plus qu'il y ait deux types de morale, l'une pour l'homme, l'autre pour la femme.

« *Le rapport sexuel* en tant que tel n'est ni moral ni immoral. Fondé sur un besoin naturel, il ne devient l'un ou l'autre que par l'interférence de circonstances extérieures et l'attitude adoptée par les individus. La signification de la sexualité ne s'épuise pas dans la procréation, qui en est néanmoins le principal effet.

« Au contraire, une vie sexuelle répondant aux besoins de l'individu est la condition de l'harmonie dans la vie intérieure et extérieure. Elle requiert par nature la possibilité d'attirer une autre personne. Dans ces conditions, la vie amoureuse devient riche en nouvelles possibilités d'expériences vitales, ouvre

la voie à l'approfondissement et à l'affinement de la
conception de la vie et de la connaissance d'autrui,
ainsi qu'à la véritable créativité dans la *maternité*
et la *paternité*. »

Nous avons cité ces lignes tout au long parce que
nous y accordons notre agrément pour l'essentiel;
mais aussi pour y faire apparaître une contradiction.
Sous la rubrique « Nature et but du mouvement »,
on relève la nécessité de « l'extirpation des causes
originaires » de la misère sexuelle; que la « moralité » serve les intérêts de certaines classes, qu'« une
vie sexuelle répondant aux besoins de l'individu soit
la condition de l'harmonie dans la vie intérieure et
extérieure », voilà qui est en parfait accord avec les
découvertes de l'économie sexuelle.
Mais déjà la phrase affirmant que cela constitue
la seule voie possible vers une « véritable créativité
dans la maternité et la paternité », renferme une
thèse indémontrée et indémontrable, servant d'ailleurs d'introduction à un jugement qui annule d'un
coup tout ce qui précédait. Il concerne le point où
ont échoué jusqu'à présent tous les aménagements
de la sexualité, à savoir le problème de la jeunesse et
du mariage:
« Nous estimons indispensable que la jeunesse des
deux sexes soit endurcie, entraînée à la maîtrise de
soi et au respect de l'autre sexe dans son rôle propre,
et en particulier que la jeunesse masculine apprenne
de bonne heure à connaître la dignité humaine de
la femme, ainsi que sa vie psychique et émotionnelle.
*Nous exigeons donc la continence jusqu'à la pleine
maturité physique et émotionnelle (geistige).* Nous
reconnaissons néanmoins aux adultes le droit naturel à la relation sexuelle conforme à leurs besoins,
pourvu qu'elle s'accompagne d'une pleine conscience
des suites possibles et n'empiète pas sur les *droits*

d'autres individus (comme par exemple le droit à la fidélité sexuelle). »

Nous trouvons ici des contradictions avec ce qui a été dit plus haut:

1. La prise en considération de la « dignité humaine » de la femme. Il apparaît clairement qu'il ne s'agit pas de la simple répétition d'un de ces lieux communs sur la sexualité féminine, dès lors qu'on y ajoute:

2. « Nous exigeons *donc* la continence jusqu'à la pleine maturité physique et émotionnelle. »

On ne se demande pas pour quelle raison l'acte sexuel est une insulte à la « dignité humaine » de la femme, si cela est vrai absolument et dans l'abstrait, ou seulement aujourd'hui et dans notre société, et pour quelle raison. En outre, il n'est pas précisé *quand* se produit la maturité physique et émotionnelle *(geistig)* de l'adolescent, ni quels en sont les critères. Il est évident que les adolescents atteignent la maturité physique, donc l'aptitude à la procréation, vers 14 ou 15 ans. Quant à la maturité psychique, elle est plus variable, et dépend du milieu. Nous voyons déjà une foule de contradictions, soulevées par une notion aussi générale que celle de « maturité physique et émotionnelle ».

3. « La reconnaissance du droit naturel des adultes au rapport sexuel. » Quand sont-ils donc « adultes »? « Pourvu que cela n'empiète pas sur les droits d'autres individus, comme, par exemple, le droit à la fidélité sexuelle. » Cela signifie que le mari a un droit sur le corps de sa femme et réciproquement. Quel droit? Uniquement celui qui lui est donné par l'institution du mariage, puisqu'il n'en est pas d'autre. Ce point de vue est exactement celui de la législation réactionnaire et de l'idéologie même que les auteurs du *Programme* veulent combattre.

Voici encore une contradiction:

« Nous ne voyons pas que l'essence du mariage et sa « moralité » résident dans l'accomplissement de certaines formalités. La conception actuelle ne tient aucun compte des motivations dans l'union conjugale, pour autant que la forme prescrite est observée. Toutes les relations amoureuses qui portent l'estampille de validité de la forme — et celles-là seules — sont considérées comme « morales ». Toutes les autres sont considérées comme « immorales », quelle que soit leur justification interne, leur valeur ou leur volonté de responsabilité. En fin de compte, et conformément à cette conception, les individus sont assujettis au mariage par la contrainte légale, même lorsqu'ils sentent que la vie commune n'a plus de signification ni de raison d'être ou même n'est plus qu'un supplice, et même lorsqu'elle a été effectivement interrompue. »

Fort bien. Mais:

« *Nous considérons le mariage monogamique légal comme la forme la plus élevée et la plus désirable des relations sexuelles humaines.* Il n'est rien de mieux pour garantir une régulation durable des rapports sexuels, ainsi qu'un développement sain de la famille et une stabilité de la société humaine. Toutefois, nous ne méconnaissons pas le fait que le mariage monogamique strict n'a constitué et ne constitue toujours qu'un idéal accessible à peu d'individus. De fait, la plus grande partie de la vie sexuelle prend place *avant le mariage et en dehors de lui.* Pour des raisons psychologiques et économiques, le mariage, ficelé par la loi, est hors d'état d'englober toutes les possibilités de *relations amoureuses légitimes,* c'est-à-dire que celles-ci ne sont pas susceptibles de se transformer, dans tous les cas, en un « mariage durable ». »

On prend donc parti pour le « mariage monogamique légal », tout en ne méconnaissant pas que « le mariage monogamique strict n'a constitué et ne constitue toujours qu'un idéal accessible à peu d'individus », et que la vie sexuelle est essentiellement extra-matrimoniale. Ceux qui défendent par principe l'institution du mariage ne songent pas à s'informer de son histoire et de sa fonction sociale. Ils peuvent décréter qu'il est la meilleure forme de relation sexuelle et constater le contraire d'un même souffle. Il n'est donc pas étonnant que leurs réformes s'épuisent en formules banales de ce genre:

« Nous réclamons donc:

a) *Le maintien* du mariage monogamique légal fondé sur une véritable égalité des sexes; le développement des conditions *économiques* du mariage, mais aussi celui des conditions *psychologiques* par une éducation en vue du mariage et de la paternité, par une éducation mixte des sexes et autres mesures propres à améliorer la « compréhension » réciproque des sexes;

b) Une libéralisation des lois sur le *divorce*, afin de le rendre possible lorsque les situations qui conduisent au mariage se sont effacées, ou même lorsque le mariage ne répond plus aux objectifs d'une vie commune durable (il faut en particulier remplacer le principe de la culpabilité par celui de l'incompatibilité, comme chef de divorce);

c) La reconnaissance morale et juridique des liaisons qui s'accompagnent d'une conscience avérée des responsabilités, même si la forme légale n'est pas respectée;

d) La lutte contre la « prostitution » par des mesures sanitaires, ainsi que par les moyens psychologiques et économiques propres à en éliminer les causes. »

1. La « *véritable égalité des sexes* », dans la société autoritaire, ne peut exister qu'à l'état de slogan. Elle présupposerait en effet une vie économique démocratique et un droit des personnes à dis-

poser de leur propre corps. Si d'ailleurs ces situations étaient réalisées, le mariage sous sa forme actuelle disparaîtrait automatiquement.

2. « *Le développement des conditions économiques du mariage* » reste également à l'état de slogan dans les conditions actuelles de la production. Qui va réaliser ce développement? Est-ce la société qui est intéressée au maintien du mode actuel de production?

3. L'« *éducation en vue du mariage* », quant à elle, s'opère sans relâche depuis l'enfance: c'est précisément contre les résultats de cette éducation que la « Ligue » s'est constituée. Une institution qui s'appuie sur le refoulement sexuel est par avance en contradiction avec une « éducation mixte » et une « meilleure compréhension » des sexes, si ces expressions doivent recevoir quelque contenu.

4. « *Une libéralisation des lois sur le divorce* » est en elle-même peu de chose: ou bien la situation économique de la femme et des enfants interdit le divorce, et la libération juridique ne sert de rien; ou bien les conditions de la production se modifient de façon à rendre possibles l'indépendance économique de la femme et la prise en charge des enfants par la société, auquel cas la rupture d'une liaison ne présente plus de difficulté externe, en toute hypothèse.

5. « *La lutte contre les causes de la prostitution* » présuppose évidemment bien plus que des mesures sanitaires, étant donné que ces causes sont le sous-emploi des femmes et l'idéologie de chasteté pour les filles « bien élevées ». Qui va prendre ces mesures? Est-ce la société réactionnaire qui est incapable d'organiser l'emploi et qui dépend structuralement de l'idéologie de chasteté?

La misère sexuelle ne sera supprimée par aucune de ces mesures: elle fait partie intégrante de la structure sociale actuelle

b) *August Forel.*

Nul sexologue d'inspiration socialiste n'a mieux qu'August Forel mis en lumière les dommages entraînés du point de vue de l'hygiène par la commercialisation de la fonction sexuelle; il a su reconnaître toutes les difficultés sexuelles fondamentales, qui s'enracinent dans le mode de vie autoritaire, sans toutefois, il est vrai, avoir compris les causes économiques profondes de la misère sexuelle. Il en résulte que ses observations débouchent sur des jérémiades plutôt que sur l'intervention pratique, donc sur de bons conseils plutôt que sur une explication du lien de dépendance de la misère sexuelle à l'égard de la structure sociale actuelle. Comme on pouvait s'y attendre, son préjugé idéologique s'exprime par les contradictions de ses vues. Tant qu'il se maintenait sur un plan suffisamment général, Forel avait l'idée, exprimée dans la brochure *Sexuelle Ethik*, que « la satisfaction de l'instinct sexuel, chez l'homme comme chez la femme, n'a rien à voir avec la morale ». Il écrit en ce sens:

« Nous affirmons hardiment que toute relation sexuelle qui ne nuit à aucun des partenaires ni à une tierce personne ou à un éventuel rejeton... ne peut être immorale... Tant que ces relations sont innocentes, elles doivent être tolérées, d'autant plus que l'ardeur et le plaisir dans le travail dépendent bien souvent d'une satisfaction instinctuelle normale. » (p. 20).

Phrases magnifiques, si l'on songe à l'époque où elles furent écrites. Mais après avoir constaté que l'homme est « en général polygame par nature » (ce qui trahit l'influence de la double morale, laquelle perturbe l'observation des faits), Forel en vient à donner le conseil suivant:

« *L'idéal moral en matière sexuelle, c'est le maria-*

ge monogamique fondé sur l'amour et la fidélité réciproques et durables, et sur le bonheur de la paternité... Cela n'est pas si rare que le prétendent nos pessimistes modernes, ni non plus à proprement parler fréquent; mais pour que ce mariage soit ce qu'il peut et doit être, il faut qu'il soit absolument libre; ce qui signifie que les deux partenaires doivent être absolument égaux; qu'il ne doit exister aucune contrainte extérieure renforçant l'union, telle que la responsabilité à l'égard des enfants. Cela requiert avant tout la séparation des biens des époux, ainsi qu'une juste évaluation des travaux de toute nature accomplis par la femme et par l'homme. » (*Ibid.*)

Mais alors le mariage disparaît de lui-même, puisque ce dernier postulat lui retire son fondement, à savoir l'oppression sexuelle et économique de la femme. Et voici ce qu'il en est dans la pratique:

« Depuis longtemps », écrit un patient qui demande conseil, « j'éprouve une passion pour une femme et j'essaie de la combattre. Etant marié avec la meilleure des épouses avec laquelle je vis en paix depuis trente-deux ans... je vois fort bien qu'une telle liaison n'aurait pas de sens ni même d'excuse. Néanmoins, je me trouve toujours trop faible pour résister à cette passion. »

« Il faut d'abord essayer la suggestion. *En pareil cas, il est difficile de donner un conseil* », répond Forel. Il est évident que c'est difficile, dès lors que tout membre de la société conservatrice est constamment pénétré de l'idée qu'une liaison avec une autre femme « n'a pas de sens ni même d'excuse. »

115

c) *La fin de la Ligue Mondiale pour la Réforme Sexuelle.*

Vers la fin des années 20, l'humaniste et socialiste libéral Magnus Hirschfeld avait organisé son travail sous la forme d'une *Ligue Mondiale pour la Réforme Sexuelle (Weltliga für Sexualreform,* W.L.S.R.) Cet organisme réunissait les sexologues et réformateurs les plus progressistes du monde entier. Son programme se divisait selon les points suivants:

1. Egalité politique, économique et sexuelle de la femme;

2. Libération du mariage (et en particulier du divorce) à l'égard de la tutelle de l'Eglise et de l'Etat;

3. Contrôle des naissances au sens de procréation volontaire.

4. Mesures eugéniques destinées à assurer la santé de la progéniture;

5. Protection des mères célibataires et des enfants naturels;

6. Juste évaluation des variétés de la sexualité, en particulier de l'homosexualité masculine et féminine;

7. Prévention de la prostitution et du mal vénérien.

8. Conception des perversions sexuelles comme phénomènes pathologiques, et non pas comme crimes, péchés ou vices;

9. Sanction pénale limitée aux empiétements sur la liberté sexuelle d'autrui, à l'exclusion des activités sexuelles entreprises par les adultes avec consentement mutuel;

10. Education et information sexuelles organisées.

Le Dr Leunbach, spécialiste danois d'économie sexuelle et l'un des trois présidents de la Ligue Mondiale, en avait montré les mérites, tout en critiquant ses contradictions de façon pertinente [1].

[1] *Von der bürgerlichen Sexualreform zur revolutionären Sexualpolitik. Zeitschrift für politische Psychologie und Sexualökonomie,* 2, 1935.

LA RÉVOLUTION SEXUELLE

Ses critiques essentielles portaient sur les tentatives de la Ligue pour réaliser sa réforme de façon « apolitique », sur le libéralisme de la Ligue qui allait jusqu'à permettre que l'on tienne compte des lois particulières à chaque pays; sur le désintérêt à l'égard de la sexualité infantile et adolescente; sur la reconnaissance de l'institution du mariage.

Après la mort de Hirschfeld, Norman Haire et Leunbach publièrent la déclaration suivante:

« A tous les membres et aux diverses sections de la *Ligue Mondiale pour la Réforme Sexuelle*:

Nous, Dr Norman Haire, de Londres, et Dr Leunbach, de Copenhague, présidents actuellement vivants de la Ligue, avons la tristesse de vous faire part du décès de notre président, Magnus Hirschfeld, survenu à Nice le 14 mai 1935.

Nous aurions été désireux de convoquer un congrès pour examiner le sort de la Ligue. Cela apparaît impraticable pour la raison même qui a interdit la réunion de tout congrès international depuis le congrès de Brno en 1932. Les conditions économiques et politiques en Europe ont interdit, non seulement les congrès internationaux, mais aussi le travail de la Ligue dans de nombreux pays. La section française n'existe plus, la section espagnole a cessé toute activité depuis la mort de Hildegarth, et il en est de même pour la plupart des sections.

Pour autant que nous soyons informés, la section anglaise est la seule qui continue à fonctionner activement.

En l'absence de congrès international, les deux présidents actuellement en vie se voient contraints de reconnaître que le maintien de la Ligue comme organisation internationale n'est plus désormais possible.

Dans ces conditions, nous déclarons que la *Ligue Mondiale pour la Réforme Sexuelle* est dissoute. Les

117

différentes sections devront décider quant à elles si elles doivent poursuivre leur activité de façon autonome ou se dissoudre.

Parmi les membres des différentes sections, des divergences d'opinion sont apparues sur la question du maintien de l'apolitisme primitif de la Ligue. Certains membres pensent qu'il est impossible d'atteindre les objectifs de la Ligue sans combattre simultanément pour une révolution socialiste.

Le Dr Haire insiste pour que toute activité révolutionnaire soit exclue du programme de la Ligue. Le Dr Leunbach pense que La Ligue est condamnée à l'impuissance parce qu'elle n'a pas rejoint le mouvement ouvrier révolutionnaire et n'est d'ailleurs pas en mesure de le faire. Le point de vue du Dr Leunbach a été publié dans la *Zeitschr. f. Polit. Psychol. u. Sexualök*, 2, 1935, n° 1; la réponse du Dr Haire a été publiée dans le n° 2.

Après la dissolution de la *Ligue Mondiale pour la Réforme Sexuelle*, les membres des diverses sections sont désormais libres de résoudre ces problèmes pour leur propre compte. »

NORMAN HAIRE, J. H. LEUNBACH.

C'était la fin d'une organisation qui avait tenté de libérer la sexualité *dans le cadre de la société réactionnaire*.

3. — L'IMPASSE DE L'ÉDUCATION SEXUELLE

La crise actuelle de l'éducation en général et de l'éducation sexuelle en particulier, a attiré l'attention sur la question de savoir si l'on doit fournir une information sexuelle aux enfants; si l'on doit les accoutumer à la vision de la nudité humaine, et spécialement de l'appareil génital. Il y a un accord général — tout au moins dans les cercles qui ne sont pas directement liés à l'Eglise — sur l'idée que le secret dans le domaine sexuel fait plus de mal que de bien. Il existe certainement une intention ferme et honnête de mettre fin à la situation désolante où se trouve l'éducation. Mais il existe aussi des désaccords flagrants entre réformateurs de l'éducation, désaccords qui ont une double origine, personnelle et sociale. Je ne discuterai ici que certaines difficultés qui se font sentir lorsqu'il est question de nudité et d'éducation sexuelle.

Parmi les impulsions sexuelles infantiles, celles qui ont pour but l'observation et l'exposition des régions génitales sont particulièrement bien connues. Dans les conditions actuelles de l'éducation, ces impulsions sont réprimées très tôt, et il en résulte que l'enfant développe deux sentiments: d'abord, un sentiment de culpabilité, dû à la connaissance du strict interdit qui frappe l'abandon à ces impulsions; et en second lieu, le sentiment de l'atmosphère mystique propre à tout ce qui est sexuel, dû aux voiles et au « tabou » qui recouvrent la génitalité; ce sentiment transforme l'impulsion naturelle à regarder en curiosité lascive. Et, selon l'étendue du refoulement, c'est la timidité sexuelle ou la lascivité qui se développe davantage; d'ordinaire, elles coexistent, si bien que le conflit primitif fait place à un nouveau conflit. L'issue ultérieure présente deux possibilités: ou bien le refoulement est maintenu et des symptômes névrotiques se développent, ou bien le refoulé fait irruption sous la forme d'une perversion, à savoir l'exhibitionnisme. Etant donné le caractère antisexuel de l'éducation, le développement d'une structure sexuelle qui ne perturbe ni le bien-être subjectif ni la vie sociale de l'individu est livré au hasard et au concours de maints facteurs, tels que le destin de la puberté, la libération à l'égard de l'autorité parentale et dans une certaine mesure de

119

l'autorité sociale, et surtout la possibilité d'instaurer une vie sexuelle normale. Il est donc facile de constater que la répression des désirs d'observer et d'exposer les zones génitales a des conséquences qu'aucun éducateur ne trouverait souhaitables.

L'éducation sexuelle traditionnelle procédait d'une valorisation négative de la sexualité et d'une argumentation morale et non médicale; névroses et perversions en sont la conséquence. Faire objection à une éducation admettant la nudité, c'est donc donner agrément à l'éducation antisexuelle traditionnelle. D'autre part, accepter la nudité tout en conservant les fins de l'éducation sexuelle dans leur intégrité, ferait naître une contradiction qui rendrait toute tentative pratique soit impossible, soit plus désagréable pour l'enfant que la situation antérieure. Un compromis en matière d'éducation sexuelle est impossible, parce que les pulsions sexuelles suivent leurs propres lois internes. Avant d'affronter le problème de l'éducation sexuelle en général, il faut d'abord prendre clairement position pour ou contre la sexualité, pour ou contre la morale sexuelle en vigueur. Une prise de conscience nette par chacun de son propre point de vue sur la question conditionne tout accord des opinions; sans elle, toute discussion du problème sexuel est vouée à l'échec. Nous allons montrer précisément où conduit la mise en lumière des présupposés.

Nous refusons donc l'éducation *hostile* à la sexualité *(sexualverneinende)*, à cause des menaces qu'elle fait peser sur la santé, et choisissons l'éducation *favorable* à la sexualité *(sexualbejahende)*. Certains diront que cela n'est pas tellement dangereux après tout, qu'ils admettent la valeur de la sexualité et qu'ils veulent simplement « favoriser sa sublimation ». Mais cela n'est pas en question ici; il ne s'agit pas de la sublimation, mais de la question précise de savoir si les sexes devraient abandonner leur crainte de laisser voir les parties génitales et autres régions érotiques de leur corps; et, plus concrètement encore: si éducateurs et élèves, parents et enfants, lors des jeux et des bains, devraient se présenter nus ou en costume de bain; bref, si la nudité devrait devenir naturelle. Si on accepte la nudité sans conditions — l'acceptation conditionnelle n'a de place que dans les très conservateurs clubs de nudistes, où le nudisme se pratique en tant qu'entraînement à la continence — si on lutte pour autre chose que de simples îlots émergeant de l'océan de la morale sociale, c'est-à-dire pour une réforme générale orientée vers la sexualité naturelle, on devra examiner le rapport entre la nudité et la sexualité en général et voir si les conséquences de cette tentative — que nous allons examiner — vont dans le sens des objectifs recherchés

L'expérience médicale montre que du refoulement sexuel résultent la maladie, la perversion et la lascivité. Essayons d'exprimer les conditions et les conséquences d'une éducation qui affirme la sexualité. Si l'on n'a pas de honte à se montrer nu devant l'enfant, celui-ci ne produira pas de crainte et de lascivité sexuelles; cependant, il voudra sans aucun doute satisfaire sa curiosité sexuelle: il sera difficile de contrecarrer ce désir, et cela ne pourrait se faire qu'au prix d'un conflit beaucoup plus difficile à résoudre pour l'enfant, ainsi que d'un risque accru de perversion. Bien entendu, il serait dès lors impossible de faire objection à l'onanisme, et il serait nécessaire d'expliquer à l'enfant le processus de la procréation. On pourrait également rejeter la requête de l'enfant voulant assister aux relations sexuelles; mais cela signifierait déjà une restriction de l'attitude d'acceptation de la sexualité *(Sexualbejahung)*. Car que pourrait-on répondre à un moraliste cynique qui demanderait pourquoi l'enfant ne devrait pas assister au rapport sexuel, en précisant que, de toute façon, comme le confirme l'expérience psychanalytique, presque tout enfant en a une connaissance auditive? Il pourrait ajouter aussi que l'enfant a observé le rapport sexuel entre animaux. Pourquoi donc lui en refuser le spectacle? Ces questions nous mettraient en face de notre incapacité à élever des objections, sauf peut-être d'ordre moral, ce qui ne ferait que renforcer la position de notre moraliste. Nous pourrions alors reconnaître hardiment que notre refus de laisser l'enfant assister à l'acte sexuel n'est pas motivé par l'intérêt de l'enfant, mais par le désir de ne pas être dérangés dans notre plaisir. Nous sommes donc condamnés à choisir entre le recours réitéré à la morale sexuelle — qui est nécessairement antisexuelle — et la reconsidération de la question la plus délicate de toutes, celle de notre attitude à l'égard du rapport sexuel. Dans cette dernière hypothèse, il faudrait nous assurer que M. le Procureur de la République n'en a pas été informé, car il nous ferait inculper d'attentat à la pudeur.

Le lecteur qui pense qu'il y a de l'exagération de notre part est prié de nous suivre un peu plus avant, afin de se convaincre que l'approbation de la nudité et de l'éducation sexuelle, réalisées de façon rationnelle et complète, entraîne le risque de l'incarcération pour l'éducateur comme pour le disciple [1].

Supposons que, dans notre propre intérêt, nous détournions le désir qu'a l'enfant de regarder le rapport sexuel. Nous nous embarrasserons bientôt dans des contradictions insolubles, et nous nous apercevrons que toutes nos tentatives échoueront si nous ne donnons pas une réponse parfaitement véridique

[1] Le directeur d'un journal qui publia cette section — parue tout d'abord comme article dans la *Zeitschr. f. psychoan. Pädagogik*, en 1927 — fut condamné à quarante jours de prison, par un Gouvernement hautement libéral. (Il s'agit du journal communiste danois *Plan*. N.d.T.)

à la question de l'enfant demandant quand il pourra en faire autant. Celui-ci a appris que l'enfant se développe à l'intérieur de la mère, et aussi que les parents doivent réaliser l'activité sexuelle pour qu'il en soit ainsi. Si les parents ont été courageux, ils auront appris à l'enfant que le rapport sexuel est agréable, tout comme le jeu avec l'appareil génital est agréable pour l'enfant. Mais si l'enfant sait cela, on ne pourra ajourner longtemps sa demande. A la puberté, lorsque l'excitation génitale se renouvelle et qu'apparaissent pollutions et menstruation, etc..., si nous tentons encore de différer le rapport sexuel chez l'enfant, notre moraliste nous demandera logiquement — quoique cela puisse paraître ironique — quelles sont maintenant nos objections à autoriser le rapport sexuel chez l'enfant! Il fera remarquer que, dans le monde ouvrier et paysan, l'on considère que la vie sexuelle prend normalement place à l'époque de la maturité sexuelle, vers quinze ou seize ans. Il n'est pas douteux que nous soyons embarrassés à l'idée que nos fils et nos filles puissent faire valoir leur prétention aux rapports sexuels normaux à l'âge de quinze ou seize ans, ou même plus tôt. Nous chercherions alors, après avoir hésité, quelques arguments, nous nous souviendrions de l'argument de la « sublimation culturelle », selon lequel la continence dans l'adolescence est nécessaire au développement intellectuel; nous recommanderions à ces adolescents — préalablement élevés sans restriction sexuelle — de s'abstenir « pour le moment », dans leur propre intérêt. Mais notre moraliste, malicieux et bien informé, avancera deux arguments décisifs. D'abord, dira-t-il, il n'y a pas de véritable abstinence: sexologues et psychanalystes affirment que presque 100 % des adolescents se masturbent, et qu'on ne voit pas bien la différence entre la masturbation et l'acte sexuel. De plus, non seulement la masturbation est moins efficace que l'acte normal pour réduire la tension sexuelle, mais elle est aussi liée à des conflits psychologiques plus intenses, et est par conséquent plus nuisible. En second lieu, ajoutera-t-il, si la masturbation est à ce point universelle, la thèse de la nécessité de la continence ne peut être exacte. Il aura entendu dire que ce n'est pas la masturbation, mais plutôt son absence, qui, chez l'enfant et le pubère, est un symptôme pathologique; que rien ne prouve que les adolescents vivant dans la continence deviennent des adultes plus actifs, bien au contraire. Parvenus à ce point, nous pouvons rappeler que Freud ramenait l'infériorité intellectuelle générale des femmes à leur plus grande inhibition sexuelle et qu'il affirmait que la vie sexuelle de l'individu est le modèle *(Vorbild)* de son accomplissement *(Leistung)* social. Il est vrai qu'il s'est contredit plus tard en affirmant la nécessité culturelle de la répression sexuelle. Il ne fit pas la distinction entre la sexualité satisfaite et la sexualité insatisfaite; la première favorise, la seconde entrave la réalisation culturelle. Les quelques mauvais poèmes conçus durant les périodes de continence ne sont guère probants.

Nous voici maintenant convaincus sur le plan intellectuel; tâchons de découvrir les motivations de notre argumentation insoutenable; ce faisant, nous trouvons en nous-mêmes toutes sortes de tendances intéressantes et peu plaisantes, qui ne s'accordent pas avec nos objectifs progressistes. Notre argument concernant le développement intellectuel témoigne d'une rationalisation de notre résistance à laisser la sexualité suivre son propre cours. Mais nous dissimulerons prudemment tout cela à notre moraliste; nous admettrons franchement que nos arguments sont insoutenables et nous avancerons un argument plus sérieux et de notre cru, à savoir: qu'adviendrat-il des enfants produits par ces premières unions, dès lors qu'il n'y a pas de possibilité économique de les élever? Notre contradicteur demandera avec étonnement pourquoi nous ne voulons pas informer les écoliers pubères des méthodes préventives. C'est que la considération des lois réprimant l'immoralité nous fait reprendre pied sur la terre ferme de la réalité sociale. Il risque de nous arriver toutes sortes de malheurs: avec notre exigence de nudité, avec notre éducation sexuelle — qui ne traite pas de la fécondation des fleurs, mais de celle des humains! — nous retirons une à une les pierres de l'édifice de la moralité conservatrice; avec l'idéal de la virginité prénuptiale, c'est celui du mariage conventionnel que nous détruisons. Car nulle personne sensée ne soutiendra que des individus ayant bénéficié d'une éducation sexuelle sérieuse, sans compromis, et fondée sur les données de la science, puissent se conformer aux mœurs et à la moralité coercitives en vigueur.

Notre moraliste, nous ayant entraînés au point qu'il avait choisi, nous demandera triomphalement si nous croyons sincèrement qu'une seule des exigences formulables en vue d'une éducation sexuelle honnête peut être réalisée dans les conditions sociales actuelles. Il nous demandera si tout cela nous paraît souhaitable. Il ajoutera, avec raison, qu'il voulait simplement prouver que tout doit rester inchangé, l'éducation négatrice de la sexualité, les névroses, les perversions, la prostitution et les maladies vénériennes, si l'on veut maintenir les valeurs matrimoniales, la chasteté, la famille et la société conservatrice. Et en ceci, il sera suivi par maint réformateur passionné, lequel agira ainsi de façon plus honnête, cohérente et consciente que celui qui, pour ne pas perdre le sentiment de sa volonté progressiste, dira que tout ceci est fortement exagéré, que l'information sexuelle ne peut conduire à toutes ces conséquences extrêmes, et qu'en fait elle n'a pas autant d'importance. Mais on peut alors demander à quoi servent tous ces efforts?

Si les parents donnent à leurs enfants une éducation sexuelle cohérente et rationnelle, ils doivent savoir qu'ils renoncent de ce fait à de nombreuses visées que les parents ordinaires prisent au plus haut point, telles que l'attachement des enfants à la famille bien au-delà de la puberté, la conformité de la vie sexuelle des enfants aux canons actuels de la « bonne éducation », la soumission au jugement des parents dans les décisions importantes de la vie, les « bons partis » pour la fille tels que les conçoit l'idéologie matrimoniale, et nombre d'autres valeurs. Les quelques parents qui élèveront leurs enfants de cette manière n'auront aucune influence sociale. Ils devront se rappeler qu'ils exposent leurs enfants à de graves conflits avec l'ordre social et moral actuel, bien qu'ils leur épargnent des conflits névrotiques. Mais celui qui, mécontent de l'ordre social actuel, se croit en mesure de modifier cet ordre par une activité d'envergure, disons, par exemple, sur le plan de l'école, éprouvera rapidement par le retrait de ses moyens d'existence ou par des mesures plus sévères comme la prison ou l'internement psychiatrique qu'on ne lui laissera pas tout loisir de discuter avec nous de la validité de sa méthode pour changer l'ordre social. Point n'est besoin de prouver que les représentants de la société, qui sont matériellement intéressés au maintien de l'ordre social, tolèrent ou même encouragent ces mouvements réformistes tant qu'ils restent à l'état d'agréables passe-temps, mais interviennent immédiatement et brutalement avec les grands moyens dont ils disposent dès qu'il s'agit de tentatives sérieuses, qui risquent d'ébranler les avantages matériels et valeurs idéales correspondantes.

LA RÉVOLUTION SEXUELLE

L'éducation sexuelle soulève des problèmes beaucoup plus importants que ne l'imaginent la plupart des réformateurs. C'est pourquoi il n'y a pas de progrès notable dans ce domaine, malgré toutes les connaissances et les techniques que la recherche sexuelle a mises à notre disposition.

Nous avons à combattre un appareil social puissant qui n'offre présentement qu'une résistance passive mais qui exercera une résistance active à la première tentative sérieuse de notre part. Toute hésitation et précaution, toute indécision ou compromis dans les questions d'éducation sexuelle doivent être imputés, non seulement à nos propres refoulements sexuels, mais aussi — quelle que soit l'honnêteté des efforts éducatifs — à la peur d'entrer en conflit sérieux avec l'ordre social conservateur.

Les exemples qui vont suivre, et qui proviennent des centres d'hygiène sexuelle, montreront que la conscience médicale est appelée parfois à prendre des mesures qui sont en conflit aigu non seulement avec le moralisme conservateur, mais aussi avec les réformes sexuelles du type courant.

Une fille de seize ans et un garçon de dix-sept ans, tous deux bien bâtis et robustes, viennent en consultation au centre d'hygiène sexuelle, timides et pleins d'appréhension. Après bien des encouragements, le garçon finit par demander s'il est vraiment aussi nuisible qu'on le dit d'avoir des rapports sexuels avant vingt ans.

— Pourquoi crois-tu que c'est nuisible?

— C'est notre chef de groupe chez les Faucons Rouges [1] qui l'a dit, et c'est ce que répètent tous ceux qui parlent de la question sexuelle.

---

[1] Organisation des Jeunesses Socialistes à Vienne. (N. d. T.)

— Parlez-vous de ces choses chez les Faucons Rouges?

— Bien sûr. Nous souffrons tous terriblement, mais personne n'ose en parler *ouvertement*. Récemment, un groupe de garçons et de filles nous ont quittés pour former leur propre groupe, parce qu'ils ne s'entendaient pas avec notre chef de groupe. Celui-ci ne cesse de dire que les rapports sexuels sont nuisibles.

— Depuis quand vous connaissez-vous?

— Depuis trois ans.

— Avez-vous eu des rapports sexuels?

— Non, mais nous nous aimons beaucoup et nous devons nous séparer parce que nous souffrons tout le temps d'une trop grande excitation.

— Comment cela?

— (*Long silence.*) Eh bien, voilà, nous nous embrassons, etc. La plupart en font autant. Mais nous en devenons presque fous. Le pire est qu'en raison de nos fonctions, nous devons sans cesse travailler ensemble. Elle a déjà eu de nombreuses crises de larmes et moi, je n'arrive plus à suivre à l'école.

— A votre avis, quelle serait la meilleure solution?

— Nous avons songé à nous séparer, mais cela ne marche pas. Tout le groupe que nous dirigeons se disperserait, et cela risquerait d'entraîner la dissolution d'autres groupes.

— Faties-vous du sport?

— Oui, mais cela ne sert à rien. Quand nous sommes ensemble, nous ne pouvons penser à rien d'autre. Je vous en prie, dites-nous si c'est vraiment nuisible.

— Non, ce n'est pas nuisible, mais cela entraîne souvent des difficultés avec les parents et l'entourage.

Je leur expliquai la physiologie de la puberté et

des rapports sexuels, les obstacles sociaux, le risque de grossesse, les méthodes anticonceptionnelles, et je leur dis de réfléchir à tout cela et de revenir me voir. Deux semaines plus tard, je les revis, joyeux et reconnaissants, pleins d'ardeur au travail: ils avaient surmonté toutes les difficultés intérieures et extérieures. Je continuai à les voir de temps en temps pendant deux mois et acquis l'assurance que j'avais pu sauver deux jeunes gens de la maladie. Ma satisfaction de l'issue de la consultation n'était amoindrie que par la rareté de tels succès obtenus par de simples conseils, car très généralement les fixations névrotiques des jeunes gens rendent les conseils inopérants.

Le second exemple que nous évoquerons est celui d'une femme de trente-cinq ans, qui paraissait beaucoup plus jeune, et dont la situation était la suivante: elle était mariée depuis dix-huit ans, avait un grand fils et vivait avec son mari dans une union apparemment heureuse. Depuis trois ans, le mari avait une liaison, qu'elle acceptait fort bien, comprenant qu'après un si long mariage on pouvait désirer un changement de partenaire. Depuis quelques mois cependant, elle souffrait de la continence forcée, mais avait trop de fierté pour amener son mari à des relations non spontanées. Elle souffrait sévèrement de palpitations, insomnie, irritabilité et dépression. Elle avait fait la connaissance d'un autre homme, mais des scrupules l'empêchaient d'en faire un amant, bien qu'elle considérât que ces scrupules étaient absurdes. Son mari faisait toujours l'éloge de sa fidélité, et elle savait fort bien qu'il ne serait pas disposé à lui accorder le droit qu'il se reconnaissait tout naturellement pour lui-même. Elle demandait ce qu'il fallait faire, car elle ne pourrait supporter davantage cette situation.

Qu'on examine soigneusement ce cas. La prolongation de la continence aurait entraîné à coup sûr un trouble névrotique. D'autre part, deux raisons interdisaient de troubler le mari dans sa liaison et de le reconquérir: d'abord, il n'aurait pas cédé et se serait contenté d'affirmer ouvertement qu'il n'éprouvait plus de désir pour elle; ensuite, elle-même avait cessé de le désirer. Il ne restait plus d'autre possibilité que l'adultère avec l'homme qu'elle aimait. Mais la difficulté résultait de sa dépendance économique, et le mari aurait immédiatement entrepris une procédure de divorce s'il avait appris la chose.

Je discutai de ces possibilités avec elle et lui demandai d'y réfléchir. Quelques semaines après, je sus qu'elle avait décidé d'entrer en relations avec son ami tout en gardant le secret. Ses troubles de stase disparurent immédiatement. Sa décision avait été rendue possible par mon effort, couronné de succès, pour dissiper ses scrupules moraux. D'un point de vue légal, j'étais coupable, tout en ayant rendu possible la satisfaction sexuelle à une femme sur la pente de la névrose.

A peu près à la même époque, je trouvai un soir dans ma boîte aux lettres un exemplaire de ma brochure *Sexualerregung und Sexualbefriedigung* (*Excitation sexuelle et satisfaction sexuelle*), portant l'inscription suivante sur la couverture: « Attention! Ne va pas trop loin, corrupteur de la jeunesse! Cesse ta besogne, canaille, retourne en Russie! Sinon gare! »

Une menace de mort en réponse à une activité médicale qui suit son propre cours, c'est une réaction normale dans la société conservatrice. On comprend aisément la prudence des réformes sexuelles traditionnelles.

CHAPITRE V

LA FAMILLE AUTORITAIRE
EN TANT QU'APPAREIL D'ÉDUCATION

Le principal lieu d'incubation de l'atmosphère idéologique du conservatisme, c'est la famille autoritaire. Son prototype est le triangle: père, mère, enfant. Alors que les théories conservatrices font de la famille la base, la « cellule » de la société humaine, l'étude de ses variations au cours de l'histoire et de ses fonctions sociales permanentes révèle qu'elle est *le résultat* de constellations économiques déterminées. Nous ne considérons donc pas la famille comme la pierre angulaire et la base de la société, mais comme le produit de sa structure économique (famille matriarcale, patriarcale, *zadrouga*, patriarcat polygamique et monogamique, etc.). Lorsque la sexologie, la morale et le droit conservateurs persistent à voir dans la famille *la* base de « l'Etat » et de « la société », ils ont raison en ceci que la famille *autoritaire* est effectivement partie intégrante et condition de l'Etat *autoritaire* et de la société *autoritaire*. Cette famille possède les significations sociales suivantes:

1. *Au point de vue économique*, elle était à la naissance du capitalisme l'unité de production économique, telle qu'elle subsiste dans la paysannerie et le petit commerce.

2. *Au point de vue social*, son rôle dans la société autoritaire est de protéger la femme et les enfants, dépourvus de droits économiques et sexuels.

3. *Au point de vue politique:* tandis que dans la

phase précapitaliste d'économie domestique et aux débuts du capitalisme, la famille s'enracinait dans l'économie familiale (comme cela existe encore dans la petite exploitation agricole), le développement des forces productives et la collectivisation du mode de production se sont accompagnés d'*un changement de fonction de la famille*. Son enracinement économique a perdu en importance dans la mesure où la femme a été incorporée au processus de production. Sa *fonction politique* est apparue corrélativement, et c'est surtout cette fonction cardinale que maintiennent et défendent la science et le droit conservateurs: il s'agit de son rôle de *fabrique d'idéologies autoritaires* et de structures mentales conservatrices. Elle constitue l'appareil d'éducation par lequel tout individu de notre société doit passer dès son premier souffle. Elle forme l'enfant dans l'idéologie (*Weltanschauung*) réactionnaire, non seulement grâce à l'autorité qui y est institutionnalisée, mais par la vertu de sa structure propre; elle est la courroie de transmission entre la structure économique de la société conservatrice et sa superstructure idéologique; son atmosphère réactionnaire imprègne nécessairement et inextricablement chacun de ses membres. Par sa forme propre et par influence directe, elle transmet les idées conservatrices et les attitudes répandues à l'égard de l'ordre social en vigueur; mais de plus, par sa forme sexuelle, structure particulière sur laquelle repose son existence et qu'elle entretient, elle exerce une action conservatrice directe sur la sexualité de l'enfant. Ce n'est pas par hasard que l'attitude favorable ou hostile à l'ordre social régnant correspond chez l'adolescent à une attitude favorable ou hostile à la famille. Ce n'est pas non plus par hasard que la jeunesse conservatrice et réactionnaire est, en règle générale, très attachée à la famille, la jeunesse révolutionnaire ayant en revanche une attitude de détachement de fait et d'hostilité de principe à son égard.

Tout cela est lié à l'atmosphère et à la structure anti-sexuelles de la famille, ainsi qu'aux relations des membres de la famille dans ce qu'elles ont de plus intériorisé.

Si donc nous examinons le rôle éducateur de la famille, nous devons étudier séparément deux ordres de faits: l'influence des idéologies concrètes sur la jeunesse par l'intermédiaire de la famille, l'influence directe de la « structure triangulaire » par elle-même.

1. — L'INFLUENCE DE L'IDÉOLOGIE SOCIALE

Quelles que soient les différences entre les familles des différentes classes sociales, elles ont en commun cette propriété importante d'être soumises à la même atmosphère moralisatrice au point de vue sexuel, influence que ne contrarie pas la morale de classe, laquelle coexiste ou pactise avec ce moralisme sexuel.

Le type prédominant de famille, la famille des couches inférieures des classes moyennes, s'étend bien au-delà de cette classe même, autrement dit le type « petit-bourgeois » de famille vaut non seulement pour la petite bourgeoisie, mais aussi pour les classes supérieures et même pour la classe ouvrière.

La base de la famille des classes moyennes est la relation de type patriarcal du père avec la femme et les enfants. Il est en quelque sorte l'interprète et le symbole de l'autorité de l'Etat dans la famille. La contradiction entre son rôle de subordonné dans la production et de maître dans la famille lui confère l'aspect typique de l'adjudant-chef: servile envers les supérieurs, il s'imprègne de l'idéologie dominante

133

(ce qui explique sa tendance à l'imitation), et règne en maître sur ses inférieurs; il transmet les conceptions politiques et sociales et contribue à les renforcer.

En ce qui concerne *l'idéologie sexuelle*, il y a coïncidence entre l'idéologie conjugale de la famille petite-bourgeoise et l'idée de famille en général, c'est-à-dire l'union monogamique définitive. Si misérables et désespérées, douloureuses et insupportables que soient la situation conjugale et la constellation familiale, les membres de la famille sont condamnés à les justifier, à l'intérieur de la famille et vis-à-vis de l'extérieur. La nécessité sociale de cette attitude conduit à masquer la misère et à idéaliser la famille et le mariage; elle engendre également la diffusion du sentimentalisme familial, avec ses clichés de « bonheur familial », de « foyer protecteur », du « havre de paix et de bonheur » que la famille est censée représenter pour les enfants. Le fait que dans notre société la situation est encore plus lamentable en dehors du mariage et de la famille, où la vie sexuelle perd absolument tout appui matériel, légal ou moral, est interprété à tort comme signifiant que l'institution familiale est *naturelle, biologique*. La méprise sur le véritable état des choses, ainsi que les slogans sentimentaux qui contribuent à créer l'atmosphère idéologique, sont psychologiquement indispensables, car ils permettent au psychisme de supporter l'intolérable situation familiale. C'est pourquoi le traitement des névroses, balayant les illusions et mettant à nu la vérité des situations, est susceptible de détruire les liens conjugaux et familiaux.

Le but de l'éducation, dès son origine, est d'élever les enfants en vue du mariage et de la famille. L'éducation à caractère professionnel est très tardive. Le système d'éducation qui nie et rejette la sexualité n'est pas seulement dicté par l'atmosphère sociale; il est aussi la conséquence du refoulement sexuel des adultes. Car sans une extrême résignation sexuelle, l'existence au sein du milieu familial coercitif est impossible.

Dans la famille conservatrice typique, la formation de la sexualité revêt un aspect défini constituant la base d'une mentalité « matrimoniale et familiale ». En effet, par l'attention excessive accordée aux fonctions alimentaires et excrétoires, l'enfant se trouve fixé aux stades érotiques prégénitaux, tandis que l'activité génitale est fermement inhibée (interdiction de la masturbation). Fixation prégénitale et inhibition génitale opèrent un déplacement de l'intérêt sexuel dans le sens du sadisme. De plus, la curiosité sexuelle de l'enfant est activement réprimée. Mais cela est en contradiction avec les conditions d'habitation, avec le comportement sexuel des parents en présence des enfants et avec le milieu familial, dont le caractère sexuel est inévitablement prononcé. Inutile de dire que les enfants perçoivent tout cela malgré la distorsion de leurs impressions et interprétations.

L'étouffement pratique et idéologique du sexuel, se combinant avec l'observation des actes les plus intimes des adultes, jette déjà chez l'enfant les bases de l'hypocrisie sexuelle. Ce phénomène est quelque peu atténué dans les familles ouvrières, où les fonctions alimentaires sont moins emphatiques et l'activité génitale plus accentuée et moins interdite. Pour les enfants de ces familles, les conflits sont donc moindres, et l'accès à la génitalité moins barré. Or ceci a pour origine la situation économique propre à la famille laborieuse. Si par exemple un travailleur accède aux échelons élevés de l'aristocratie ouvrière, ses enfants seront davantage soumis à la pression de la moralité conservatrice.

Tandis que dans la famille conservatrice la répression sexuelle est plus ou moins effective, elle est contrariée dans le milieu des travailleurs de l'industrie par le fait que les enfants y sont moins contrôlés.

2. — LA STRUCTURE TRIANGULAIRE

La famille exerce sur l'enfant une influence orientée vers l'idéologie sociale. Mais par ailleurs, la constellation familiale même, avec sa structure triangulaire, exerce une influence propre qui est également orientée dans le sens des tendances conservatrices de la société.

Freud découvrit que, partout où l'on trouve cette structure triangulaire, l'enfant développe des attachements sexuels déterminés, à la fois tendres et sensuels, à l'égard des parents, découverte capitale pour la compréhension du développement sexuel de l'individu. Le « complexe d'Œdipe » désigne toutes ces relations, déterminées dans leur force et leurs séquelles par la famille et l'entourage.

L'enfant dirige ses premières impulsions amoureuses génitales vers l'entourage immédiat, c'est-à-dire presque toujours vers les parents. De façon typique, l'enfant aime le parent du sexe opposé, hait celui de même sexe. Ces sentiments de haine et de jalousie se compliquent rapidement de crainte et de culpabilité. La crainte est primitivement liée aux sentiments génitaux s'adressant au parent de l'autre sexe, et elle persiste avec l'impossibilité de satisfaire le désir incestueux, entraînant avec elle le refoulement de ce désir. Ce refoulement est au fondement de la plupart des troubles de la vie sexuelle ultérieure.

Il faut prêter attention à deux faits essentiels pour l'issue de cette expérience infantile. D'abord, il ne se produirait aucun refoulement si le garçon, quoique subissant l'interdiction de l'inceste, était cependant autorisé à pratiquer l'onanisme et le jeu génital avec les filles de son âge. On n'aime guère reconnaître que le jeu sexuel (jouer « au docteur », etc...) apparaît toujours lorsqu'on laisse les enfants assez longtemps seuls ensemble; étant donné que ces jeux sont condamnés par l'entourage, ils ont toujours lieu en cachette, s'accompagnent donc de sentiments de culpabilité et font l'objet de fixations libidinales nuisibles. L'enfant qui n'ose pas s'engager dans ces jeux lorsque l'occasion s'en présente fait preuve d'une bonne adaptation au schéma d'éducation familial, mais en revanche ne manquera pas de développer ultérieurement de graves altérations de sa vie sexuelle. Il n'est plus possible de méconnaître ces faits et d'en éluder les conséquences; celles-ci, il est vrai, ne peuvent être maîtrisées dans le cadre de la société autoritaire, où des motivations économiques et politiques déterminent l'éducation familiale.

Le refoulement des pulsions sexuelles primaires est déterminé, qualitativement et quantativement, par les manières de penser et de sentir des parents, leur degré de rigorisme, leur attitude à l'égard de la masturbation, etc.

Le fait que l'enfant, à l'âge critique qui va de quatre à six ans, développe sa génitalité dans le milieu parental, le conduit à une solution typique de l'éducation familiale. Un enfant qui serait élevé en communauté avec d'autres enfants, et sans subir l'influence des fixations aux parents, développerait tout autrement sa sexualité. Il ne faut pas oublier que l'éducation familiale contrarie l'éducation collective, même lorsque l'enfant passe plusieurs heures par jour dans une crèche. En fait, l'idéologie familiale domine le jardin d'enfants bien plus que ce dernier n'influence l'éducation familiale.

L'enfant ne peut échapper à la fixation sexuelle et

autoritaire à l'égard des parents. Il est en effet opprimé par l'autorité parentale, ne serait-ce que par sa petitesse corporelle, quelle que soit la modération de cette autorité. Très tôt, la fixation par l'autorité expulse la fixation sexuelle et la contraint à l'existence inconsciente; plus tard, lorsque les intérêts sexuels tenteront de s'orienter vers le monde extra-familial, la fixation par l'autorité se dressera comme facteur puissant d'inhibition entre l'intérêt sexuel et le monde réel. Et précisément parce que cette fixation autoritaire est essentiellement inconsciente, elle n'est plus accessible aux résolutions conscientes. Il importe peu que cette fixation inconsciente à l'autorité parentale s'exprime souvent par son opposé, la rébellion de type névrotique. Celle-ci n'est pas susceptible de soulager les tensions sexuelles, sauf peut-être sous la forme d'actions sexuelles impulsives, compromis pathologique entre la sexualité et le sentiment de culpabilité. La solution de cette fixation est donc la *première condition d'une vie sexuelle normale*. Dans l'état actuel des choses, il est peu d'individus qui réussissent à l'opérer.

La fixation parentale, sous son double aspect de fixation sexuelle et de sujétion à l'autorité du père, rend difficile, voire impossible, l'accès à la réalité sexuelle et sociale à l'époque de la puberté. L'idéal conservateur du gentil garçon et de la fille bonne ménagère, englués sans espoir dans l'infantilisme jusque dans leur vie d'adultes, est tout à fait contraire à l'idée d'une jeunesse libre et indépendante.

Un autre trait caractéristique de l'éducation familiale est que les parents, et en particulier la mère, si elle ne travaille pas à l'extérieur, voient dans leurs enfants *la grande* satisfaction de leur vie, pour le malheur de ces derniers. Comme on le sait, les enfants jouent le rôle de gentils animaux domestiques, que l'on peut aimer, mais aussi maltraiter à volonté: l'affectivité des parents les rend inaptes à la tâche éducatrice.

La misère conjugale, pour autant qu'elle ne s'épuise pas dans les conflits du couple, se déverse sur les enfants. C'est une nouvelle atteinte à leur autonomie et à leur structure sexuelle, mais aussi un nouveau chef de conflit: conflit entre l'aversion pour le mariage issue de cette participation à la misère conjugale des parents, et l'obligation économique ultérieure de se marier. Il se produit de fréquentes tragédies à l'époque de la puberté, lorsque les enfants, rescapés du naufrage organisé par l'éducation sexuelle infantile, cherchent aussi à secouer les chaînes de la famille.

La restriction sexuelle que les adultes doivent s'imposer pour pouvoir supporter l'existence conjugale et familiale rejaillit donc sur les enfants. Et comme, plus tard, des motivations économiques les feront sombrer à leur tour dans la vie familiale, la restriction sexuelle se transmet de génération en génération.

Etant donné que la famille coercitive, du point de vue économique et idéologique, est partie intégrante de la société autoritaire, il serait très naïf d'espérer en déraciner les méfaits dans le cadre de cette société. D'autant plus que ces méfaits résident dans la situation familiale même et sont inextricablement ancrés dans chaque individu grâce aux mécanismes inconscients de la structure pulsionnelle.

A l'inhibition sexuelle résultant directement de la fixation aux parents, viennent s'ajouter les sentiments de culpabilité qui dérivent de l'énormité de la haine accumulée au cours d'années de vie familiale.

Si cette haine reste *consciente* elle peut devenir un puissant facteur révolutionnaire individuel: elle poussera le sujet à rompre les attaches familiales et pourra servir à promouvoir une action dirigée contre les conditions productrices de cette haine.

Si au contraire cette haine est *refoulée*, elle donne naissance aux attitudes inverses de fidélité aveugle et d'obéissance infantile. Ces attitudes constituent bien entendu un lourd handicap pour celui qui veut militer dans un mouvement libéral; un individu de ce genre pourra fort bien être partisan d'une liberté complète, et en même temps envoyer ses enfants à l'école du dimanche, ou continuer à fréquenter l'église « pour ne pas faire de peine à ses vieux parents»; il présentera des symptômes d'indécision et de dépendance, séquelles de la fixation à la famille; il ne pourra vraiment combattre pour la liberté.

Mais la même situation familiale peut aussi produire l'individu « névrotiquement révolutionnaire », spécimen fréquent chez les intellectuels bourgeois. Les sentiments de culpabilité, liés aux sentiments révolutionnaires, en font un militant peu sûr dans un mouvement révolutionnaire.

L'éducation sexuelle familiale est condamnée à détériorer la sexualité de l'individu. Si tel ou tel individu réussit malgré tout à accéder à une vie sexuelle saine, il le fait d'ordinaire aux dépens des liens familiaux.

La répression des besoins sexuels provoque l'anémie intellectuelle et émotionnelle générale, et en particulier le manque d'indépendance, de volonté et d'esprit critique. La société autoritaire n'est pas liée à la « morale en soi », mais bien plutôt aux altérations de l'être psychique, qui, destinées à l'ancrage de la morale sexuelle, constituent en premier lieu cette structure mentale qui est la base psychique collective de toute société autoritaire [1]. La structure ser-

---

[1] Cf. *Der Einbruch der Sexualmoral*, où nous en donnons la preuve historique.

vile est un mixte d'impuissance sexuelle, de détresse, d'aspiration à un appui, à un *Führer*, de crainte de l'autorité, de peur de la vie et de mysticisme. Elle se caractérise par un loyalisme dévot mêlé de révolte. La peur de la sexualité et l'hypocrisie sexuelle caractérisent le « bourgeois » et son milieu. Les individus ayant cette structure sont inaptes à un mode de vie démocratique, et annihilent tout effort destiné à instituer et à maintenir des organisations régies par des principes véritablement démocratiques. Ils constituent le terrain psychologique sur lequel peuvent proliférer les tendances dictatoriales ou bureaucratiques de dirigeants démocratiquement élus.

En somme, la fonction politique de la famille est double:

1. Elle se reproduit elle-même en mutilant sexuellement les individus. En se perpétuant, la famille patriarcale perpétue la répression sexuelle et tout ce qui en dérive: troubles sexuels, névroses, démences et crimes sexuels.

2. Elle rend l'individu apeuré par la vie et craintif devant l'autorité, et renouvelle donc sans cesse la possibilité de soumettre des populations entières à la férule d'une poignée de dirigeants.

C'est pourquoi la famille revêt pour le conservateur cette signification privilégiée de rempart de l'ordre social auquel il croit. On s'explique aussi pourquoi la sexologie conservatrice défend si opiniâtrement l'institution familiale. C'est qu'elle « garantit la stabilité de l'Etat et de la Société », au sens conservateur, réactionnaire, de ces notions. La valeur attribuée à la famille devient donc la clé de l'appréciation générale de chaque type d'ordre social.

CHAPITRE VI

LE PROBLÈME DE LA PUBERTÉ [1]

Dans aucun domaine, l'idéologie conservatrice n'a pu autant influencer la sexologie que dans celui de la sexualité de l'adolescence. L'alpha et l'oméga de toutes les recherches consiste à faire le saut de la constatation que la puberté est avant tout la *maturité sexuelle* à l'exigence de *continence* pour les adolescents. Quelle que soit la façon dont cette exigence est formulée, qu'elle soit rationalisée par des arguments biologiques, comme « la maturité inachevée avant 24 ans » (Gruber), ou par le recours à des motifs éthiques, culturels, ou « hygiéniques », aucun auteur n'a, à notre connaissance, eu l'idée *que la misère sexuelle de la jeunesse est un problème essentiellement social, qu'elle n'existerait pas sans la norme de continence imposée par la société conservatrice*. A vouloir justifier cette norme sociale par des raisons biologiques, culturelles ou éthiques, ses tenants tombent dans les contradictions étonnantes.

1. — LE CONFLIT DE LA PUBERTÉ

Tous les phénomènes conflictuels et névrotiques de la puberté ont une même origine: le conflit entre la maturité sexuelle de l'adolescent, vers quinze ans, entraînant le besoin physiologique de rapports sexuels et l'aptitude à engendrer, et l'impossibilité

---

[1] Cf. mon ouvrage, *Der sexuelle Kampf der Jugend.*

matérielle et psychologique de réaliser la situation légale exigée par la société pour l'activité sexuelle, à savoir le mariage. Telle est la difficulté fondamentale à laquelle s'ajoutent quelques difficultés secondaires, telles que l'éducation anti-sexuelle de l'enfant, qui renvoie à son tour au système général de l'ordre sexuel conservateur. Les sociétés matriarcales primitives ne connaissent pas la misère sexuelle de la jeunesse; au contraire, tous les récits concourent à établir que les rites de la puberté initient l'adolescent à la vie sexuelle normale dès l'âge de la maturité, que les rites de la puberté sont un événement social important, que dans maintes de ces sociétés on cultive le bonheur sexuel et que la vie sexuelle des adolescents, loin d'être brimée, y est encouragée par tous les moyens, par exemple par l'institution de maisons spéciales où les jeunes emménagent après la puberté [1]. Et même dans les sociétés primitives où existe déjà l'institution du mariage strictement monogamique, les adolescents ont néanmoins, entre la puberté et le mariage, une liberté sexuelle complète. Aucun de ces récits ne fait mention d'une éventuelle misère sexuelle ou de suicides par frustration amoureuse chez les jeunes gens Ces sociétés ignorent le conflit entre la maturité sexuelle et le défaut de satisfaction génitale. C'est là la grande différence entre la société primitive et la société autoritaire. Dans cette dernière, il est vrai, subsistent des rites de puberté, sous forme de divers rites religieux (confir-

---

[1] « Ces peuples laissent tranquillement leurs enfants satisfaire leurs instincts tout juste éveillés avec une liberté que nous appelerions de l'indécence impudente (freche Unzucht), mais que les adultes considèrent comme un « jeu »... Dans mainte société primitive, garçons et filles se rencontrent avec l'affection la plus naïve. » (Ploss-Bartels, Das Weib, 1902, Bd I, p. 449).

Cf. aussi: Havelock-Ellis, Geschlecht und Gesellschaft, 1923. p. 355, p. 368. Mayer, Das Sexualleben bei den Wahehe und Wossangu (Geschlecht und Gesellschaft, XIV, Jahr., H. 10, p. 455). La meilleure description se trouve chez Malinowski: La vie sexuelle des sauvages...

mation, etc.); mais leur sens véritable est entièrement dissimulé, et ils sont au contraire destinés à en détourner les adolescents [1].

L'expression la plus précise de la misère sexuelle de l'adolescent est *la masturbation*. A l'exception des cas pathologiques elle n'est rien d'autre que le substitut du rapport sexuel absent. Si simple que soit cette constatation, je ne l'ai encore trouvée dans aucun traité sexologique. Il est vrai que je ne les ai pas tous lus. Il nous suffit de remarquer que cette évidence est suffisamment dissimulée pour qu'on puisse ne pas s'en apercevoir: dans les ouvrages sexologiques, le conflit de la puberté n'est pas défini comme étant celui de la *maturité* avec *le défaut de rapports sexuels,* mais celui de la *maturité* avec *l'impossibilité du mariage.* La masturbation est régulièrement condamnée par l'Eglise et par des médecins bourrés de préjugés moraux et ignares en sexologie. Certes, on a souvent affirmé au cours de ces dernières années que la lutte contre la masturbation ne fait qu'aggraver la misère par l'accentuation des sentiments de culpabilité; mais, à l'exception d'ouvrages populaires comme ceux de Max Hodann, cette idée est restée

[1] Il y a toute une science, qui met en œuvre l'appareil d'une argumentation compliquée en vue de prouver que la nature de la puberté n'est pas la *puberté*, la maturation de l'appareil génital ainsi que les modifications psychologiques bien connues qui s'ensuivent, mais que le propre des conflits de la puberté est l'apparition de « nouvelles tâches » qui se présenteraient à l'adolescent et le sentiment qu'éprouverait celui-ci de ne pas être apte à y faire face. Cette science est la psychologie individuelle d'Alfred Adler. D'après cette théorie, l'adolescent, qui passe la période la plus importante de sa puberté à l'école, où l'on ne voit pas trace de nouvelles tâches (à moins de considérer l'étude du grec comme telle!) ne devrait pas éprouver de conflits de la puberté. La psychologie individuelle ne tient pas compte du fait que le travail des écoliers commence à se détériorer vers quatorze ans, ni du fait que de larges couches des jeunes travailleurs, qui entreprennent des rapports sexuels dès la maturité, sont bien loin d'ignorer le besoin sexuel, — certes dans la mesure où le permet leur ignorance relative des procédures anticonceptionnelles et l'absence de logis où le rapport sexuel puisse se faire avec hygiène. Certes, le jeune travailleur est mis vers quatorze ans en face de nouvelles tâches. Mais leur effet au sens d'Adler est inopérant dans la mesure où la sexualité parvient à la satisfaction.

enfouie dans les traités scientifiques; les adolescents n'en ont pas entendu parler.

L'investigation psychanalytique des aspects inconscients du conflit de la puberté a montré qu'il s'agit pour l'essentiel d'une réactivation de désirs incestueux infantiles et de sentiments de culpabilité; ces sentiments de culpabilité sont liés aux fantasmes inconscients et non à l'acte masturbatoire lui-même. Les recherches concernant l'orgasme ont en effet apporté une correction aux données psychanalytiques: ce ne sont pas les fantasmes d'inceste qui provoquent la masturbation, mais c'est l'excitation sexuelle due à l'augmentation d'activité de l'appareil génital. La stase sexuelle qui s'y ajoute provoque la reviviscence des vieux fantasmes incestueux, qui ne sont donc pas la cause de l'acte masturbatoire, mais seulement de la forme et du contenu de l'expérience psychique qui l'accompagne. C'est ceci, et rien d'autre, qui explique que les fantasmes d'inceste réapparaissent à la puberté, et non plus tôt ou plus tard.

Le conflit de la puberté est donc une régression à des formes et objets de sexualité primitifs et infantiles. Dans la mesure où cette régression n'est pas le résultat d'une fixation pathologique infantile, *elle n'est que la conséquence du refus social de la satisfaction génitale par l'acte sexuel au moment de la puberté*. Deux éventualités se présentent en effet: ou bien l'adolescent accédant à la maturité est incapable, vu son développement sexuel antérieur, de trouver un partenaire sexuel; ou bien le refus social de la satisfaction sexuelle le réduit à l'onanisme avec ses fantasmes, et, simultanément, au conflit infantile pathogène.

Il est clair que ces deux situations ne sont pas fondamentalement différentes, la première n'étant à son tour que la conséquence d'une situation infantile répressive. La seule différence est que dans le premier cas l'entrave sociale à la sexualité a pleinement joué dans l'enfance, et dans le second, à la puberté seulement. Il serait plus précis de dire que les deux inhibitions s'ajoutent et se renforcent, car l'inhibition infantile crée la fixation à laquelle le pubère régresse sous l'effet de l'inhibition sociale ultérieure. Plus le dommage causé à la sexualité infantile est important, plus la barrière sociale dressée devant le rapport sexuel de l'adolescent est efficace, donc moindres sont les chances pour que celui-ci accède à une vie sexuelle normale.

Le sentiment de culpabilité lié à la masturbation est beaucoup plus intense que celui qui accompagnerait le rapport sexuel parce qu'il est chargé de fantasmes d'inceste, alors que la satisfaction intersexuelle rend ces fantasmes superflus. Si le sujet éprouve de fortes fixations à des objets infantiles, l'acte sexuel lui-même est perturbé, et les sentiments de culpabilité ne sont pas moins intenses que ceux de la masturbation. On peut sans cesse constater que les relations sexuelles satisfaisantes soulagent les sentiments de culpabilité. Etant donné que, toutes choses égales d'ailleurs, la masturbation ne procure pas autant de satisfaction que le rapport sexuel, elle s'accompagne toujours de plus de sentiment de culpabilité que l'acte sexuel. On trouve tous les degrés entre le type extrême de l'adolescent complètement incapable de franchir le pas de la fixation parentale infantile à une véritable vie sexuelle, et celui qui fait ce pas sans difficulté.

Le premier type est celui du « gentil » garçon, attaché à sa famille, qui fait tout ce que demandent ses parents et autres représentants de la société conservatrice; c'est le bon élève selon les normes réactionnaires, modeste, sans ambition, soumis. Il fournira l'élite des bons maris et des citoyens conformistes. Il fournira également la grande masse des névrosés.

LA RÉVOLUTION SEXUELLE

Le second type, que l'on considère souvent comme antisocial *(dissozial)*, est fondamentalement révolté, ambitieux, hostile au foyer paternel et aux exigences qu'implique ce milieu étroit, et fournit, chez les ouvriers, l'élite révolutionnaire. Dans les classes moyennes, ce type est souvent représenté par des psychopathes et des impulsifs qui risquent de déchoir socialement s'ils ne prennent contact avec un mouvement d'action sociale, car ils ne pourraient vivre sans conflit insoluble dans leur propre milieu. Etant donné qu'ils sont d'une intelligence supérieure à la moyenne et dotés d'une affectivité intense, leurs maîtres, qui comprennent bien les « bons » éléments et les sujets d'intelligence inférieure, ne savent que faire d'eux. Ils les considèrent comme « moralement anormaux », leur référence étant la « morale » réactionnaire, même lorsqu'ils ne font rien d'autre qu'exercer leur fonction sexuelle naturelle; mais vu que ceci, dans les conditions actuelles, est presque criminel, ces adolescents sont exposés à la « délinquance », pour des raisons purement sociales. Nous donnons en ceci raison à Lindsey lorsqu'il écrit[1]:

« Il me semble qu'il y a plusieurs types d'adolescents délinquants. Il y a d'abord ceux qui manquent d'énergie, de confiance, d'initiative. Le trait commun à la plupart des garçons et filles qui ont des difficultés est qu'ils possèdent précisément ces qualités et méritent d'autant plus d'être sauvés. Il n'est pas toujours vrai que le garçon ou la fille invariablement docile et calme manque d'énergie et de caractère, mais c'est bien probable. De perpétuelles bonnes notes de conduite à l'école, surtout chez un garçon, peuvent signifier simplement qu'il manque de courage et d'énergie, et peut-être de santé, et qu'il

[1] *The Revolt of modern youth (La Révolte de la jeunesse moderne)*, par le Juge Ben B. Lindsey et Wainwright Evans. New York, Boni et Liveright, 1925. Nous le citerons sous le titre « *Revolt* ».

est retenu, non par la morale mais par la *peur*, car la
« moralité » ne tient guère de place dans le comportement du gaillard normal, si du moins il est ce jeune
animal sain qu'il devrait être. Il est normalement
inconscient de son âme comme de sa respiration ou
de toute autre fonction vitale. »

(« *Revolt* », p. 94.)

2. — EXIGENCE SOCIALE ET RÉALITÉ SEXUELLE

Trois questions concernant la sexualité juvénile
doivent être éclaircies:

1. Quelles exigences la société autoritaire formule-
t-elle à l'égard de l'adolescent, et quelles en sont les
raisons?

2. Quelle est la véritable physionomie de la vie
sexuelle de l'adolescent entre quatorze et dix-huit
ans?

3. Que sait-on de certain au sujet des conséquences *a)* de la masturbation, *b)* de la continence, et
c) des relations sexuelles des adolescents?

En formulant des « normes éthiques » pour la vie
sexuelle, la société réactionnaire exige de l'adolescent une chasteté absolue avant le mariage; elle
condamne aussi bien le rapport sexuel que la masturbation (nous n'avons pas en vue ici des auteurs
isolés, mais l'atmosphère idéologique générale). La
science, dans la mesure où elle est inconsciemment
influencée par l'idéologie réactionnaire, formule des
thèses destinées à fournir une base scientifique solide
à cette idéologie. Bien souvent, elle ne va pas jusque-
là, et se contente de se référer à la célèbre « nature
morale » de l'homme. Ce faisant, elle oublie son propre point de vue, qu'elle ne manque cependant pas
d'opposer à ses adversaires idéologiques, selon lequel
la tâche légitime de la science se limite à décrire les

faits en dehors de toute appréciation, et à expliquer ces faits quant à leur causalité. Lorsqu'elle veut faire mieux que justifier les exigences sociales par un simple recours aux idées morales, elle use d'une méthode objectivement bien plus dangereuse, car elle dissimule les points de vues moraux derrière des thèses pseudo-scientifiques. La moralité se trouve ainsi « scientifiquement » rationalisée.

C'est ainsi que l'on affirme que *la continence des adolescents est indispensable à l'activité sociale et culturelle*. Cette affirmation s'appuie sur la théorie de Freud selon laquelle la productivité sociale et culturelle de l'homme a sa source dans l'énergie sexuelle détournée de son but primitif et orientée vers un but « supérieur », théorie connue sous le nom de « sublimation ». Elle a été très mal interprétée sous l'aspect d'une antinomie absolue entre la satisfaction sexuelle et la sublimation. Il faut poser la question concrète: *quelle sorte* d'activité et de satisfaction sexuelles, *quelles pulsions* sexuelles peuvent ou doivent être sublimées?

L'observation élémentaire suffit pour ruiner l'argument que la continence est indispensable au progrès social. On avance que l'activité sexuelle des adolescents diminuerait leur travail. Mais — et les sexologues s'accordent sur ce point — pratiquement tous les adolescents se masturbent: cela suffit pour balayer l'argument; car on ne peut soutenir que le rapport sexuel serait contraire au travail alors qu'il n'en serait pas de même pour la masturbation. Y a-t-il une différence *fondamentale* entre la masturbation et le rapport sexuel? Si ce n'est pas le cas, la masturbation, grevée de conflits psychiques, est infiniment plus nocive qu'une vie sexuelle ordonnée. Triste confusion dans l'argument! Faute de distinguer la vie sexuelle satisfaisante de celle qui ne l'est pas, il est impossible de voir leurs rapports avec l'œuvre sociale et la sublimation. Pourquoi y a-t-il cette lacune dans la théorie de la sexualité? Pour la raison évidente que la combler reviendrait à détruire en cascade les pièces de l'édifice idéologique réactionnaire.

Si cet argument essentiel en faveur de la chasteté juvénile était officiellement invalidé, cela pourrait donner des idées à la jeunesse, qui risquerait alors de s'engager dans des activités, non nuisibles en elles-mêmes à la santé et à la socialité, mais susceptibles de menacer l'existence de la famille autoritaire et du mariage coercitif. Nous démontrerons ce lien entre l'exigence de chasteté pour la jeunesse et la moralité conjugale.

Quel est donc le véritable aspect de la vie sexuelle de l'adolescent? Certainement pas celui que la moralité réclame. Nous manquons malheureusement de bonnes statistiques; cependant les questionnaires, l'expérience des cliniques d'hygiène sexuelle, les questions posées par les adolescents lors des réunions d'information sexuelle, les recherches générales d'économie sexuelle, ne laissent pas de doute quant à l'observation générale que la continence complète, c'est-à-dire l'absence d'activité sexuelle de quelque espèce, ne se produit presque jamais chez les garçons, sinon dans quelques cas d'inhibition névrotique sévère; chez les filles, la continence est moins rare, pour autant que l'on puisse se fier aux données dont nous disposons. Il n'y a pas de doute en somme sur ce fait que *le comportement sexuel qui mériterait le nom de continence est si rare qu'on peut le négliger entièrement.*

En réalité, toutes sortes de pratiques sexuelles s'exercent avec l'apparence de la chasteté. Des hommes et des femmes ont pratiqué durant des années une masturbation inconsciente: chez les femmes, sous la forme larvée de la pression des cuisses; dans les deux sexes, par la pratique de la bicyclette et de la motocyclette; les rêveries sexuelles à l'état de veille réalisent le versant psychique complet de l'onanisme, et donc son aspect nuisible; mais les rêveurs éveillés qui ne se masturbent pas affirmeront qu'ils sont chastes, et auront raison en ce qui concerne la *satisfaction* sexuelle, mais non l'*excitation*.

a) *La jeunesse ouvrière.*

Il y a toujours une grande gêne chez les adolescents lorsqu'il s'agit de parler de questions sexuelles avec les dirigeants des organisations ouvrières. Il est significatif que même entre eux ils n'osent pas en discuter de façon sérieuse. En revanche, la sexualité est toujours présente sous la forme de plaisanteries salaces et de langage obscène; l'atmosphère juvénile tout entière est imprégnée de sexualité. Un grand nombre de jurons permettent d'exprimer les choses sous un aspect sexuel.

Les réunions du soir prévues par les organisations ouvrières en vue de l'éducation sexuelle ne servent trop souvent qu'à renforcer la continence des jeunes. On y voit rarement quelqu'un proposer une politique sexuelle claire et qui pose le problème sous son vrai jour. La façon dont la question est abordée est déterminante: d'abord, il faut que le conférencier ne présente aucun signe de gêne ou de préjugé anti-sexuel; en second lieu, il faut qu'il parle sans détours; et enfin il faut que des questions puissent être posées par écrit, car l'expérience montre que c'est seulement ainsi que les intérêts brûlants peuvent se manifester; dans ces conditions, tout adolescent a des questions à poser après l'exposé.

Malgré cette réserve, les adolescents pratiquent couramment les rapports sexuels, à partir de treize ans dans la jeunesse paysanne, de quinze ans dans la jeunesse ouvrière.

Dans la jeunesse paysanne, on trouve la coutume selon laquelle la jeune fille attend devant une salle de danse qu'un garçon l'invite; après la danse, dans laquelle la sensualité se manifeste ouvertement, il l'emmène dans les fourrés, où ils ont des relations sexuelles. La prévention de la grossesse est pratiquement inconnue et suppléée par le *coïtus interruptus* et l'avortement pratiqué par des charlatans.

La jeunesse ouvrière des villes est assez instruite des méthodes anticonceptionnelles, mais use peu de ce savoir. Les organisations de jeunesse et les partis dans l'Allemagne et l'Autriche pré-fascistes ne s'occupèrent pas du problème de la prévention des naissances, et les dirigeants supérieurs y étaient même plutôt hostiles.

De nombreux jeunes gens et militants prirent donc eux-mêmes la chose en main et organisèrent réunions et conférences sur ce problème. Ils rencontrèrent dans cette voie le principal obstacle: les parents. Il est significatif de constater que même des parents qui étaient membres d'organisations politiques interdisaient à leurs enfants d'aller aux réunions de leurs propres organisations lorsqu'ils savaient qu'on y parlerait de « telles choses ». Il en était de même lorsqu'ils sentaient que des relations, même purement amicales, pourraient s'établir aux réunions quelles qu'elles fussent, et cela même pour leurs enfants de dix-huit ans. L'expérience montre néanmoins que les parents les plus stricts modifient leur attitude devant un front uni d'adolescents.

Très souvent, les organisations de jeunes furent détruites par la jalousie et les rixes. Parmi les jeunes responsables, on pouvait distinguer deux types, ceux qui étaient chastes et ceux qui avaient une activité sexuelle normale. En ce qui concerne les premiers, on se rendait bien compte que leur militantisme au parti se relâchait régulièrement dès qu'ils trouvaient un partenaire sexuel. De plus, maints adolescents adhéraient à l'organisation dans le but d'y trouver un partenaire sexuel et la quittaient après y être parvenus.

Bien souvent, un garçon et une fille « se fréquentent », longtemps sans avoir de rapports sexuels, car, disent-ils, « l'occasion ne se présente pas ». La raison en est aussi l'inhibition interne, par exemple la peur de l'impuissance. Chez les jeunes filles, la crainte du rapport sexuel est caractérisée: les garçons poussent à l'acte sexuel, mais les filles autorisent toutes sortes de jeux sexuels et refusent le rapport normal; corrélativement, accès d'hystérie et crises de larmes s'observaient quotidiennement.

Les troubles nerveux constituent un problème capital pour les jeunes, surtout les filles. Chez les sportifs, le refoulement sexuel est plus accentué que chez les autres, et les sports se pratiquent souvent à dessein pour maîtriser la sexualité.

Dans les camps d'été et les colonies de vacances pour enfants aussi, on rencontre ces deux phénomènes typiques: large liberté sexuelle d'une part, et de l'autre, graves conflits qui aboutissent souvent à des explosions qui ébranlent la vie de la colonie tout entière.

Les filles avouent souvent que, chez elles, elles souffrent d'un désir intense de leur ami ou d'un ami en général, mais que, malheureusement, lorsque le moment d'entrer effectivement en relation arrive, elles se découvrent réfractaires. Elles sont incapables de passer de la vie fantasmatique à l'activité sexuelle réelle.

Les garçons se masturbent régulièrement, individuellement ou en groupe, ce qui aboutit parfois à des excès collectifs. La masturbation est plus répandue chez eux que chez les filles.

La danse et autres réjouissances collectives augmentent la tension sexuelle sans procurer de détente correspondante.

Les adolescents qui ont résolu leurs problèmes en se décidant au rapport sexuel se plaignent du manque cruel de locaux. A la belle saison, ils pratiquent le coït dans la campagne, mais en hiver, ils souffrent grandement de l'impossibilité matérielle de se rencontrer. Ils n'ont pas d'argent pour aller à l'hôtel; il est rare qu'un adolescent ait une chambre pour lui tout seul; de plus, les parents font opposition à la rencontre des jeunes gens au logis familial. Cela conduit à de graves conflits et à des conditions peu hygiéniques de rapport sexuel (dans les couloirs et recoins, etc.).

La principale difficulté provient de ce que l'atmosphère des milieux de jeunes travailleurs est entièrement envahie par la tension sexuelle, cependant que la plupart des adolescents sont à la fois trop inhibés au point de vue affectif et trop entravés matériellement pour trouver une issue. Les parents, la direction du parti et toute l'idéologie sociale s'opposent à eux, alors que, simultanément, leur vie relativement collectivisée les conduit à briser les barrières sexuelles traditionnelles.

Un groupe de jeunes travailleurs de Berlin, avec lequel j'ai eu d'étroits contacts, nous fournira ici un exemple typique. Ils étaient à peu près soixante, âgés de quatorze à dix-huit ans, surtout des garçons. Là aussi, la sexualité avait beaucoup d'importance, mais surtout sous forme de plaisanteries concernant les rapports sexuels, et parfois la masturbation. On se moquait d'un garçon quand on le voyait « aller avec » une fille. La plupart de ces jeunes gens avaient des rapports sexuels, et changeaient souvent de partenaire. Le rapport sexuel n'était pas pris au sérieux et il n'y avait pas de conflits graves, à l'exception de quelques cas dramatiques de jalousie dégénérant en pugilats. Il n'y avait jamais d'excès ou d'« orgies » publiques. Le rapport sexuel était le plus souvent pratiqué la nuit, mais souvent aussi lors de sorties de jour; personne ne s'inquiétait lorsque, de temps à autre, un garçon et une fille avaient « disparu ». On entendait peu parler d'onanisme ou d'homosexualité. Mais les garçons — bien plus que les filles — se racontaient volontiers leurs exploits. Lorsque je demandai à une jeune fille qui avait travaillé comme responsable dans ce groupe pourquoi l'on ne prenait pas la sexualité au sérieux et on en traitait sur le mode de la plaisanterie, elle me répondit: « Comment pourrait-il en être autrement? L'éducation enseigne que tout cela est mauvais; mais il faut bien en parler malgré tout, et alors on le fait sous la forme de plaisanteries. »

Le pessaire était peu connu et peu utilisé. La pratique courante était le retrait ou le condom. Mais le condom était considéré comme un luxe coûteux (30 à 50 pfennigs).

Le travail pour le parti était souvent troublé par des conflits sexuels. On accusait quelquefois des garçons ou des filles de n'être entrés au parti que pour rester avec leur partenaire; souvent les filles en particulier n'étaient tolérées que parce que leur ami était membre de l'organisation. Une jeune responsable disait que la raison en était que les adolescents n'avaient pas d'idées bien nettes quant à leur vie sexuelle; refouler la sexualité, disait-elle, serait encore pire, et le mieux serait que l'éducation fût différente et que l'on traitât ouvertement et sérieusement de ces questions; elles seraient alors bien moins préoccupantes. En hiver, disait-elle, le manque de locaux pour les rapports sexuels était un grave problème et une source de souffrance pour les adolescents.

Je ne connais bien que les organisations de la jeunesse ouvrière autrichienne et allemande. Mais l'expérience que j'en ai acquise durant de nombreuses années me permet d'affirmer que, à peu de chose près, la situation est partout aussi désespérée, désastreuse pour la santé et le développement de la responsabilité sociale. En 1934, le gouvernement national-socialiste interdit la sortie en commun et la rencontre prolongée de nuit des jeunes gens de sexe opposé. Personne n'osa relever ce défi et sauvergarder l'intérêt de la jeunesse.

Je n'ai aucun doute quant à la misère des conditions de vie sexuelle dans tous les pays conservateurs, qui m'a été d'ailleurs confirmée par les rapports qui me sont parvenus d'Angleterre, de Hongrie, des Etats-Unis et d'autres pays.

La misère la plus abjecte que puisse souffrir la jeunesse provient du commérage sournois des vieilles filles et des insatisfaits des deux sexes qui sévit dans les petites villes et à la campagne, et qui met les jeunes gens dans l'impossibilité d'établir des relations sexuelles, même s'ils en sont psychologiquement capables. L'immense ennui des individus engendre une curiosité lascive et une méchanceté inouïes qui provoquent de nombreux suicides. Le tableau que présente cette jeunesse est navrant. Lorsque je vécus en exil à Malmö, j'eus le loisir d'y accorder plus qu'un simple coup d'œil. Tous les soirs, entre 8 et 11 heures, la jeunesse de la ville montait et descendait la rue principale. Les garçons et les filles restaient séparés, marchant par groupes de trois ou quatre. Les garçons faisaient des plaisanteries, avaient l'air excités et embarrassés à la fois;

les filles riaient sottement entre elles. Parfois, il y avait un peu de flirt dans un couloir. Civilisation? Bouillon de culture pour mentalité fasciste, dès lors que l'ennui et la pourriture sexuelle rencontrent la fanfare national-socialiste. Mais il ne se trouve pas d'organisations pour tenter d'améliorer cette situation.

b) *La jeunesse bourgeoise (Grossbürgerliche).*

Ecoutons maintenant ce que rapporte Lindsey sur la jeunesse bourgeoise américaine. L'irruption de la vie sexuelle dans les écoles a revêtu des aspects qui obligèrent les autorités à intervenir.

« De même, écrit Lindsey, la *Phillips Academy,* école de garçons de premier ordre, a dû interdire il y a quelques années la danse à l'école en raison de la licence qu'elle permettait. Là aussi, l'affaire eut un large écho dans la presse. Dans un article du *Boston Globe,* Alfred E. Stearns, Principal de la Phillips Academy, expliquait que les mesures récemment prises comportaient la constitution de comités de professeurs et d'étudiants, chargés de la mission suivante:

1. Servir de police et réprimander, voire expulser de la piste, les couples dansant indécemment.

2. Empêcher la participation de filles de caractère douteux.

3. Interdire la boisson aux deux sexes, dans la salle de danse ou ailleurs.

4. Interdire l'entrée à ceux qui seraient en état d'ébriété, ou les expulser.

5. Surveiller le vestiaire des filles en vue d'interdire les tenues extravagantes et indécentes, la boisson et le franc-parler.

6. Veiller à ce que les filles invitées soient chape-

ronnées; et interdire les « virées » en auto pendant la durée de la danse.

7. Veiller à ce que des automobiles ne stationnent pas à proximité de la salle de danse.

8. Empêcher tout rassemblement à l'extérieur échappant au contrôle de la danse proprement dite.

9. Veiller à ce que les jeunes filles regagnent leurs chambres immédiatement après la danse.

Je reproduis intégralement cette énumération parce qu'elle rend parfaitement compte du type de situation où se trouve l'une des meilleures de nos écoles quant à la qualité de ses élèves.

Elle accueille surtout les jeunes gens des familles extrêmement riches et cultivées de l'Est, qui ont reçu les meilleures traditions et la meilleure éducation. »

(*Revolt*, p. 52)

Au lieu de s'étonner et s'indigner de ce que cela arrive avec des jeunes gens de « familles extrêmement riches et cultivées de l'Est », il faut comprendre que cela arrive en dépit du puritanisme extérieur et de l'éducation antisexuelle; car ce n'est que dans la forme que ces choses sont contraires à la morale antisexuelle.

Ce qui nous intéresse ici, ce n'est pas l'irruption de la sexualité refoulée, en dépit des exigences morales; elle va de soi. Mais c'est *l'influence de la morale sexuelle sur les formes de l'activité sexuelle*. On verra tout de suite que ces formes ne répondent ni à l'exigence morale ni à l'économie sexuelle: elles sont plutôt un compromis entre elles, qui ne satisfait ni l'une ni l'autre.

« Le premier élément qui se dégage des déclarations de ces étudiants des écoles, écrit Lindsey, c'est que plus de 90 % des jeunes gens s'adonnent aux baisers et aux caresses, lors des danses, réjouissances et randonnées en automobile. Cela ne veut pas dire que toute fille se laisse embrasser et caresser par *tout* garçon, mais qu'elle l'*est* bel et bien de toute façon. Bien entendu, les 10 % restants représentent ceux des jeunes gens qui manquent de l'énergie physiologique et du besoin social qui poussent le meilleur de notre jeunesse à exprimer ses instincts naturels dans ces diversions. Autrement dit, ce qui conduit ces jeunes gens au conflit, c'est un excès de forces et de vitalité qu'il vaudrait mieux utiliser de façon plus intelligente.

» Le pourcentage que je viens de donner fait l'accord de tous; s'il est exact, cela signifie que ces adolescents en sont pratiquement arrivés à la conclusion que cette forme mineure d'expérience sexuelle est admissible. Cela signifie en conséquence qu'un très grand nombre d'entre eux s'y adonnent sans permettre que cette forme déviée franchisse certaines limites précises.

» Certaines filles exigent ce genre d'activité de la part des garçons qu'elles fréquentent, et y deviennent aussi entreprenantes et expertes qu'eux.

» Je me souviens d'une très belle et très vive jeune fille qui m'a raconté qu'elle avait refusé de sortir avec un certain garçon parce qu'il n'était pas assez entreprenant, et ne savait pas « l'aimer correctement », précisa-t-elle.

« Tous les garçons font-ils ceci de nos jours? » demandai-je.

« Bien sûr », dit-elle, « sinon c'est qu'il y a quelque chose d'anormal chez eux » (p. 56).

Quand Lindsey parle ici d' « excès de forces et de vitalité », il n'a raison que dans la mesure où cette vitalité intense correspond en partie à la vitalité sexuelle plus grande dans l'adolescence, et en partie au caractère contradictoire de l'activité sexuelle effective. Nous entendons dire que les adolescents considèrent baisers et caresses, c'est-à-dire les activités sexuelles préliminaires, comme « admissibles »; que

159

d'autre part, ils ne doivent pas « franchir certaines limites précises ». Nous pouvons traduire en langage clair: les adolescents pratiquent toutes sortes de stimulations sexuelles, mais presque tous refusent l'acte sexuel. Nous devons nous demander pourquoi ils se permettent tout à l'exclusion de l'acte sexuel proprement dit. La réponse est évidente quand on sait que la morale officielle désigne expressément les rapports sexuels comme la pire activité sexuelle. Par la pratique des caresses, l'adolescent montre qu'il est émancipé; par le refus de l'acte sexuel, il montre qu'il se soumet à la moralité conservatrice. La « mariabilité » des filles doit aussi entrer en ligne de compte, car la virginité représente toujours une meilleure espérance de mariage.

Néanmoins, comme le dit Lindsey,

« 50 % au moins de ceux qui ont commencé par les caresses et les baisers n'en restent pas là, mais vont plus loin et se donnent d'autres libertés, extrêmement indécentes, même au regard de leurs propres conventions » (p. 59).

15 % seulement vont jusqu'à l'acte sexuel. Durant les années 1920 et 1921, Lindsey eut affaire à 769 filles de quatorze à dix-sept ans, pour délinquance sexuelle; le nombre eût été bien plus grand s'il n'avait été limité par la faible capacité de son service. Selon Lindsey, 90 % des garçons ont des « expériences sexuelles » avant de quitter l'école, c'est-à-dire avant dix-huit ans. Les filles ont abandonné une bonne part de leur réserve.

« Un garçon du secondaire avec qui je me suis entretenu récemment, m'avoua avoir eu des rapports sexuels avec quinze filles de son âge, dont la moitié étaient encore à l'école. Il les avait préférées aux femmes « faciles » et aux prostituées. Je pus vérifier cette confession, causai avec presque toutes ces filles et trouvai qu'elles étaient du bon type moyen. Le jeune homme n'avait eu de relations avec chacune d'elles qu'une ou deux fois. Les filles, à une ou deux exceptions près, n'étaient pas adonnées à la promiscuité, et je crois que la plupart ont bien tourné.

» L'existence d'un quartier de « maisons closes » à Denver aurait peut-être épargné de telles expériences à ces filles, mais n'aurait pas sauvé le garçon, ni les prostituées, qui ont le droit d'être sauvées comme tout le monde.

» Il est indubitable, à mon avis, que depuis la suppression des quartiers de prostitution, il y a bien plus de filles « bien » qu'auparavant qui ont eu des expériences sexuelles. Mais, si bizarre que cela paraisse, il y en a bien moins qui soient « déshonorées » et « perdues » (p. 70).

Sans s'en douter peut-être, Lindsey dévoile ici le secret fondamental de la prostitution et la solution qu'indique la crise sexuelle: *le déclin de la prostitution par l'entrée de la jeunesse féminine dans la vie sexuelle.*

« Cette attitude active et entreprenante de la part des filles s'est généralisée ces dernières années; elle n'est plus exceptionnelle. De plus, elle est de moins en moins dissimulée. La raison en est que les situations économiques et sociales ont rapproché ces filles de l'égalité avec l'homme. Beaucoup d'entre elles, lorsqu'elles quittent l'école, ont une situation financièrement supérieure à celles des garçons qu'elles fréquentent. La conséquence en est que maint jeune homme se trouve soumis à un examen assez hautain de la part de la jeune fille de son choix » (p. 121).

« J'ai sous la main des chiffres qui prouvent que, pour un cas de délinquance sexuelle découvert, il y en a plusieurs autres qui demeurent cachés. Par exemple, sur 495 filles d'âge scolaire — bien que toutes n'allassent pas à l'école — qui m'avouèrent avoir eu des expériences sexuelles avec des garçons, 25 seulement furent enceintes; c'est-à-dire 5 %, une sur vingt. Les autres évitèrent la grossesse, certaines par chance, d'autres par la connaissance de méthodes anticonceptionnelles plus ou moins efficaces (connaissance, soit dit en passant, que je trouvai bien plus répandue chez elles qu'on ne le croit d'habitude).

» Je veux en venir à ceci: d'abord, les trois quarts de cette brochette de presque 500 filles vinrent à moi de leur propre gré, pour une raison ou pour une autre. Certaines étaient enceintes, certaines malades, certaines souffraient de remords, certaines cherchaient conseil, etc.; en second lieu, ce qu'elles avaient en commun et qui les faisait venir à moi, c'était leur besoin aigu d'une aide de quelque nature. N'était ce besoin, elles ne seraient pas venues. Pour chaque fille qui vint chercher une aide, il devait y en avoir beaucoup — la majorité — qui ne vinrent pas parce qu'elles ne voulaient pas être aidées, et qui prirent donc seules leurs décisions.

» En d'autres termes, ces 500 filles, examinées en moins de deux ans, constituaient un petit groupe, d'origine sociale diverse, parmi celles qui n'avaient pas les bons tuyaux, et eurent des ennuis d'un genre ou d'un autre; mais il devait certainement y en avoir encore bien davantage qui n'avaient pas les bons tuyaux, et cependant ne vinrent pas. Je pense que pour chaque fille qui vient me voir parce qu'elle est enceinte ou malade, il y en a plusieurs qui ne viennent pas parce qu'elles échappent aux conséquences, ou parce que les circonstances leur permettent de faire face elles-mêmes à la situation. Des centaines, par exemple, ont recours aux avorteurs; je n'en fais pas la supposition, je le sais » (p. 64).

Que conclut Lindsey de ses observations, accablantes pour la moralité conservatrice?

« Je n'ai pas besoin de dire que c'est là un problème difficile et dangereux. On ne peut le résoudre par la délation ou la surveillance, mais uniquement par un code moral de véritables retenues intérieures approuvées et adoptées par les jeunes gens eux-mêmes. Un tel code ne peut être librement et spontanément mis en œuvre que par l'intermédiaire d'une éducation des plus franches et des plus complètes » (p. 59).

Qu'est-ce que ce code moral? Quelle idée Lindsey s'en fait-il? Comment réaliser ces « véritables retenues intérieures »? Il ne peut y avoir d'inhibitions plus « véritables » que celles que la maison, l'école et l'Eglise, inculquent partout à la jeunesse; car il n'y a pas d'autres inhibitions que celles provenant de l'entourage, la nature ignorant toute « loi morale ». Et quel est le résultat de siècles d'oppression sexuelle de la jeunesse? Précisément celui que Lindsey a décrit.

Lindsey aboutit à des contradictions insolubles. D'une part, il constate des faits qui témoignent du déclin de la moralité conservatrice dans la jeunesse. D'autre part, et à partir de ces faits mêmes, il en arrive à des exigences qui ne signifient ni plus ni moins que la restauration de cette moralité, dont il constate cependant le déclin, qu'il approuve en partie.

En fin de compte, il ne peut se libérer de *l'idéologie du mariage monogamique coercitif et de l'exigence de chasteté pour la jeune fille*, et écrit:

« Il y a quelques années, j'avais la charge d'une fille de dix-sept ans qui, lorsque je l'avais connue cinq ans auparavant, avait déjà eu des relations avec plusieurs écoliers. Immorale? Mauvaise? Balivernes! Elle était ignorante. Un entretien avec moi y mit bon ordre; elle devint l'une des meilleures jeunes femmes de Denver. Aucun partenaire d'occasion n'eût osé se trouver sur sa route. Elle est très belle, remarquablement intelligente, et récemment mariée à un homme qui, je crois, la mérite » (p. 116).

Ce que tout cela signifie c'est que Lindsey ne fait qu'adoucir la façon de voir de la morale conservatrice; il ne prend pas position *contre elle*; il ne conclut pas, à partir des constats de carence, à son fiasco et à son dépérissement définitif. Nos pères auraient dit que la jeune fille était « immorale, mauvaise »; Lindsey dit seulement qu'elle est « ignorante ». Je doute qu'elle fût ignorante; elle savait parfaitement ce qu'elle faisait; mais elle atterrit inexorablement dans le mariage conventionnel comme c'est la règle pour une fille dans la société conservatrice. Ce faisant, elle ne devenait en rien plus « savante », au sens d'une connaissance sexologique; c'est Lindsey qui « l'instruisit » des conséquences d'un éventuel manque de conformisme aux mœurs sexuelles conservatrices.

Lindsey constate en somme que:

1. Les normes sociales changent:

« Il serait stupide de dire que les faits évoqués sont une espèce de folie passagère, une hystérie d'après-guerre qui est sur son déclin. La politique de l'autruche se généralise parce que la chose est désormais connue; mais si la population adulte de ce pays s'imagine que le calme relatif de surface signifie que plus rien ne se passe au-dessous, elle vit dans une douce folie paradisiaque. La jeunesse est plus rusée, raisonneuse, méprisante à l'égard de ses aînés, et plus froidement décidée à suivre sa voie, qu'elle n'a jamais été. Cela ne veut pas forcément dire que cette voie est mauvaise, ni que ces jeunes gens travaillent à leur propre ruine. Cela veut dire qu'ils modifient notre code social; et à mon avis ils gagneront, sinon avec nous, en tout cas sans nous. »

(*Revolt*, p. 53.)

2. Que les entraves économiques perdent leur efficacité, surtout à l'égard des femmes:

« Les contraintes extérieures, les contraintes économiques, qui furent si puissantes, disparaissent sans retour; *et la seule question est maintenant de savoir dans combien de temps, et dans quelle mesure, elles feront place aux retenues internes d'un code volontairement accepté, seul capable de diriger les individus dans la bonne voie.* Je pense que ce processus se réalise sous nos yeux. Je ne crois pas que cette jeune génération ne soit qu'un taureau aveugle dans une boutique de porcelaine » (p. 54).

3. Que la jeunesse actuelle est « la plus normale et la plus saine que le monde ait jamais connue » (p. 54).

4. Que le remplacement du bordel par les filles du même milieu est préférable et aussi plus moral.

« Car naguère, nonobstant la fréquentation des quartiers de « maisons closes » avec leurs filles perdues, les garçons, qui en assuraient l'existence par leur assiduité, gardaient toutes les chances de devenir de bons citoyens, maris et pères; il n'en était pas de même pour les filles citoyennes de ce monde. La nouvelle situation, en dépit des expériences sexuelles chez les jeunes filles, et comparée à l'époque des « maisons closes », semblerait donc avoir apporté moins de destructivité pour l'espèce féminine que n'en comportait l'ordre ancien, avec ses conventions plus strictes, ses punitions féroces, et son hypocrite double norme de « moralité ». Je ne dis pas, bien sûr, que le nouvel ordre n'est pas susceptible d'amélioration; je fais simplement remarquer qu'il contient plus de véritable morale que l'ancien; et que, nonobstant l'avis contraire des oiseaux de mauvais augure, nous *ne* sommes *pas* revenus en arrière » (p. 72).

5. Que les filles d'aujourd'hui « connaissent le mâle ».

« Naguère, une fille « bien » eût considéré ce genre d'avances comme une insulte. Aujourd'hui, même si elle refuse, elle ne s'offusquera probablement pas. Elle est trop avertie pour cela, et connaît assez bien le mâle pour comprendre que son impulsion est normale. Que cette franchise entre garçons et filles soit un progrès ou non, ce n'est pas pour le moment mon propos. Néanmoins, cela fait partie de la détermination évidente de ces jeunes gens qui d'appeler un chat un chat; nous, adultes, nous devons en tenir compte, que cela nous plaise ou non » (p. 67).

6. « La sexualité est une donnée simplement biologique, tout autant que l'appétit de nourriture. De même que l'appétit de nourriture, elle n'est ni licite ni illicite, pas plus morale qu'immorale » (p. 127).

Dans ses conclusions, Lindsey ne se préoccupe cependant pas des causes de l'*échec* de la révolution sexuelle de la jeunesse, et se contente de la juger d'un point de vue moral:

« En prenant ses distances à l'égard des anciennes normes, elle a sans aucun doute réalisé quelques progrès, mais ses membres pris individuellement n'ont fait que passer d'une forme d'esclavage à une autre. La licence est une servitude; *la liberté, au contraire, est une obéissance volontaire à des lois plus contraignantes et difficiles que les lois humaines, et qui obligent bien davantage*. La jeunesse, qui n'a pas d'autre ressource que ses propres lumières, confond souvent les deux » (p. 102).

Ces lois qui « obligent bien davantage » laissent transparaître les procédés et exigences de la société conservatrice; leur caractère contraignant témoigne du manque d'assise sociale pour une vie de la jeunesse selon l'économie sexuelle, de la détermination de la société de ne pas laisser la jeunesse échapper à l'emprise de la fabrique de servilité, i. e. la famille autoritaire. Et la jeunesse conservatrice ne saurait avoir « ses propres lumières », elle ne peut se le permettre, parce qu'elle est elle-même matériellement intéressée à l'ordre social en vigueur, bien que ce soit justement l'ordre qui engendre toutes les difficultés de sa vie sexuelle.

Comment est-il possible, dira-t-on, qu'un homme comme Lindsey, étonnant et courageux champion de la jeunesse, ne formule pas les conclusions qui s'imposent? Que lui-même paraisse souffrir d'un préjugé moral qui inhibe son combat pour la jeunesse? Peut-être avons-nous ici l'occasion d'entrevoir le secret de l'intransigeance de la société conservatrice dans son exigence d'ascétisme, malgré l'échec évident. Lindsey dit, parlant de la jeune fille qui avait vécu avant son mariage:

« Elle pourrait vivre plus tard avec lui « dans le péché », après la cérémonie nuptiale, et tout serait dans l'ordre. Où prennent-ils leur logique? *Cette relation la souillait-elle réellement, ou bien était-elle simplement en faute pour avoir transgressé les règles sociales?* Cette distinction est extrêmement importante. Nous pouvons admettre qu'elle était en faute pour avoir pratiqué l'intimité prénuptiale; mais la faute résidait dans la violation d'une convention sociale, et non dans une mystérieuse « souillure » que nous exhibons par superstition tribale » (p. 118).

Lindsey pense donc qu'elle n'était pas « souillée » par l'activité pré-conjugale, mais qu'elle avait « transgressé les règles sociales ». L'exigence de chasteté pour la jeune fille ne pouvait être définie plus clairement: elle était « en faute » dans ses relations pré-conjugales. Absolument? Non, mais par rapport au fait que *la société conservatrice, pour des raisons idéologiques et économiques, ne peut officialiser les relations préconjugales sous peine de ruiner le mariage coercitif et son idéologie.* Lindsey dit lui-même, à propos de Mary, la fille rebelle:

« Et pourtant, cela ne signifie nullement que le mariage est un échec et qu'il faut le mettre au rancart pour lui substituer l'Amour Libre ou quelque autre modèle social. Quelque imparfaite que soit l'institution, *nous ne pouvons nous en passer.* Il doit être sauvegardé par le jeu de sages et prudentes modifications de ses règles... » (p. 140).

Il n'y a pas le moindre doute: *la liberté sexuelle de la jeunesse signifie la ruine du mariage (au sens du mariage coercitif); la répression sexuelle a pour objet de rendre les adolescents aptes à ce type de mariage.* C'est en fin de compte à cela que se réduit tout le discours sur la signification « culturelle » du mariage et de la « moralité » juvénile. C'est aussi la seule raison pour laquelle *le problème du mariage ne peut être séparé de celui de la sexualité juvénile,* et vice-versa. Ce ne sont que deux maillons dans la chaîne de l'idéologie conservatrice. Si les liens qui les unissent sont tant soit peu défaits, la jeunesse se trouve jetée dans des conflits insolubles, car son problème sexuel ne peut être résolu indépendamment du problème du mariage, ni celui-ci à son tour indépendamment des problèmes de l'émancipation économique de la femme et de difficiles problèmes d'éducation et d'économie.

Cependant, malgré sa réserve, on battit froid à Lindsey. Il perdit son poste de juge.

Ces lignes furent écrites dans l'été de 1928, deux ans environ avant la publication de la première édition de ce livre. Elles donnaient la conclusion d'une étude des liens sociaux existant entre la moralité conjugale et l'exigence de continence pour la jeunesse. Une année plus tard, j'eus la chance de trouver une confirmation statistique de mes conclusions, dans un article d'un médecin de l'Institut de vénéréologie de Moscou, M. Barash (« Sex Life of the workers of Moscow », *J. of Social Hygiene,* mai 1926).

Cet article donnait une statistique sur le rapport entre l'infidélité conjugale et l'âge de début des relations sexuelles. De ceux qui commencèrent à avoir des rapports sexuels avant dix-sept ans, 61,6 % étaient infidèles dans le mariage; parmi ceux qui commencèrent à avoir des relations sexuelles entre dix-sept et vingt et un ans, 47,6 %; et pour ceux qui vécurent dans la chasteté après vingt et un ans, 17,2 % seulement.

L'auteur remarque que:

« Plus les relations sexuelles avaient été précoces, plus la tendance aux relations extra-conjugales occasionnelles était forte, et moindre la fidélité conjugale... Ceux qui avaient entrepris une vie sexuelle précoce, avaient une vie sexuelle irrégulière par la suite. »

S'il est vrai que l'obligation de continence pour la jeunesse est sociologiquement déterminée directement par l'institution du mariage, indirectement par les mêmes intérêts économiques que la réforme sexuelle officielle elle-même; si, de plus, les chiffres démontrent que *les relations sexuelles précoces rendent inapte au mariage* (au sens de la moralité du mariage conservateur: un seul partenaire pour la vie), il devient alors évident que *le sens de l'obligation de continence est de créer chez l'individu une structure sexuelle qui le rende apte au mariage coercitif, et qui en fasse un citoyen docile.*

Les pages suivantes traiteront de cette structure sexuelle, de ses effets sur les jeunes gens et des contradictions qu'elle introduit dans la situation conjugale.

3. — CONSIDÉRATIONS MÉDICALES, AMORALES, SUR LA VIE SEXUELLE DE LA JEUNESSE

L'adolescent n'a que trois possibilités: *continence, masturbation* (y compris l'activité homosexuelle associée à l'excitation hétérosexuelle), ou *rapports sexuels*. Mais il faut savoir clairement de quel point de vue on examine la question. Il y en a également trois: le point de vue moral, le point de vue de l'économie sexuelle, le point de vue sociologique. La morale ne permet ni d'aborder ni de résoudre le problème. Concrètement, la question se ramène à celle de l'économie de la sexualité individuelle et à celle de l'intérêt que la société porte à ses membres.

Nous avons vu que la société autoritaire attache le plus grand intérêt à la répression de la sexualité juvénile. La pérennité du mariage et de la famille autoritaires, ainsi que de la structure servile, exige cette répression. Le moraliste réactionnaire — confondant société *réactionnaire* et société *humaine* — pense que la société humaine en tant que telle serait menacée si la jeunesse « libérait » sa sexualité. Mais c'est précisément cela qui est en question. Concrètement, la question est de savoir quels sont les intérêts sociaux qui sont en conflit avec les intérêts de l'économie sexuelle, autrement dit, si l'un de ces deux intérêts doit être sacrifié pour la sauvegarde de l'autre. On peut aussi considérer la question sous l'angle de l'intérêt de la jeunesse et se demander quels avantages ou inconvénients résultent pour elle de la continence, de l'onanisme et des rapports sexuels.

LA RÉVOLUTION SEXUELLE

a) *La continence à l'époque de la puberté.*

Il s'agit d'examiner ici les aspects de la continence *totale*, car tout le reste entre dans la notion d'onanisme, prise en un sens large.

Il est incontestable que, vers quatorze ans, la sexualité, sous l'effet d'une activité endocrinienne accrue et de la maturation génitale, entre dans une phase d'activité intense. Le besoin sexuel est *normalement* orienté vers les rapports sexuels.

Si, dans ces conditions, tant de jeunes gens n'ont pas de désir *conscient* des rapports sexuels, ce n'est pas, comme on le croit généralement bien à tort, par immaturité biologique, mais par *l'effet de l'éducation,* qui conduit à refouler jusqu'à la pensée d'une telle activité. Il importe de bien comprendre cela si l'on veut voir les choses comme elles sont et non pas comme la société autoritaire et l'Eglise voudraient que nous les voyions. Les adolescents qui se sont libérés de ce refoulement savent très bien que ce qu'ils veulent, c'est les rapports sexuels. *Le refoulement des idées sexuelles, surtout de celles des rapports sexuels, est une condition nécessaire de la continence.* Il arrive le plus souvent que, bien que l'idée de l'acte sexuel ne soit pas refoulée, elle est dépouillée de son intérêt psychique ou associée à des idées de crainte et de dégoût à tel point qu'elle n'a plus d'importance pratique. Mais pour assurer la continence, il faut plus encore: il faut le *refoulement de l'excitation sexuelle.* S'il est réalisé, c'est la paix, du moins pour un certain temps, et l'adolescent s'épargne le conflit pénible de l'onanisme et le dangereux conflit avec l'entourage, conflit inéluctable lorsque l'adolescent a le désir conscient, donc insurmontable, des rapports sexuels.

Après les premières manifestations de la puberté,

la plupart des adolescents changent d'attitude à l'égard de la sexualité. A seize ou dix-sept ans ils ont une attitude bien plus hostile à son égard. L'analyse de ce comportement montre que *la lutte pour le plaisir a fait place à une crainte du plaisir.*

Ils ont acquis une *anxiété de plaisir (Lustangst).* Cette anxiété de plaisir ou peur de l'excitation agréable, est essentiellement différente de la peur d'être puni pour activités sexuelles, dont la forme intensive est habituellement la crainte de la castration. L'attitude d'extrême défense à l'égard de la sexualité s'enracine *(verankert ist)* dans cette anxiété de plaisir. Le processus est le suivant: sous l'effet de l'interdiction chronique, la nature même de l'excitation sexuelle se modifie; l'expérience clinique montre que l'inhibition du plaisir se convertit en excitation génitale désagréable ou même *douloureuse*; l'excitation agréable devient ainsi une cause de déplaisir, ce qui contraint l'adolescent à combattre et à réprimer sa sexualité. Tout médecin ayant une expérience sexologique connaît bien cette pratique des adolescents qui consiste à réprimer artificiellement les érections; ils le font parce que l'érection non suivie de satisfaction est pénible. Chez les filles, la peur de l'excitation forte est encore plus accusée, car l'excitation a une signification de danger. La crainte de la punition de l'activité sexuelle, d'origine extérieure, prend racine dans cette anxiété de plaisir. C'est ainsi que l'adolescent devient souvent lui-même l'avocat des interdits sexuels.

L'excitation sexuelle sans satisfaction ne peut jamais être supportée bien longtemps. Elle n'a que deux issues: la *répression* ou la *satisfaction*. La première conduit toujours à des troubles somatiques et psychiques, et la seconde, dans notre société, à des conflits sociaux.

La continence est dangereuse et nuisible à la santé.

LA RÉVOLUTION SEXUELLE

L'énergie sexuelle réprimée trouve toutes sortes d'issues. Ou bien survient très rapidement un trouble nerveux, ou bien l'adolescent devient la proie de rêveries, qui le gênent considérablement dans son travail. Certes, celui qui ne veut pas voir le rapport entre l'excitation sexuelle et les troubles nerveux peut bien affirmer que la continence n'est pas nuisible ou qu'elle est presque toujours praticable: il lui suffit de constater que les adolescents vivent dans la continence pour conclure que cela est possible. Mais on perd de vue que l'adolescent ne le fait qu'au prix de l'acquisition d'une névrose et d'autres difficultés. On peut bien dire aussi que la névrose est due à une « constitution névrotique » ou à une « volonté de puissance »; on se donne ainsi des facilités qui permettent d'éluder le problème de la sexualité adolescente et de l'ordre social.

On objectera ici que tous les adolescents continents ne sombrent pas immédiatement dans la névrose. C'est vrai, mais cela n'empêche que la névrose est destinée à apparaître plus tard, lorsque l'individu devra faire face aux obligations de l'activité sexuelle « légale ». L'expérience clinique de l'économie sexuelle montre que ce sont les patients qui n'ont jamais osé se masturber dont le pronostic est le plus défavorable. Ils ont réprimé leur sexualité avec un plein succès momentané, en enrayant leurs fonctions génitales; lorsqu'ils parviennent à l'âge où ils pourraient s'engager dans l'activité sexuelle avec l'agrément de la société, leur appareil génital refuse de fonctionner, comme s'il était rouillé. Dire ces choses-là aux jeunes gens, on s'en garde bien, même quand on ne les ignore pas; quels motifs subsisteraient en effet pour préconiser la continence? On ne pourrait même plus faire appel au sport comme issue à la misère sexuelle.

Lors de nombreuses discussions sur le problème

de l'onanisme, j'entendis parler de *la dérivation de l'énergie sexuelle par le sport*. Je dus répliquer que le sport était à tel point le meilleur moyen de réduire le besoin sexuel, que maints sportifs y réussissent si bien, qu'ils ne peuvent plus disposer désormais de leur sexualité. On est frappé de voir combien d'individus vigoureux et sportifs présentent de graves troubles sexuels. Leurs activités sportives étaient partiellement dirigées contre leur sensualité; mais comme ils n'ont pu investir la totalité de leur énergie sexuelle dans le sport, ils ont dû recourir finalement au refoulement avec toutes ses conséquences. Il est vrai que le sport est un moyen de diminuer l'excitation sexuelle, mais il est insuffisant pour résoudre le problème sexuel de la jeunesse, comme toute mesure visant à l'extinction de l'excitation sexuelle.

Que quelqu'un veuille tuer sa sexualité en pleine connaissance de cause, fort bien! Nous ne nous proposons pas de contraindre quiconque à une vie sexuelle satisfaisante, mais nous disons simplement ceci: si quelqu'un veut vivre dans la continence, au risque d'une maladie névrotique et d'une amputation de son travail et de son bonheur, soit. Mais les autres devraient essayer de parvenir à une vie sexuelle ordonnée et satisfaisante, à partir du moment où le besoin sexuel ne peut plus être mis entre parenthèses. Notre tâche est de signaler que la continence juvénile entraîne une atrophie de la sexualité par la régression à des activités infantiles et perverses et par les troubles nerveux qu'elle occasionne. Il est tragique de voir des patients venir demander aide à l'âge de trente-cinq, quarante, cinquante ou même soixante ans, névrosés, aigris, solitaires et fatigués de la vie. Ils s'enorgueillissent habituellement de ne pas avoir « commis d'excès », voulant dire qu'ils ont évité la masturbation et les rapports sexuels précoces.

LA RÉVOLUTION SEXUELLE

Les dangers de la continence sont bien souvent sous-estimés par des auteurs mieux avisés par ailleurs, et cela pour deux raisons: ils ignorent d'abord le rapport entre la continence et le trouble sexuel qui s'est éventuellement manifesté beaucoup plus tard; ils manquent ensuite de l'expérience du psychothérapeute ou du conseiller d'hygiène sexuelle, qui observent constamment ces rapports entre les troubles nerveux et la continence chez de nombreux patients. Ainsi, Fritz Brupbacher écrit en 1925, dans une brochure pour le reste excellente: « On spécule beaucoup dans maintes publications sur la nocivité et l'inutilité de la continence. Que celui qui désire la continence la pratique; elle ne lui fera aucun mal... A tout point de vue, la continence est préférable à la maladie vénérienne. » (*Kindersegen, Fruchtverhütung, Fruchtabtreibung,* p. 18.)

Brupbacher abandonna plus tard ce point de vue. Il avait négligé le fait que la continence prolongée est déjà en elle-même un symptôme pathologique, indiquant un refoulement presque parfait du désir sexuel conscient. Elle endommage toujours tôt ou tard la vie amoureuse et diminue la productivité du travail. *C'est un fait d'expérience.* Recommander la continence aux jeunes gens revient à préparer le terrain à une névrose qui apparaîtra un jour ou l'autre, ou du moins à une anémie de la joie de vivre et du travail. Soit dit en passant, on peut douter que, du point de vue de l'économie psychique, la continence soit plus saine que la maladie vénérienne. On peut en effet se débarrasser de celle-ci par la recherche d'une thérapeutique appropriée; en revanche, les altérations pathologiques du caractère sont difficiles à éliminer complètement. De plus, nous ne disposons pas d'un nombre suffisant de psychothérapeutes qualifiés pour éliminer les maux engendrés par la continence prolongée. Il ne faut certes pas sous-estimer le péril vénérien, mais en règle générale, il s'agit d'un épouvantail servant à renforcer le refoulement sexuel. De toute façon, il *n'y a pas* d'alternative entre la continence et le mal vénérien, puisque la maladie peut être évitée par le rapport avec des partenaires aimés que l'on connaît bien, à l'exclusion des prostituées.

En parlant de la continence des adolescents, nous pensons aux jeunes gens de quinze à dix-huit ans. Les conformistes exigent la continence « jusqu'à la soudure des épiphyses », c'est-à-dire jusqu'à vingt-quatre ans environ. Citons par exemple une réponse aux questions de lecteurs, rubrique tenue par un conseiller de psychologie de l'adolescent dans le journal viennois *Morgen* (18 mars 1929):

« G. Sch. — Votre question touche au problème, si souvent discuté dans les milieux de biologistes, du début de « la pratique sexuelle ». L'écrivain romain Tacite fait l'éloge des anciens Germains qui n'approchaient pas les femmes avant l'âge de vingt-quatre ans. *Cela devrait être aussi la règle pour nous.* La tendance sexuelle, l'une des plus puissantes dans la vie humaine, *ne doit pas être autorisée* à l'exercice prématuré, et vous avez parfaitement raison de rechercher dans le sport une détente qui ne *vous est pas dévolue* (!) dans la sexualité. Si vos amis, même plus jeunes que vous, agissent différemment, ils vont *à l'encontre* des lois de l'hygiène sexuelle. La grande autorité dans le domaine de l'hygiène, le professeur Dr. Max von Gruber, n'a cessé de prêcher passionnément la continence et son innocuité. »

Invoquer Gruber et les anciens Germains est-il un argument sérieux? Ce même professeur Gruber a été jusqu'à proclamer que la continence était non seulement inoffensive, mais véritablement utile parce que le sperme non évacué est résorbé, fournissant ainsi des protéines à l'organisme. Je connais une façon plus simple et plus agréable d'absorber des protéines: manger de la viande.

A Vienne, il y avait un prêtre parmi les consultants pour jeunes. Une jeune fille de vingt-deux ans reçut de lui le conseil suivant, qu'elle prit soin de conserver par écrit:

« Pour commencer, je lui dis que j'avais eu connaissance du centre de consultation par un journal et que j'étais au bout du rouleau. Le Dr. P. m'encouragea à parler avec franchise.

» Je lui dis que mon ami et moi nous nous aimions beaucoup, mais que depuis quelque temps il y avait une telle tension entre nous que je ne savais plus que faire. J'ajoutai que j'avais cherché la consolation dans la religion, mais en vain.

» Le Dr. P. me posa alors des questions: quel était mon âge (vingt-deux ans), depuis combien de temps est-ce que je connaissais mon ami (quatre ans); quel âge avait-il (vingt-quatre ans). Il répondit à cela qu'il connaissait des jeunes gens qui s'étaient connus pendant huit ou neuf ans tout en restant purs. Il ne précisa pas ce qu'il entendait par là mais ajouta qu'il concevait très bien que deux personnes puissent s'aimer très fort et n'aient pas cependant de pensées sexuelles l'une pour l'autre.

» Il me demanda alors quelle était l'attitude de mon fiancé. Je lui dis que lui aussi, naturellement, souffrait énormément de la situation et que je ne pouvais davantage supporter de le voir souffrir ainsi. Il me demanda quelle était la situation dans ma famille et je lui dis que je n'attendais rien de ce côté.

» Le Dr. P. me conseilla d'en parler à ma mère et d'essayer de me marier dès que possible. Il ajouta, entre autres choses, que les commandements de l'Eglise avaient une signification profonde, notamment celui qui prescrit la chasteté; en effet, dit-il, s'il arrivait un enfant, celui-ci n'aurait pas de famille pour l'aimer.

» Quand je répondis qu'il se passerait des années avant que je fusse matériellement en état de me marier et que je n'aurais pas la force de continuer ainsi jusque-là, le Dr. P. me répondit que je ne devrais pas penser à ce qui se passerait dans un an, mais que je devais persévérer jour par jour et m'endurcir. Il me demanda si j'avais des rendez-vous avec mon ami, et si mes parents le savaient. Sur ma réponse affirmative il me conseilla d'éviter le tête à tête avec mon ami afin d'éviter les situations désagréables et la torture réciproque.

» Le Dr. P. me réconforta une fois de plus et dit que tout reposait sur ma confiance en mes propres forces. Renouvelant le conseil de me marier le plus tôt possible, il me quitta en me disant: Dieu vous bénisse[1].»

Il n'est jusqu'aux guérisseurs qui ne s'occupent de consultation sexuelle. Voici la prescription pour un jeune homme de dix-sept ans souffrant de pollutions diurnes, qui me fut communiquée après une conférence:

« Trois fois par jour prenez une pincée de poudre de gentiane dans un cachet. Puis, faites cuire trente grammes de chènevis pilé dans un demi-litre de lait; prenez-en une cuillerée à soupe trois ou quatre fois par jour. De plus, prenez, tous les deux jours, un bain de siège de vingt minutes dans une infusion de calamus. En outre, faites-vous faire un bon massage de la colonne vertébrale chaque soir avec la mixture suivante: essence d'arnica, quatre-vingt-dix grammes: essence de lavande et essence de menthe, quatre grammes de chacune; essence de menthe poi-

---

[1] Ce serviteur de Dieu et de la morale réactionnaire a été défendu par un consultant « socialiste », prétendant qu'il fallait bien, après tout, qu'il y ait des conseillers pour les jeunes croyants, et que ces conseillers ne pouvaient être que des prêtres. Cette tolérance est vraiment touchante; malheureusement, elle signifie la ruine des adolescents.

vrée et de thym, un gramme de chacune. Le tout bien mélangé. »

De telles « prescriptions » ne font qu'exprimer l'impuissance du conseiller de la jeunesse, qu'il croie ou non en l'efficacité de ses remèdes, qu'il soit convaincu ou non de la futilité de l'exigence de continence. Il n'est en effet, sans compter ses propres inhibitions, que l'exécutant aveugle de l'ordre sexuel réactionnaire, l'instituteur de l'aptitude au mariage et à la servilité à l'égard de la société autoritaire.

Nous verrons bientôt que la connaissance de la vérité n'améliore nullement la situation du conseilleur, bien au contraire.

b) *La masturbation.*

La masturbation ne peut tempérer la nocivité de la continence que dans une très faible mesure. Elle ne peut régulariser l'économie de la sexualité *(der Sexualhaushalt)* que si elle ne s'accompagne pas de sentiments de culpabilité trop graves, ni de troubles du processus de décharge de l'excitation *(des Reizablaufes)*, bref si l'absence de partenaire sexuel n'est pas trop durement ressentie. Certes, elle peut aider des individus sains à traverser les premiers orages de la puberté. Mais étant donné que, par suite du développement sexuel antérieur, il est peu d'adolescents qui atteignent la puberté relativement indemnes, elle ne joue ce rôle que pour un petit nombre de cas. Rares sont les adolescents qui se sont assez émancipés du moralisme de l'éducation pour pouvoir pratiquer la masturbation sans éprouver de sentiments de culpabilité. En règle générale, ils combattent l'impulsion onaniste, avec plus ou moins de succès. S'ils ne réussissent pas à la réprimer, la masturbation qui se produit alors est grevée de sévères inhibitions et de pratiques nocives, telles que la rétention de l'éjaculation. Le résultat, dans le meilleur des cas, est un trouble neurasthénique. S'ils réussissent à réprimer l'impulsion, ils retombent dans la continence dont ils tentaient de se sauver par l'onanisme. Mais alors la situation est pire, parce que l'excitation sexuelle et les fantasmes concomitants rendent la continence plus difficile à supporter qu'auparavant. Quelques-uns seulement trouvent la solution conforme à l'économie sexuelle, à savoir les rapports sexuels.

Il y a fort peu de temps encore, la masturbation était un cauchemar général. Récemment, étant donné que l'on a admis ne plus pouvoir maintenir l'obligation de continence, et comme d'ailleurs la masturbation est considérée comme un moindre mal que les rapports sexuels, la mode s'est répandue de considérer la masturbation comme tout à fait inoffensive et naturelle. Cela n'est vrai que sous condition. La masturbation vaut certes mieux que la continence. Mais à la longue, elle devient insatisfaisante et désagréable, parce que l'absence d'objet d'amour devient rapidement pénible; et à partir de ce moment, elle provoque dégoût et sentiments de culpabilité. Dans ces conditions d'action conjuguée de l'excitation sexuelle et de sentiments de culpabilité, elle devient une compulsion *(Zwang, compulsion)*. Et même dans les meilleures conditions, elle a le défaut d'entraîner de plus en plus l'activité imaginative dans des voies névrotiques et infantiles naguère délaissées; ce qui exige derechef de nouveaux refoulements. La menace de névrose grandit alors avec la durée de la satisfaction onaniste.

En ce qui concerne le rapport du comportement avec la vie sexuelle, nous remarquons que la plupart des adolescents ont l'air timide, emprunté. Les autres, ceux qui sont vivants et dispos, sont toujours ceux qui se sont débrouillés pour franchir le pas entre la masturbation et l'acte sexuel. La masturbation finit à la longue par affaiblir le contact avec la réalité; la facilité avec laquelle s'obtient la satisfaction annihile l'aptitude à entreprendre la conquête d'un partenaire approprié.

De tout ceci on peut conclure que l'attitude traditionnelle à l'égard de la masturbation juvénile s'est quelque peu modifiée. Jadis, le spectre des rapports sexuels de l'adolescent avait engendré la fiction que la *continence* était inoffensive ou même utile; récemment, il a engendré la fiction que la *masturbation* est naturelle, tout à fait inoffensive, et qu'elle est la solution du problème de la puberté. Ces deux solutions sont une façon d'éluder la question la plus épineuse:

c) *Les rapports sexuels chez les adolescents.*

Il nous faut réexaminer cette question tant au point de vue des principes que dans ses aspects économiques et pédagogiques concrets. Jusqu'à présent, elle a été éludée dans les travaux écrits comme par une espèce d'entente tacite.

Nous avons montré que ce sont les intérêts de la société autoritaire qui, par le truchement de la famille et du mariage, déterminent la restriction de la sexualité adolescente avec son lot de misère. Cette limitation fait partie intégrante de notre système social; la misère qui en résulte est un supplément non prévu. Mais s'il en est ainsi, il est bien évident qu'une solution conforme à l'économie sexuelle n'est pas possible dans cette société. Nous nous en apercevrons en analysant les conditions dans lesquelles nos adolescents entrent dans la phase de maturité sexuelle. Nous laisserons ici de côté le rôle des différences de classe pour n'étudier que l'action de l'atmosphère idéologique et des institutions sociales.

1. Tout d'abord, l'adolescent doit surmonter une foule d'inhibitions intérieures, séquelles de l'éducation antisexuelle. Dans l'ensemble, sa génitalité, ou bien est complètement inhibée (ce qui est surtout vrai pour les filles), ou bien est perturbée ou déviée dans le sens de l'homosexualité. Donc, du seul point de vue de sa constitution interne, l'adolescent n'est pas capable d'entamer les relations hétérosexuelles.

2. Sa maturité sexuelle biologique peut être aussi inhibée par des facteurs névrotiques. Ou alors, comme c'est souvent le cas, l'infantilisme psychique, la fixation à des attitudes infantiles à l'égard des parents, a créé une discordance entre la maturité psychique et la maturité physique.

3. Dans le sous-prolétariat, les adolescents sont parfois aussi physiquement retardés. Il s'agit alors d'un sous-développement à la fois physique et psychique lors de la maturité sexuelle.

4. Au tabou sévère qui pèse sur la sexualité juvénile, s'ajoutent encore non seulement le manque absolu d'assistance sociale, mais surtout les obstacles les plus divers destinés à empêcher la pratique de l'acte sexuel. Par exemple:

a) L'opposition active à une véritable information de l'adolescent en matière de sexualité. Ce qui devient à la mode sous le nom d'« éducation sexuelle », n'est qu'une demi-mesure; pire que cela, elle sème la confusion, car elle part de prémisses qui ont une suite logique et refuse de suivre la chaîne des conséquences. C'est ainsi que l'on explique à une fille de quatorze ans la nature de la menstruation, mais qu'on lui dissimule soigneusement la nature de l'excitation sexuelle. Nous voyons ici se confirmer ce que nous disions plus haut, à savoir qu'une explication purement biologique de la vie sexuelle n'est qu'une manœuvre de diversion. L'adolescent n'est pas tellement soucieux de savoir comment l'ovule et le spermatozoïde s'unissent pour réaliser le « mystère » d'un nouvel être vivant; en revanche, il éprouve un intérêt vital et brûlant pour le « mystère » de l'excitation sexuelle contre laquelle il lutte désespérément. Mais que resterait-il comme arguments logiques pour détourner l'adolescent de l'acte sexuel, si on lui disait la vérité, à savoir qu'il est biologiquement mûr pour les rapports sexuels et que toutes ses difficultés proviennent de la pression de sa sexualité insatisfaite? Dès lors qu'on ne peut lui dire la vérité, toute « éducation sexuelle » ne fera qu'accroître ses difficultés. Ce qui, bien entendu, est en parfait accord avec notre système social: la mutilation sexuelle des adolescents est le prolongement logique de la mutilation de la sexualité infantile.

b) Les problèmes du *logement* et de la *prévention des naissances.* Avec la crise générale du logement, il est difficile même pour les adultes de la population laborieuse de se rencontrer par couples sans être dérangés. Mais pour les adolescents, ce problème est la source d'une misère inouïe. Il est significatif de voir que nos réformateurs ne font jamais mention de ce problème. Que pourraient-ils répondre en effet à un adolescent assez effronté pour leur demander pourquoi la société ne s'occupe pas d'eux à cet égard? Ils préfèrent parler aux jeunes gens de leurs « responsabilités »,. au point d'en oublier leurs propres responsabilités dans le fait que les adolescents se livrent aux rapports sexuels dans les couloirs, les automobiles, les granges, derrière les enclos, avec la crainte permanente d'être découverts.

Et que dire de la question des moyens anticonceptionnels? Des adolescents outrecuidants pourraient demander naïvement pour quel motif la société doit *ne pas* les informer des meilleures méthodes anti-conceptionnelles ou de ne pas les aider en cas d'accident dans l'usage de ces moyens.

Il est clair que dans une société qui ne reconnaît pas les rapports sexuels extra-conjugaux, qui ne veille même pas à l'hygiène sexuelle des adultes, les questions de cet ordre ne peuvent recevoir ni réponse ni solution.

Il est tout aussi clair que sans une éducation sexuelle des enfants tout à fait nouvelle, et sans solution des problèmes du logement et des moyens anti-conceptionnels, il serait inconséquent et même dangereux de conseiller aux adolescents d'aller de l'avant et de pratiquer les rapports sexuels. Cette façon d'agir serait non moins nuisible que son antithèse, le prêche de la continence.

Il fallait montrer les contradictions de la situation, et l'impossibilité de les résoudre dans les conditions actuelles. J'espère y être à peu près parvenu. Cependant, si nous ne sommes pas des charlatans ou des couards, nous devons admettre le principe de la sexualité juvénile, aider les adolescents lorsque nous le pouvons, et faire ce qu'il faut pour préparer la voie à leur libération. Le lecteur aura pu se rendre compte de l'ampleur de la tâche et des responsabilités qu'elle implique.

Peut-être comprend-il mieux aussi la timidité et l'inconséquence de l'éducation sexuelle qui sévit aujourd'hui. Elle se caractérise ainsi: elle arrive toujours trop tard, elle s'entoure de mystère, elle glisse toujours sur l'essentiel, le *plaisir* sexuel. Ceux qui s'opposent à toute éducation sexuelle sont plus conséquents dans leur point de vue réactionnaire. On doit les combattre parce qu'ils sont adversaires de la vérité et de la cohérence scientifique, mais en un certain sens, leurs positions sont plus franches que celles de ces soi-disant réformateurs qui croient que leur enseignement va changer quoi que ce soit. Leur œuvre effective est d'obscurcir la solution, de dissimuler la nécessité d'un changement social.

Cela ne signifie pas, bien sûr, qu'il faille procéder comme le prêtre P. cité plus haut. Dans les cas particuliers, le sexologue consultant, après une appréciation soigneuse de la situation sociale, psychique et économique du sujet, non seulement n'interdira pas, mais même recommandera l'acte sexuel à l'adolescent qui y est prêt. Il faut bien distinguer l'aide individuelle et la réforme sociale.

Au point de vue social, les choses se poursuivent comme par le passé: les enfants continuent à être élevés dans une perspective ascétique, et les adolescents dans l'idée que la culture requiert la continence, ou que la masturbation permet de patienter en attendant le mariage.

La contradiction entre la collectivisation croissante de la vie et l'atmosphère sociale négatrice de la sexualité doit aboutir à une crise de la sexualité juvénile, à laquelle il n'est pas de solution dans la société autoritaire. Tant que la jeunesse restait entièrement liée à la famille, tant que les filles, soumises à peu d'excitations sexuelles, se contentaient d'attendre l'éventuel mari nourricier, tant que les garçons vivaient dans la continence, l'onanisme ou la fréquentation des prostituées, il n'y avait alors que souffrance muette, névrose ou brutalité sexuelle. Dans les conditions actuelles, les besoins sexuels qui cherchent à s'exprimer sont entravés à la fois par les inhibitions dues à l'éducation, et par la résistance de la société réactionnaire. Rien de tout cela n'est changé par la rhétorique des réformateurs de la sexualité et les conseils ascétiques de « diversion par le sport ou les saines lectures », « matelas durs », et « régimes non carnés ».

185

LA RÉVOLUTION SEXUELLE

Je soutiens que la jeunesse actuelle connaît des temps beaucoup plus durs pour elle que, par exemple, la jeunesse du début du siècle. Vivre dans un refoulement complet était encore possible. Aujourd'hui, les sources de la vie juvénile se sont frayé un passage, mais la jeunesse n'a pas l'aptitude psychologique, ni l'appui social, qui permettraient d'en profiter. Il n'est plus possible, néanmoins, d'enrayer ce mouvement.

La crise sexuelle de la jeunesse est un aspect de la crise générale de l'ordre social autoritaire. Elle ne peut recevoir de solution collective dans ce cadre.

CHAPITRE VII

LE MARIAGE COERCITIF
ET LES LIAISONS SEXUELLES DURABLES

* [Il règne une incroyable confusion au sujet des notions de « mariage » et de « famille ». La conséquence en est que le médecin qui est appelé à donner conseil dans le domaine de la vie personnelle se heurte à la conception *formelle* du mariage. On a bien l'impression que pour l'inconscient des individus apeurés par la sexualité, le contrat de mariage *n'est qu'un permis de pratiquer les rapports sexuels*. Ceci est particulièrement manifeste dans ce qu'on appelle les « mariages de guerre » : des couples qui désirent expérimenter l'étreinte sexuelle avant le départ de l'homme, se ruent à la mairie pour obtenir l'acte d'état civil. Puis, séparés pour de nombreuses années, ils oublient progressivement le partenaire... S'ils sont jeunes, ils rencontreront d'autres partenaires, ce dont nulle personne sensée ne les blâmera. Cependant l'acte de mariage continue à exercer sa contrainte, bien qu'il soit devenu purement formel, vide. Les jeunes personnes qui, avant une séparation de durée et d'issue indéterminée, voulaient s'apporter le bonheur, se trouvent maintenant prises dans un filet. On a beaucoup écrit, surtout aux Etats-Unis, sur la misère issue de ces « mariages ». Mais aucun écrit ne va jusqu'au fond du problème, à savoir l'exigence de légalisation de l'expérience amoureuse. Néanmoins, tout le monde sait que : « Nous voulons *nous marier* », signifie : « Nous voulons nous connaître sexuellement. »

* Le passage entre crochets a été ajouté dans l'édition de 1944.

Une autre source de confusion et de misère est constituée par le conflit entre le contenu légal (religieux) et le contenu réel de la notion de « mariage », entre ce qu'elle représente pour le juriste et ce qu'elle représente pour le psychiatre. Pour l'homme de loi, le mariage est l'union de deux personnes de sexe opposé fondée sur un document officiel; pour le psychiatre, c'est un lien affectif fondé sur une union sexuelle, accompagné d'habitude d'un désir de paternité. Pour le psychiatre, il n'y a pas mariage dès lors que les partenaires possèdent simplement les papiers, mais ne vivent pas ensemble. *L'acte de mariage n'est pas en lui-même un mariage.* Il y a mariage pour le psychiatre, lorsque deux individus de sexe opposé s'aiment, s'occupent l'un de l'autre, vivent ensemble et, par la progéniture, font de cette union une famille. Pour le psychiatre, le mariage est une union réelle et pratique de nature sexuelle, *sans considération d'une éventuelle inscription sur les registres d'état civil.* Pour le psychiatre, l'acte de mariage n'est que la confirmation officielle d'une relation sexuelle décidée, entreprise et vécue *par les partenaires*; il considère que ce sont les partenaires, et non les représentants de la loi, qui font qu'un mariage est ou n'est pas.

La structure sexuelle humaine a subi une dégénerescence sous l'effet de la moralité coercitive; dans ces conditions, l'acte de mariage représente une protection de la femme contre une éventuelle irresponsabilité de l'homme. Dans cette mesure, et *dans cette mesure seulement*, l'acte de mariage remplit une fonction. On connaît bien la *réalité* des mariages *naturels* sans inscription légale. Aux Etats-Unis comme en France, en Scandinavie et en bien d'autres pays, il existe un « mariage de droit coutumier ». Aux U.S.A., la plupart des Etats le reconnaissent; là où il n'existe pas, cela ne veut pourtant pas dire, comme le croient de nombreux individus dont la sexualité est lestée de culpabilité, que le mariage *de facto* est interdit; il n'existe pas de lois condamnant le mariage naturel sans certificat.

Il va sans dire que du point de vue d'une hygiène mentale rationnelle, le modèle de la relation sexuelle durable, c'est le mariage réel et non le mariage formel. L'hygiène mentale rationnelle s'intéresse à la responsabilité *intérieure*, et non pas à la responsabilité entretenue de l'extérieur; elle considère ce renforcement d'origine extérieure comme un expédient destiné à maîtriser les actions asociales, et non comme une fin en soi.

L'avènement d'une autonomie morale exige une lutte efficace, et même des lois rigoureuses, contre les effets de la peste émotionnelle [1] en ce domaine, à savoir l'opprobre jeté sur les couples non mariés et leurs enfants par les individus affectés de la peste émotionnelle, incapables de comprendre ce type hautement moral de comportement social et encore moins de le vivre; la délation, immorale, pathologique, et l'exploitation financière rendues possibles par les lois du mariage fondées sur une moralité coercitive; la lasciveté provoquée par les divorces des « mariages » malheureux et de pure forme; l'absurdité de continuer à considérer comme « mariés » les personnes dont les relations sont gouvernées par la haine et la mesquinerie, etc.

En ce domaine, tout est chaotique, et il faut nettoyer cette écurie d'Augias. Il faut surtout que les relations amoureuses soient protégées de toute interférence avec les intérêts économiques; *des lois rigoureuses doivent punir l'opprobre à l'égard des relations amoureuses naturelles et honnêtes et des enfants qui en sont issus; des efforts doivent être*

---

[1] L'action pathogène du caractère névrotique à l'échelle collective. Cf. *Character Analysis*, ch. XII (N. d. T.)

faits en vue de l'élimination des sentiments de culpabilité et du remplacement de la moralité coercitive extérieure par la responsabilité interne. Les temps sont mûrs pour cela. On admet partout la nécessité d'une réforme radicale des lois, sauf peut-être dans les cercles qui retirent un bénéfice économique de l'existence d'une législation sexuelle périmée et désastreuse du point de vue de l'hygiène mentale.]

Le mariage sous sa forme actuelle, n'est qu'une étape dans l'histoire de l'institution du mariage en général; il est le résultat d'un compromis entre des intérêts économiques et des intérêts sexuels. Il ne faudrait certes pas ramener ces intérêts sexuels, comme nous y invitent maints sexologues conservateurs, aux relations sexuelles avec un partenaire unique pour la vie, et à la procréation. Nous examinerons séparément ces deux aspects, économique et sexuel, du problème du mariage. Nous ferons en conséquence la distinction entre la forme de relation qui est basée sur les besoins sexuels et qui tend à se prolonger, et la forme de relation sexuelle basée sur l'intérêt économique, sur la situation sociale de la femme et des enfants.

Nous appellerons la première liaison sexuelle durable, et la seconde, mariage (au sens de mariage coercitif).

1. — LA LIAISON SEXUELLE DURABLE

Les conditions sociales d'une relation sexuelle durable seraient l'indépendance économique de la femme, l'éducation des enfants par la société, l'absence d'immixtion des intérêts économiques. De temps en temps, des relations purement sensuelles lui feraient concurrence. Du point de vue de l'économie sexuelle, la liaison temporaire présente des inconvénients par rapport à la liaison durable, inconvénients qui sont particulièrement faciles à étudier dans notre société. Car dans nulle autre société la promiscuité sexuelle n'a été aussi répandue qu'à notre époque d'idéologie monogamique florissante; cette promiscuité est de plus dépouillée de son fondement émotionnel et ne vaut rien du point de vue de l'économie sexuelle, étant donné son caractère mercenaire.

La relation sexuelle passagère, qui est à la limite la relation d'une heure ou d'une nuit, diffère de la liaison durable par l'absence de tendresse à l'égard du partenaire. La tendresse envers le partenaire peut relever de divers motifs:

1. *Un attachement sexuel résultant des expériences sensuelles goûtées ensemble.* Il s'agit essentiellement d'une *gratitude* sexuelle pour le plaisir passé, et d'un *lien* sexuel (qu'il ne faut pas confondre avec la dépendance névrotique), dû au plaisir escompté pour l'avenir. Ces deux facteurs sont le fondement de la relation amoureuse naturelle.

2. *Un attachement au partenaire résultant d'une haine refoulée, c'est-à-dire un amour réactionnel.* Nous en traiterons plus loin à propos du mariage coercitif. Il rend impossible toute satisfaction sexuelle.

3. Un attachement dû à l'*insatisfaction* sensuelle. Il consiste en une inhibition sensuelle et une attente inconsciente d'une forme déterminée de satisfaction sexuelle, et se manifeste par une surestimation du partenaire. Il se change facilement en haine.

L'absence prolongée de tendresse dans une relation sexuelle diminue le plaisir sensuel et avec lui la satisfaction sexuelle. Cela n'est vrai, toutefois, qu'à partir d'un certain âge, lorsque les orages de la puberté sont passés et qu'un certain équilibre des émotions sexuelles s'est établi. *Les dispositions tendres, si la sensualité n'a pas été névrotiquement inhibée, n'atteignent leur pleine intensité que lorsque la satisfaction des besoins sensuels a été réalisée à un degré suffisant.* Les dispositions tendres ne doivent pas être confondues avec la pseudo-tendresse infantile des adolescents courant après le fantasme de l'idéal féminin représentatif de la mère, et qui répriment simultanément leur sensualité sous l'effet de sentiments de culpabilité. Les liaisons sexuelles lâches, encore de courte durée, telles qu'elles s'observent dans certaines couches de notre jeunesse, me paraissent être les formes naturelles et saines de l'expérience sexuelle juvénile. Elles se rapprochent de la vie sexuelle des adolescents dans les sociétés primitives. Elles ne manquent certes pas d'un haut degré de tendresse, mais celle-ci ne tend pas à transformer la relation en liaison durable. Il ne s'agit pas non plus du désir lascif de nouvelles stimulations sexuelles qui se présente dans les formes névrotiques de polygamie chez les hommes adultes de la bonne société, mais plutôt d'un débordement de sensualité à peine arrivée à maturité et qui se porte sur tout objet approprié qui se présente. Elle est comparable à la motilité du jeune animal qui diminue d'ailleurs aussi avec l'âge. L'agilité sexuelle saine de l'adolescent se distingue très facilement de phénomènes névrotiques comme l'hyper-agilité hystérique.

A l'âge mûr, ces liaisons sexuelles brèves ne sont pas forcément névrotiques. Qui plus est, si nous tirons les conclusions de notre expérience sexologique avec honnêteté et sans préjugé moral, nous devons reconnaître que celui ou celle qui n'a jamais eu le courage ou la force de nouer une telle liaison était sous la pression d'un sentiment de culpabilité irrationnel, donc névrotique. D'un autre côté, l'expérience clinique montre avec certitude que ceux qui se révèlent incapables de nouer une liaison durable sont eux aussi sous l'empire d'une fixation infantile de leur vie amoureuse, autrement dit souffrent d'un dérangement sexuel. En ce cas, ou bien leurs élans de tendresse sont ancrés dans quelque attachement homosexuel (que l'on trouve par exemple chez les sportifs, les étudiants et les militaires de profession), ou bien un idéal imaginaire déprécie tout objet sexuel réel. Très souvent, l'arrière-plan inconscient de la promiscuité continuelle et insatisfaisante est la peur de l'attachement à un objet, étant donné les connotations incestueuses d'un tel attachement et l'inhibition concomitante par peur de l'inceste. Le mécanisme le plus fréquent dans ces cas d'incapacité à la liaison durable est un trouble de la puissance orgastique: la déception apportée par chaque acte sexuel empêche l'apparition d'un attachement tendre envers le partenaire.

L'inconvénient majeur de la liaison passagère, du point de vue de l'économie sexuelle, c'est qu'elle ne permet pas une adaptation sensuelle des partenaires aussi complète que la liaison durable, ni par conséquent une satisfaction sexuelle aussi complète. Du point de vue de l'économie sexuelle, c'est là l'objection sérieuse à la liaison passagère et le meilleur argument en faveur de la liaison durable. Les champions du mariage pousseront ici un soupir d'aise, croyant pouvoir réintroduire frauduleusement le moralisme monogamique. Mais nous serons obligés de les décevoir à nouveau: quand nous parlons de liaison durable, nous ne fixons pas de limites de temps; du point de vue de l'économie sexuelle, il se peut que cette liaison dure des semaines, des mois, deux ans ou dix ans; et nous ne disons pas non plus que cette relation doit ou devrait être monogamique; car nous ne fixons pas de normes.

Comme je l'ai montré ailleurs [1], l'idée que le premier rapport sexuel avec une vierge est le plus satisfaisant, ou que la lune de miel est la meilleure

---

[1] *Die Funktion des Orgasmus.* Int. Psa. Verl., 1927.

période pour la sexualité, est entièrement fausse. Cette idée ne résiste pas à l'expérience clinique. Elle n'est que le résultat du contraste entre le désir lascif pour la vierge et l'engourdissement et le vide sexuels qui s'ensuivent dans le mariage monogamique. La liaison sexuelle satisfaisante présuppose que les deux partenaires aient harmonisé leurs rythmes sexuels, qu'ils aient appris à connaître leurs besoins sexuels spéciaux, rarement conscients, mais néanmoins importants: c'est ainsi seulement que la vie sexuelle peut être saine quant à l'économie sexuelle. Contracter un mariage sans avoir fait sexuellement connaissance est de peu d'hygiène et ordinairement catastrophique.

Un autre avantage de la liaison sexuelle durable et satisfaisante, c'est qu'elle rend inutile la quête permanente d'un bon partenaire et libère ainsi du temps et des forces pour l'activité sociale.

L'aptitude à une liaison sexuelle stable requiert donc:

— *une pleine puissance orgastique*, c'est-à-dire *nulle dissociation entre la sexualité tendre et la sensualité;*
— *le dépassement de la fixation incestueuse* et de l'anxiété sexuelle infantile;
— *l'absence de refoulement de toutes pulsions non sublimées,* fussent-elles homosexuelles ou nongénitales;
— *la reconnaissance sans conditions* (absolue Bejahung) *de la sexualité et de la joie de vivre;*
— *le dépassement des éléments essentiels du moralisme sexuel; l'aptitude à la camaraderie spirituelle* (geistig) *avec le partenaire.*

Si nous confrontons ces présupposés avec les conditions sociales actuelles, il nous faut admettre qu'*aucun* d'entre eux ne peut être réalisé dans la société autoritaire, sauf peut-être pour quelques individus. La négation et la répression sexuelles faisant partie intégrante de la société autoritaire, il s'ensuit nécessairement qu'elles déterminent aussi l'éducation sexuelle. En effet, l'éducation familiale favorise la fixation incestueuse au lieu de la dénouer; l'inhibition de la sexualité infantile crée la dissociation entre les sexualités tendre et sensuelle; elle crée donc une structure caractérielle anti-sexuelle comportant des tendances prégénitales et homosexuelles; celles-ci doivent être refoulées, d'où un affaiblissement de la sexualité. En outre, l'éducation en vue de la suprématie de l'homme rend impossible une camaraderie avec la femme.

La liaison sexuelle permanente contient de nombreux germes de conflit, non moins que tout autre type de relation durable. Ce qui nous occupe ce ne sont pas les difficultés humaines générales, mais les difficultés spécifiquement sexuelles qui s'y ajoutent. La plus importante de celles-ci, c'est *le conflit entre l'amortissement (temporaire ou définitif) du désir sensuel et l'accroissement de la tendresse pour le partenaire.*

Dans toute relation sexuelle en effet, tôt ou tard, souvent ou rarement, apparaissent des périodes de faible attraction sensuelle, ou même d'absence complète de désir. C'est un fait d'expérience sur lequel aucun argument moral n'a de prise; l'intérêt sexuel ne se commande pas. Mieux les partenaires seront assortis sous le rapport de la sensualité et de la tendresse, moins fréquents et irréversibles seront ces épisodes. Néanmoins toute relation sexuelle est exposée à cet amortissement. Ce fait n'aurait guère d'importance s'il ne s'y ajoutait que:

1. L'affaiblissement peut se produire chez *un seul* partenaire.

2. La plupart des liaisons sexuelles sont actuellement compliquées de liens *économiques* (dépendance de la femme et des enfants).

3. Indépendamment de ces difficultés extérieures, il existe une difficulté interne qui rend compliquée la seule solution logique: la séparation et la recherche d'un autre partenaire.

Toute personne est continuellement exposée à de nouvelles stimulations sexuelles émanant de personnes autres que le partenaire actuel. Ces stimulations restaient sans effet à la belle période de la liaison. Mais elles ne peuvent être éliminées, et toute tentative en ce sens, toute prescription de l'Eglise sur la pudeur dans l'habillement ou autres mesures morales ou ascétiques, ne peuvent que produire l'effet contraire, étant donné que la répression des besoins sexuels ne fait qu'en augmenter l'urgence. Le tragique — ou le comique — de toute moralité sexuelle ascétique est de ne pas tenir compte de ce fait fondamental. Les excitants sexuels présents font naître chez tout individu sain le désir d'autres objets sexuels. Au début, ces désirs étaient largement effacés par la satisfaction de la liaison existante. Plus l'individu est sain, plus ces désirs sont conscients (c'est-à-dire non refoulés), et plus ils sont faciles à contrôler. Bien entendu, ce contrôle est d'autant moins nocif qu'il est moins déterminé par des considérations morales et davantage guidé par l'économie sexuelle.

Mais lorsque ces désirs pour d'autres objets deviennent plus pressants, ils réagissent sur la liaison établie, notamment en accélérant l'amortissement du désir pour le partenaire. Les indices sûrs de cet affaiblissement sont: la diminution du désir avant l'acte et du plaisir dans l'acte. Le rapport sexuel devient progressivement une habitude et un devoir. La diminution du plaisir obtenu avec le partenaire et le désir d'autres objets s'ajoutent et se renforcent mutuellement. Cette situation ne peut être évitée par de bonnes intentions ou des « techniques amoureuses ». C'est à ce moment qu'apparaît le stade critique de l'irritation contre le partenaire, irritation qui, selon le tempérament et l'éducation, s'extériorise ou est refoulée. Quoi qu'il en soit, et comme le confirme sans cesse l'analyse des situations de ce genre, la haine contre le partenaire grandit sans cesse; elle est motivée par le fait que le partenaire frustre les désirs pour d'autres objets. Cette haine inconsciente est d'autant plus intense que le partenaire est plus aimable et plus tolérant, ce qui n'est paradoxal qu'en apparence, car on n'a aucun grief à son égard et donc pas de raison consciente de le haïr; cependant, on sent en lui, et même en l'amour qu'on a pour lui, un obstacle. La haine est surcompensée et recouverte par un vernis d'extrême affection. Cette affection réactionnelle née de la haine et les sentiments de culpabilité qui y correspondent sont les composants spécifiques d'un attachement « collant »; c'est pourquoi il est si fréquent de voir des gens, même non mariés, qui ne peuvent se séparer, bien qu'ils n'aient plus rien à se dire, et encore moins à se donner, et que la liaison ne soit plus qu'une torture réciproque.

Cependant, cet affaiblissement peut ne pas être définitif. D'état passager, il devient facilement durable si les partenaires sont incapables de prendre conscience de leur haine mutuelle et s'ils repoussent comme inconvenants et immoraux les désirs qu'ils ressentent pour d'autres objets; il s'ensuit en général un refoulement de toutes ces impulsions, avec tout le cortège de misère que le refoulement d'impulsions puissantes engendre inévitablement dans les relations entre deux êtres.

Si en revanche on aborde de pareils faits avec

franchise, sans préjugé moralisateur, on peut limiter l'extension du conflit et lui trouver une issue, à condition que la jalousie normale ne se transforme pas en revendications possessives, et que l'on reconnaisse le caractère naturel et légitime du désir pour d'autres. Personne ne songerait à reprocher à quelqu'un de ne pas vouloir porter le même vêtement pendant des années, ou de se lasser de manger toujours le même plat. Ce n'est que dans le domaine sexuel que l'exclusivité de la possession a revêtu une grande signification affective et ceci en raison de l'entrelacement des relations sexuelles et des intérêts économiques, qui a donné à la jalousie naturelle les dimensions d'un droit de propriété. De nombreuses personnes mûres et réfléchies m'ont déclaré qu'après avoir éprouvé et surmonté ce conflit, l'idée que le partenaire puisse entrer en relations sexuelles passagères avec d'autres avait perdu son caractère terrifiant et que l'ancienne impossibilité d'imaginer une « infidélité » leur semblait désormais ridicule. D'innombrables exemples montrent que la *fidélité fondée sur la conscience morale* mine progressivement une liaison. D'autre part, de nombreux exemples montrent clairement qu'une liaison occasionnelle avec un autre partenaire n'a fait que servir à la liaison durable qui était en train de prendre la forme compulsionnelle du mariage. Dans l'union durable sans dépendance économique, il peut y avoir deux issues à cette liaison passagère. Ou bien la liaison avec la tierce personne n'était que provisoire, et alors la preuve est faite qu'elle ne pouvait rivaliser avec la liaison existante, qui n'en est que renforcée; la femme n'a plus le sentiment d'être inhibée ou incapable d'avoir des relations avec un autre homme. Ou bien la nouvelle liaison devient plus intense que l'ancienne, procurant plus de volupté et de camaraderie, et c'est alors l'ancienne liaison qui est rompue.

Qu'advient-il maintenant du partenaire dont le sentiment amoureux est resté intact? Il aura indéniablement un rude combat à livrer. La jalousie et un sentiment d'infériorité sexuelle entreront en conflit avec la compréhension du destin du partenaire. Il tentera peut-être de reconquérir ce dernier, ou préférera rester passif et s'en remettre au cours des choses. Nous n'avons pas de conseils à donner, mais des issues effectives à analyser. Quelle que soit cette issue, elle est moins mauvaise que le malheur de deux êtres qui collent l'un à l'autre pour des motivations morales ou irrationnelles. Les égards qu'en pareil cas tant de gens ont l'habitude de prendre pour le partenaire, réprimant pour cela leurs véritables désirs sans parvenir à les extirper, se muent trop facilement en leur contraire: celui qui a pris trop d'égards se sent fondé à exiger de la reconnaissance, à se considérer comme victime et martyr, à devenir intolérant, toutes attitudes qui abîment et menacent la liaison bien davantage que n'aurait pu le faire aucune « infidélité ».

Malheureusement, ces considérations ne s'appliquent qu'à une petite minorité d'individus, car dans notre société, la dépendance économique de la femme rend les relations sexuelles toutes différentes de celles de deux personnes libres, et de plus le problème de l'éducation des enfants annule les considérations d'économie sexuelle. Sans compter que l'éducation sexuelle à laquelle presque tout le monde est soumis, et aussi l'atmosphère sociale, contribuent à rendre ces solutions tout à fait exceptionnelles.

Evoquons encore une difficulté qui peut être de grande conséquence si elle n'est pas bien comprise. Lorsque l'attirance diminue ou disparaît, des troubles de la puissance peuvent se manifester chez l'homme. Il s'agit la plupart du temps d'une insuffisance de l'érection, ou même d'une absence d'excitation en dépit de la stimulation. Si la tendresse subsiste ou s'il y a une crainte de l'impuissance, cela peut donner lieu à une dépression ou même à une impuissance prolongée. L'homme cherchera à multiplier les rapprochements sexuels pour tenter de dissimuler sa froideur; cela peut être dangereux. On doit se rappeler que ce défaut d'érection n'est pas de l'impuissance, mais seulement l'expression d'un manque de désir, et d'un désir, en général inconscient, pour une autre partenaire. (Chez la femme, le même phénomène peut se produire, mais il ne revêt pas autant d'importance, d'abord parce que l'acte sexuel peut s'accomplir malgré ce trouble, ensuite parce qu'elle n'en est pas affectée aussi péniblement que l'homme.) Si la relation est bonne dans l'ensemble, une franche discussion sur les causes du trouble (aversion sensuelle, désir d'une autre partenaire) suffit à lever la difficulté. En tout cas, il faut attendre; et le désir réapparaît tôt ou tard si la relation est bonne par ailleurs. A un tel moment, une tentative avec un autre partenaire peut fort bien échouer, en raison des sentiments de culpabilité à l'égard du partenaire habituel; mais elle peut aussi réussir, et être utile.

En cas de prédisposition à la névrose, le refoulement du désir d'un autre partenaire et de l'aversion pour le partenaire actuel est susceptible de provoquer une maladie névrotique. Très souvent, un conflit aigu de ce genre entrave sérieusement la capacité de travail. Ces personnes tombent malades parce qu'elles cherchent la satisfaction, que la réalité refuse, dans des fantasmes, ordinairement liés à l'onanisme. L'issue de ces conflits varie considérablement, selon la constitution psychique du sujet, la nature de la relation sexuelle, l'attitude morale du sujet et celle du partenaire. On ne dit jamais assez le mal que font nos préjugés moraux en ce domaine; la plupart des gens considèrent le seul fait de penser à un autre comme une incorrection ou même une véritable infidélité. Et pourtant, chacun devrait savoir que ces états font naturellement partie de la pulsion sexuelle, qu'ils sont normaux et n'ont rien à voir avec la morale. Si tout le monde savait cela, les tourments et meurtres de maris, de femmes et de petites amies diminueraient certainement; et aussi de nombreuses causes d'éclosion des troubles psychiques disparaîtraient, troubles qui ne sont qu'une issue inadaptée à ces situations.

J'ai parlé jusqu'ici des difficultés qui sont l'effet de la liaison durable en elle-même. Avant d'en venir à la façon dont ces difficultés s'entrelacent avec les intérêts économiques, je dois mentionner encore certains chefs de conflits dans les relations sexuelles qui n'ont pas encore revêtu la forme matrimoniale: il s'agit de *l'idéologie monogamique*, telle qu'elle est adoptée et représentée par la femme tout particulièrement.

Pour une femme, même économiquement indépendante, la rupture d'une liaison durable n'est pas une petite affaire. Il existe en effet ce qu'on appelle « l'opinion publique », ou droit institutionnalisé de se mêler des affaires privées d'autrui. Elle est certes moins sévère aujourd'hui pour la femme qui a une liaison extra-conjugale, mais elle fait une prostituée de toute femme qui ose avoir des relations avec plusieurs hommes.

La morale sexuelle, tout imprégnée qu'elle est d'intérêts de propriété, a instauré un cours des choses où il va de soi que l'homme « possède » la femme, tandis que la femme « se donne ». Comme posséder est un honneur et que « se donner » signifie s'abaisser, la femme a développé une attitude négative à l'égard de l'acte sexuel, attitude constamment renforcée par l'éducation. Et comme pour la plupart des hommes posséder la femme est plus une preuve de virilité qu'une expérience amoureuse, et que la conquête l'emporte sur l'amour, cette attitude de la femme se trouve tragiquement justifiée.

De plus, dès sa plus tendre enfance, la fille s'est imprégnée du principe qu'une femme ne doit avoir de rapports qu'avec *un seul* homme. L'influence de cette éducation, parce qu'elle s'enracine dans des sentiments de culpabilité inconscients, est plus profonde et plus puissante que l'instruction sexuelle, qui intervient trop tard. On rencontre sans cesse des femmes qui, malgré leur excellente compréhension intellectuelle des choses, sont incapables de se séparer d'un homme qu'elles n'aiment plus et qui en repoussent l'idée à l'aide de toutes sortes d'arguments ridicules. La véritable raison, inconsciente, peut se formuler ainsi: « Ma mère a supporté son horrible mariage toute sa vie, je dois donc pouvoir en faire autant moi aussi. » C'est le plus souvent cette identification à la mère monogame et fidèle qui est le facteur d'inhibition le plus agissant.

Une liaison stable qui ne se transforme pas en mariage ne dure pas habituellement toute la vie. Plus tôt elle se noue, et plus il est vraisemblable — et légitime au point de vue psychologique et biologique — qu'elle se dissoudra rapidement. Jusqu'à l'âge de trente ans environ, et à moins d'être trop inhibé par le souci économique, l'individu moyen est en évolution psychique constante. C'est à cet âge seulement que d'ordinaire les intérêts commencent à se cristalliser et à devenir durables. L'idéologie ascétique et monogamique est donc en opposition flagrante avec le processus du développement psychique et physique; elle est donc inapplicable. Telle est la contradiction inhérente à toute idéologie conjugale.

LA RÉVOLUTION SEXUELLE

2. — LE PROBLÈME DU MARIAGE

Les difficultés de la liaison sexuelle durable sont aggravées et rendues pratiquement insolubles par les liens économiques. *La liaison sexuelle durable et son fondement biologique et psycho-sexuel deviennent dans ces conditions le mariage coercitif.*

Les aspects idéologiques de cette institution s'expriment dans les prescriptions religieuses de: a) *durée à vie*, et b) de *stricte monogamie.* Certes, la société tempère la forme religieuse du mariage, mais sans toucher à ses contradictions internes, ce qui serait contraire à ses propres conceptions libérales. D'un point de vue économique, elle devrait soutenir le mariage, tandis que du point de vue idéologique elle devrait en arriver à des conclusions impraticables. Ce caractère contradictoire se reflète dans toutes les œuvres scientifiques et littéraires traitant du mariage, sans exception. Réduite à sa plus simple expression, cette contradiction est la suivante: *il est vrai que les mariages sont mauvais, mais l'institution du mariage doit être maintenue et fortifiée.* Le premier membre de cette formule est un jugement de fait, le second une exigence de la société réactionnaire dont le mariage coercitif fait partie intégrante.

Par suite de cette double servitude, à l'égard des faits d'une part, et de l'idéologie réactionnaire d'autre part, les auteurs en arrivent aux arguments les plus étranges et les plus absurdes pour justifier le maintien du mariage.

On s'efforce par exemple de démontrer que le mariage et la monogamie sont des phénomènes « naturels », c'est-à-dire biologiques. On fouille minutieusement la variété des espèces animales, qui vivent incontestablement sans règles sexuelles, pour en extraire les cigognes et les pigeons qui sont —

temporairement! — monogames; il s'ensuivrait que la monogamie est « naturelle ». Pour une fois, l'homme n'est plus un être supérieur, *incomparable* aux animaux, s'il se trouve que cette comparaison vient au secours de l'idéologie monogamique. Cependant, quand on traite du mariage du point de vue *biologique,* on néglige le fait que la promiscuité est de règle chez les animaux; l'homme est dès lors tout d'un coup différent des animaux et doit s'élever à un « niveau supérieur » d'activité sexuelle, à savoir le mariage monogamique; c'est qu'il est un « être supérieur », à « moralité innée »; l'économie sexuelle est alors combattue, car elle a prouvé qu'il n'y a rien en fait de moralité innée. Mais si la moralité n'est pas innée, elle ne peut qu'être inculquée par l'éducation. Qui opère cette éducation? La société et son usine à idéologie, i.e. la famille autoritaire, fondée sur la monogamie coercitive. Cela suffit à montrer que la famille n'est pas un phénomène naturel, mais une institution sociale.

Cependant l'idéologie réactionnaire est tenace. A-t-on admis que le mariage n'est ni naturel ni surnaturel, mais est d'institution sociale, on tente aussitôt de prouver que l'humanité a toujours vécu dans la monogamie, et l'on nie toute évolution et tout changement des formes sexuelles. On va jusqu'à falsifier l'ethnologie, comme l'a fait Westermark, par exemple, et l'on parvient ainsi à la conclusion suivante: si les hommes ont toujours vécu dans la monogamie, on doit en conclure que cette institution est nécessaire à l'existence de la société humaine, de l'Etat, de la culture et de la civilisation. On néglige l'enseignement de l'histoire, qui montre que le mode d'existence polygamique et la promiscuité sexuelle ont toujours joué un rôle important. On a donc substitué le point de vue de la moralité à celui de l'évolution. Cela permet de constater que l'évolution de la sexualité aboutit à des formes « supérieures », que les primitifs vivent dans une immoralité bestiale et une « anarchie » que nous pouvons être fiers d'avoir surmontées. On néglige ce fait que l'homme se distingue de l'animal par une sexualité, non pas moindre, mais plus intense, puisque l'homme est toujours prêt à l'acte sexuel; il n'est donc pas douteux que le slogan de « la supériorité de l'homme sur l'animal » porte à faux en ce qui concerne la sexualité. L'adoption de ces vues moralisatrices fausse l'observation des faits, par exemple du fait que les « primitifs » ont une économie sexuelle bien supérieure à la nôtre[1]. On renonce ainsi à toute possibilité d'examiner le substrat économique et social des formes sexuelles et de leurs variations dans le temps et l'espace. On s'empêtre en même temps dans l'appréciation morale et les discussions interminables et stériles. On voudrait justifier moralement, métaphysiquement ou biologiquement, des phénomènes sociaux depuis longtemps voués à disparaître, et cela sous le manteau d'une science prétendûment objective, qui inspire d'autant plus de respect aux philistins qu'elle est plus infectée de préjugé moralisateur.

Si, au contraire, on s'en tient aux faits, deux questions se proposent:

1. Quelle est la fonction sociale du mariage?
2. En quoi consiste la contradiction du mariage?

a) *La fonction sociale du mariage.*

La fonction sociale du mariage est triple: économique, politique et sociale. Elle est identique à celle de la famille autoritaire.

[1] Cf. en particulier MALINOWSKI, *La Vie sexuelle des sauvages,* et Reich, *Der Einbruch der Sexualmoral.*

Economiquement, le mariage trouve sa raison d'être dans ce qui fut son substrat dès l'origine, à savoir la propriété privée des moyens sociaux de production. Cela veut dire que le mariage est socialement nécessaire tant que persistent ces conditions économiques. [Cette formulation doit cependant être complétée car, en Union soviétique, par exemple, bien qu'il y ait propriété d'Etat et non propriété privée des moyens sociaux de production, le mariage coercitif a été rétabli. Il faut donc préciser que:

a) La famille coercitive des sociétés autoritaires trouve son origine historique dans la propriété privée des moyens de production et se maintient par l'autorité de l'Etat là où cette propriété privée a été abolie;

b) La famille coercitive prend racine dans la structure humaine autoritaire et anti-sexuelle.] *

L'objection que des classes n'ayant pas cet intérêt économique adoptent la même forme de vie sexuelle ne tient pas, car les idéologies dominantes sont celles des classes dominantes, et la forme du mariage ne s'appuie pas seulement sur des motivations économiques, mais aussi sur l'atmosphère idéologique et la structure humaine de peur de la vie *(lebensängstliche)*. C'est pourquoi la plupart des individus ignorent le véritable fondement du mariage, qu'ils envisagent toujours sous l'aspect des justifications idéologiques. Mais lorsque des raisons matérielles l'exigent, la société modifie l'idéologie. Après la Guerre de Trente Ans, la population de l'Europe centrale ayant été décimée, la Diète de Nuremberg promulgua le 14 février 1650 un décret abolissant la monogamie: « *Etant donné que* les besoins du Saint-Empire Romain exigent que l'on remplace la population décimée par le glaive, la maladie et la famine... *tout homme aura le droit*, au cours des dix

---

* Le passage entre crochets a été ajouté dans l'édition de 1944.

prochaines années, *d'épouser deux femmes* » (d'après Fuchs, *Sittengeschichte*, Renaissance, p. 40). Et les savants parlent de monogamie « naturelle », « biologique » !

Politiquement, le mariage monogamique définitif, constitue le noyau de la famille moderne, qui, nous l'avons vu, est le lieu de formation idéologique de tout membre de la société autoritaire; il a donc une signification et un rôle politiques.

Socialement, le mariage assure d'une part la dépendance économique de la femme et des enfants, trait principal du patriarcat, d'autre part leur protection économique et morale (au sens des intérêts patriarcaux). *Par conséquent, la société patriarcale doit nécessairement maintenir le mariage.* Il ne s'agit pas de savoir si le mariage est bon ou mauvais, mais s'il est socialement fondé et nécessaire. On ne peut en effet vouloir supprimer le mariage dans une société où il est économiquement enraciné; on ne peut que le « réformer » sans y toucher pour l'essentiel, en substituant par exemple l'incompatibilité à la culpabilité comme chef de divorce.

Les réformes de cet ordre proviennent des contradictions de la situation matrimoniale qui sont d'origine sexuelle et non d'origine économique; elles revêtent le plus souvent un caractère tragi-comique, comme celle-ci, présentée dans le *Pester Lloyd* du 25 janvier 1929:

» *Le bridge enseigné à l'école.* — Une nouvelle surprenante nous parvient de Cleveland, aux U.S.A. Les écoles municipales ont décidé de faire du bridge une matière obligatoire. La raison de cette étrange innovation est que le foyer américain est voué au déclin parce qu'on n'y joue presque plus au bridge.

» De nombreux mariages sont disloqués parce que les époux, au lieu de jouer au bridge ensemble ou en bonne compagnie, sortaient chacun de son côté.

En apprenant le bridge aux enfants, on espère non seulement qu'ils seront eux-mêmes préparés à une vie conjugale solide, mais aussi qu'ils pourront exercer une bonne influence sur leurs parents, dont la plupart sont désunis. »

On peut dire que la plupart des remarques sur le mariage sont de cette veine rigolarde; on voit aisément que des faits sérieux sont dissimulés par des plaisanteries superficielles. Que les mariages se désintègrent n'est pas nouveau. Examinons néanmoins quelques chiffres.

D'abord, le nombre des mariages et des divorces à Vienne de 1915 à 1925 (selon Walter Schiff) [1].

ANNÉE	MARIAGES	DIVORCES
1915	13.954	617
1916	12.855	656
1917	12.406	659
1918	17.123	1.078
1919	26.182	2.460
1920	31.164	3.145
1921	29.274	3.300
1922	26.568	3.113
1923	19.827	3.371
1924	17.410	3.437
1925	16.288	3.241

On voit que le nombre des mariages — sauf pour les années d'après-guerre — n'a augmenté que faiblement, tandis que le nombre des divorces augmentait régulièrement, de 500% en dix ans. Alors que le rapport des divorces aux mariages était à peu près de un pour vingt en 1915, il est de un pour cinq en 1925.

Nous trouvons aussi dans un article du *Pesti*

[1] *Die natürliche Bewegung der Bevölkerung der Bundeshauptstadt Wien*, 1926.

Naplo du 18 novembre 1928, le constat suivant:

» Tandis que le nombre des mariages s'est accru, le nombre des divorces s'est accru bien plus rapidement. De 1878 à 1927, le nombre des mariages s'est multiplié par *quatre*, alors que celui des divorces s'est multiplié par *quatre-vingts* (80). En 1926, le rapport a atteint 1/100. »

Dans cet article, l'auteur constatait encore que la majorité de ces divorces avaient eu lieu cinq ou six ans après le mariage. En 1927, dans 1498 cas sur 1645, le motif avait été « l'abandon » et dans deux cas seulement l'adultère.

Le *Budapesti Hirlap* du 24 novembre 1928 rapporte que l'augmentation rapide des divorces vint en discussion à la Chambre des Lords. En 1922, 1813; en 1923, 1888 mariages furent dissous, contre 21 seulement en 1878, 15 en 1879. Depuis la crise économique et bancaire de l'année 1898, les divorces se sont rapidement multipliés (1900: 255; 1905: 464; 1910: 659). Il est établi que le taux des divorces est maximum dans les périodes de crise économique.

Depuis 1931, le nombre des mariages en Europe — à l'exception de la Tchécoslovaquie — a augmenté:

Nombre de mariages (en milliers)

	1931	1932	1933	1934
Allemagne . . .	514,4	509,6	631,2	781,5
Italie	276,0	267,8	289,9	309,2
Portugal	44,9	45,4	45,8	47,5
Pologne	273,3	270,3	273,9	277,3
Pays-Bas . . .	59,5	55,8	59,2	60,6
Hongrie	76,4	71,2	73,1	77,7
Tchécoslovaquie .	129,9	128,0	124,3	118,3

Cela reflète une pression accrue de la réaction politique; en Allemagne, 366 178 prêts de mariage

ont été octroyés en trois ans pour le progrès de l'idéologie familiale. Sinon, cette augmentation ne signifie pas grand-chose, et même rien du tout. Elle ne
signifie pas un éventuel changement dans la vie
sexuelle. La contradiction fondamentale reste la
même.

En Russie soviétique, où l'institution du mariage
fut pratiquement abolie (l'enregistrement d'une relation sexuelle n'était pas obligatoire), les statistiques
montrèrent ceci: à Moscou, le nombre des enregistrements est passé de 24 899 en 1926 à 26 211 en
1929; le nombre des séparations dans le même laps
de temps est passé de 11 879 à 19 421. A Leningrad,
il y a eu 20 913 enregistrements en 1926, 24 369 en
1927, mais il y eut ces mêmes années 5536 et
16 008 séparations.

Lindsey donne les chiffres suivants pour les Etats-
Unis (*Companionate Marriage*, p. 153): en 1922, le
nombre de divorces et d'abandons à Denver était
supérieur à celui des mariages; par rapport à 1921,
on note 618 mariages de moins et 45 divorces de
plus; et pour 4002 mariages en 1920, il y en eut
3008 en 1922. A Chicago, cette même année, le nombre des divorces fut exactement le tiers de celui des
mariages.

Selon *l'United Press*, il y eut à Atlanta en 1924,
1845 divorces pour 3350 mariages (plus de la moitié);
à Los Angeles, 7882 pour 16 605 (presque de la moitié); à Kansas City, 2400 pour 4821 (presque la moitié); à Ohio, 11 885 pour 53 300 (à peu près un cinquième); à Denver, 1500 pour 3000 (la moitié); et à
Cleveland 5256 pour 16132 (un tiers).

Lindsey ajoute à son rapport:

« Le mariage, tel qu'il est actuellement, est un
véritable enfer pour la plupart de ceux qui le con-
tractent. Voilà qui est clair! Je défie qui que ce soit
de parvenir à une autre conclusion après avoir vu

la procession de vies naufragées, d'hommes et de femmes malheureux et misérables, d'enfants abandonnés sans foyer, qui passent devant mon tribunal. » (L. c., p. 129.)

« On dit qu'il y eut à Chicago 39 000 licences de mariage délivrées en 1922 en regard de 13 000 jugements de divorce. Si 13 000 jugements de divorce ont été prononcés, combien croyez-vous qu'il y ait de couples qui *désiraient* divorcer, mais n'osèrent pas le faire? Car le divorce est une affaire compliquée, coûteuse et désagréable, et les personnes qui le désirent n'ont recours au tribunal qu'à la dernière extrémité. S'il y a eu 39 000 mariages à Chicago en l'an de grâce 1922, il n'est pas exagéré de dire que les 26 000 qui ne divorcèrent pas l'auraient fait s'ils l'avaient pu, en plus des 13 000 qui divorcèrent. Je fonde cette croyance sur la proportion de couples mariés qui viennent me voir, cherchant conseil ou consolation, et qui ne vont jamais au bout du divorce qu'ils désirent. Je crois que leur nombre est multiple du nombre de ceux qui viennent au tribunal pour résoudre leurs problèmes » (p. 154).

« Si l'on compare ces faits aux statistiques des années antérieures, on ne peut échapper à la conclusion que les divorces et les séparations vont se multipliant et que, si cela continue, comme on peut le prévoir pour l'immédiat, il y aura autant de divorces que de mariages dans certaines régions.

« Il y a des dizaines de milliers de cas où l'échec patent du mariage est enregistré dans nos cours non pas comme « divorce » ou « séparation légale », mais comme défaut d'entretien, non-assistance, abandon, etc. *Du point de vue matériel et psychologique, il n'y a pas de raison de ne pas les classer comme divorces, puisque ce serait exactement cela si les époux de ces mariages pouvaient suivre librement leur route*, et n'étaient pas retenus par les circonstances, les enfants et les contraintes légales. Tous ces cas particuliers, y compris les divorces et les séparations, pourraient être compris dans la notion générale des Mariages-Qui-Ont-Echoué. En ce sens, il serait banal de dire qu'il y a autant de « divorces » chaque année qu'il y a de bans de mariage publiés » (p. 155).

Voici maintenant une conversation difficile avec une fille américaine:

« Par exemple, Mary, cette fille dont j'ai déjà parlé, refusait le mariage parce qu'elle faisait objection à l'engagement dans un contrat si peu révocable et si difficile à résilier... Ce qu'elle voulait, c'était un genre de mariage qui lui permettrait d'être un agent libre; mais elle ne pouvait obtenir cela. Elle rejetait donc l'institution tout entière, tout en admettant qu'avec certains amendements elle pouvait l'accepter, et y voyait même de nombreux avantages.

» On pourrait soutenir que c'était le devoir de Mary, en tant que membre de la société et soumise à ses lois, de se plier à l'institution du mariage tel qu'il est et d'en tenter l'expérience; et que si elle ne pouvait s'y résoudre, elle devait rester célibataire et refuser à sa vie sexuelle l'expression normale qu'elle réclamait.

» A cela Mary me répondit, à tort ou à raison, qu'elle ne voulait pas se sacrifier aux fétiches du conformisme; elle refusait de choisir entre mariage et célibat, les tenant au même titre pour absurdes et monstrueux.

» Au lieu de cela, elle levait l'étendard de la révolte, et disait: « Non! Moi et ma génération, nous trouverons une troisième voie. Que cela vous plaise ou non, nous conclurons entre nous un pacte conjugal de notre cru et qui répondra à nos besoins. Nous croyons avoir un droit naturel à la camaraderie et à l'intimité que nous désirons instinctivement. Nous connaissons les procédés anticonceptionnels, ce qui élimine l'éventualité de complications dues à des enfants non désirés. Nous n'admettons pas que notre façon d'agir menace la sécurité de la société humaine; et nous croyons que cet effort pour remplacer la tradition par ce que nous estimons être le bon sens, fera du bien plutôt que du mal. » — Voilà la substance de ses allégations.

« Et que dois-je répondre, en tant qu'homme ayant une responsabilité judiciaire? D'un côté, je ne peux approuver la conduite de Mary sans négliger les grandes difficultés pratiques et les dangers sociaux impliqués par une application aveugle de ses théories, forme d'application qui est précisément la sienne. D'un autre côté, je ne peux pas, sincèrement et honnêtement, dire à Mary ou à qui que ce soit, que je considère l'institution du mariage *telle qu'elle est* comme susceptible d'assurer le bonheur aux personnes qui s'y soumettent. Je ne peux éviter d'estimer que, si le mariage doit jamais mériter le soutien sans réserve de la société, il doit pouvoir présenter des résultats en rapport suffisant avec ses prétentions; et que, quel que soit le malheur qu'il engendre en raison de son code rigide actuel, il doit être perfectible. Je ne peux non plus passer sous silence le fait que le mariage est destiné au bien-être et au bonheur de l'homme, et non pas l'homme destiné au mariage; que le mariage n'est pas une fin mais un moyen; que le soulier doit être changé et non le pied quand le soulier ne va pas. Quant au célibat, comme seule possibilité hors du mariage malheureux, pourquoi perdre son temps à formuler des exigences que les individus n'auront pas l'occasion d'appliquer et qui feraient violence à leur instinct irrépressible s'ils les appliquaient? » (*Revolt,* p. 138).

Et quelles conclusions Lindsey tire-t-il de ses observations et de ce pénible entretien avec Mary?

« Et pourtant, cela ne signifie nullement que le mariage est un échec et qu'il faut le mettre au rancart pour lui substituer l'Amour Libre ou quelque autre modèle social. Quelque imparfaite que soit l'institution, *nous ne pouvons nous en passer*. Elle doit être sauvegardée par le jeu de sages et prudentes modifications de ses règles, afin qu'elle procure à la vie personnelle le genre de bonheur qu'elle devrait pouvoir apporter dans des conditions appropriées.

« Je crois beaucoup aux possibilités bénéfiques du mariage, mais je ne peux ignorer le fait que nous ne lui donnons pas l'occasion d'exprimer ces possibilités. Je pense m'être fait comprendre » (*id.*, p. 140).

Comme nous le voyons, même un homme aussi exceptionnel que Lindsey passe de la découverte de la désintégration du mariage et de son conflit avec l'économie sexuelle, à la morale réactionnaire qui n'est, comme on le sait, que le reflet des nécessités économiques du système dominant. Le fait que la désintégration du mariage est particulièrement rapide et évidente en Amérique, est dû au fait que le capitalisme y a réalisé les plus grands progrès et y produit par conséquent les contradictions les plus aiguës dans le domaine de l'économie sexuelle: puritanisme rigoureux d'une part, effondrement de la moralité réactionnaire d'autre part.

Lindsey est convaincu que le mariage doit être maintenu, en raison du « genre de bonheur qu'il devrait, dans des conditions appropriées, pouvoir apporter ». Mais la question n'est pas de savoir si le mariage renferme une potentialité de bonheur, mais s'il la réalise. S'il ne la réalise pas, il faut en chercher la raison; s'il s'effondre, il faut analyser les causes matérielles et sexuelles de ce phénomène.

Hoffinger parvenait à la conclusion suivante en plein XIXe siècle:

« En dépit d'une recherche minutieuse et systématique du nombre de mariages heureux, il dut reconnaître qu'ils ne sont que des exceptions extrêmement rares à la règle. »

(Cité d'après Bloch, *Das Sexualleben unserer Zeit*, p. 247.)

Gross-Hoffinger constate également que:

« 1. La moitié environ des mariages sont absolument malheureux.

2. Bien plus de la moitié des couples sont complètement démoralisés.

3. La moralité de la petite moitié qui reste n'inclut certainement pas la fidélité conjugale.

4. 15% des conjoints se livrent à la prostitution et au proxénétisme.

5. Le nombre des mariages dont l'orthodoxie va jusqu'à la fidélité absolue est, aux yeux de toute personne sensée, qui connaît la nature humaine et la violence de ses exigences, égal à zéro. »

(Bloch, *Sexualleben*, p. 253.)

Bloch, ayant étudié cent mariages, trouve ce qui suit:

— réellement malheureux	48
— indifférents	36
— indiscutablement heureux	15
— vertueux	1

Sur ces 100 mariages, Bloch en a trouvé 14 « délibérément immoraux », 51 « dissolus et légers », 2 « au-dessus de tout soupçon ». Remarquons ces termes moralisateurs. J'ai vérifié ces cas cités, et j'ai trouvé que, parmi des mariages qualifiés d'heureux, 3 étaient à un âge avancé; dans 13 cas, il y avait infidélité d'un ou des deux conjoints; 3 étaient caractérisés comme « flegmatiques », c'est-à-dire dépourvus d'exigences sexuelles (impuissants ou frigides); 2 étaient apparemment heureux. Si dans 15 maria-

ges considérés comme « indiscutablement heureux »,
13 sont assortis d'infidélités, cela montre qu'un
mariage ne peut être heureux à longue échéance que
par le sacrifice de l'exigence idéologique la plus
importante, la fidélité conjugale.

Une statistique personnelle, portant sur 93 mariages dont les conditions m'étaient bien connues, a
donné les résultats suivants:

— malheureux ou manifestement infidèles . .   66
— conjoints résignés ou malades   18
— cas incertains (extrêmement paisibles) . .   6
— heureux   3

Aucun de ces trois mariages heureux n'avait plus
de trois ans. Cette statistique avait été dressée en
1925; depuis, un de ces trois mariages heureux s'est
rompu, un autre s'effondra de l'intérieur, lorsque
l'homme vint se faire analyser, bien qu'il n'y ait pas
encore eu à ce jour de divorce, le troisième tient
encore (1929).

Dans un cours pour médecins étrangers, à Moscou,
Lebedeva a fourni quelques chiffres concernant la
durée des liaisons sexuelles. Elle s'appuie sur les
mariages enregistrés, qui sont pratiquement des liaisons sexuelles durables. De ces liaisons enregistrées,
19% duraient moins d'un an, 37% de un à quatre ans,
26% de quatre à dix ans, 12% de dix à dix-neuf ans,
6% plus de dix-neuf ans.

Ces chiffres montrent que la durée moyenne d'une
liaison à base sexuelle est de quatre ans. Comment
la réforme sexuelle des conservateurs veut-elle mettre
fin à cet état de choses?

Je voudrais ajouter quelques remarques sur les
mariages considérés comme bons et « sereins ».
« Sereins » signifie que les conflits ne s'extériorisent

pas. On qualifie également d'« heureux » les mariages dans lesquels les conflits ont fait place à une résignation muette. Quand l'un des partenaires vient alors se soumettre à l'analyse, on est toujours surpris de la quantité de haine inconsciente et réprimée qui s'est accumulée et qui, sans avoir jamais été clairement consciente, a fini par se manifester sous la forme d'un trouble psychique.

Il serait erroné de n'imputer cette haine qu'à des expériences infantiles. On peut constater que le transfert de la haine vouée à une personne détestée depuis l'enfance sur le conjoint se produit seulement quand les conflits conjugaux se sont accumulés en quantité suffisante pour réactiver les difficultés infantiles. L'expérience montre qu'un tel mariage s'effondre au cours de l'analyse si le traitement ne tient pas compte de la moralité conjugale compulsionnelle, c'est-à-dire quand il n'élude pas, consciemment ou non, les thèmes susceptibles de porter atteinte au mariage. L'expérience montre aussi que les mariages qui ont dû subir la pression de l'analyse ne peuvent subsister que si le patient récupère son agilité sexuelle et s'il est décidé à ne pas obéir aveuglément aux règles sévères de la moralité matrimoniale. Cette obéissance se révèle régulièrement comme enracinée dans des refoulements névrotiques.

L'analyse des personnes mariées dévoile aussi ces faits indubitables:

1. Il n'y a pas de femme qui n'éprouve ce qu'on appelle des « fantasmes de prostitution ». Il s'agit rarement de l'idée de se prostituer effectivement, mais en général du désir d'avoir des relations avec plus d'un homme, de ne pas limiter son expérience sexuelle à *un seul* homme. On comprend aisément que dans notre société ce genre de désir s'associe à l'idée de prostitution. L'expérience de l'analyse caractérielle efface jusqu'au dernier vestige de

217

croyance en une nature monogamique de la femme. De nombreux psychanalystes considèrent ces « fantasmes de prostitution » comme névrotiques, et pensent qu'ils doivent en libérer les femmes. Un tel jugement implique l'abandon de l'attitude amorale nécessaire à toute thérapeutique rationnelle et subordonne l'analyse aux intérêts d'une moralité pathogène. Le rôle du médecin est de se préoccuper de la santé du patient, c'est-à-dire de son économie libidinale, et non de la moralité. Si l'on rencontre une contradiction entre les exigences libidinales du patient et la moralité sociale, c'est une erreur que de rejeter ces exigences comme « infantiles », comme machinations du « principe de plaisir », et d'invoquer la nécessité d'une soumission au « principe de réalité », d'une « adaptation au réel », ou d'une « résignation ». Il faut d'abord examiner si les besoins sexuels sont réellement infantiles ou non, et si les exigences de la réalité sont acceptables du point de vue de la santé. Une femme qui satisfait ses besoins sexuels avec plus d'un homme n'est pas nécessairement infantile, mais tout simplement ne se conforme pas au schéma idéologique de notre société. Elle n'est pas malade, mais peut le devenir si elle se conforme à la moralité conventionnelle plus que ses besoins ne le permettent. On ne remarque pas assez que les « bonnes épouses », celles qui sont « adaptées au réel », c'est-à-dire qui ont accepté le fardeau du mariage sans conflit apparent grâce à leur inhibition sexuelle, présentent tous les signes de névrose. Mais ce fait passe inaperçu parce qu'elles sont « adaptées au réel ».

2. L'analyse, si nous l'appliquons à la vie sociale, nous révèle les motivations essentielles de l'idéologie monogamique. C'est d'abord l'identification avec les parents qui montrèrent le visage extérieur de la monogamie, notamment l'identification de la fille

avec la mère monogame (on trouve aussi son contraire, la réaction contre la monogamie de la mère, en l'espèce la *polygamie névrotique*). Une autre motivation réside dans les sentiments de culpabilité, issus de la haine refoulée à l'égard du conjoint qui entrave la liberté sexuelle. Mais la motivation la plus profonde de l'attitude monogamique, c'est la prohibition des pulsions sexuelles infantiles, la peur des activités sexuelles contractée dans l'enfance. *L'idéologie monogamique de l'individu apparaît donc comme un puissant mécanisme de protection contre ses propres désirs sexuels, désirs qui ignorent tout de la distinction monogamie-polygamie, et ne connaissent que la satisfaction.* La fixation incestueuse au parent de sexe opposé joue ici un rôle important; si cette fixation est dissoute, l'essentiel de l'idéologie monogamique s'effondre. Chez la femme, la dépendance économique est une motivation importante des tendances monogamiques. Bien souvent, une attitude de monogamie rigoureuse se relâche sans travail analytique quand une femme accède à l'indépendance économique.

3. L'obligation de fidélité que le mari impose à sa femme a aussi ses motifs individuels. La base économique de la monogamie ne paraît pas avoir de représentation psychique immédiate. Mais les motifs subjectifs qui s'y substituent sont, au premier chef, la peur d'un rival, en particulier d'un rival plus viril, et la peur narcissique d'être publiquement stigmatisé comme « cornard ». Une femme trompée n'est pas méprisée, mais plainte, car l'infidélité du mari constitue un réel danger pour la femme, économiquement dépendante. L'infidélité de l'épouse, au contraire, démontre à l'opinion publique que le mari n'a pas su faire respecter ses droits de propriétaire, peut-être aussi qu'il n'a pas été assez homme, au sens sexuel, pour retenir sa femme; c'est pourquoi

la femme supporte mieux d'ordinaire l'infidélité du mari, que ce dernier ne supporte celle de la femme; si les intérêts économiques influaient directement sur l'idéologie, c'est l'inverse qui se produirait. Il y a, toutefois, entre la base économique des conceptions morales et ces conceptions elle-mêmes toutes sortes d'intermédiaires, comme par exemple la vanité du mari, de sorte qu'en fin de compte la signification sociale du mariage reste intacte: l'homme a le droit d'être infidèle, la femme ne l'a pas.

b) *La contradiction inhérente à l'institution du mariage.*

La contradiction de l'institution du mariage résulte du conflit entre les intérêts sexuels et les intérêts économiques. Les exigences formulées du point de vue de l'intérêt économique sont très cohérentes et très claires. Mais il est impossible, du point de vue de l'économie sexuelle, qu'un individu intact se soumette aux exigences de la moralité conjugale, c'est-à-dire de n'avoir qu'*un seul* partenaire, et *pour toute la vie*. La toute première condition du mariage est donc une répression profonde des besoins sexuels, surtout chez la femme, la morale exige par conséquent la chasteté prénuptiale, surtout pour la femme. Ce n'est pas la sexualité, dit-on, mais la procréation qui définit l'essence du mariage; ce qui est vrai du point de vue économique, mais non du point de vue de la liaison sexuelle durable. Les époux ne doivent pas connaître sexuellement de tierces personnes pendant le mariage.

Il est certain que ces exigences sont nécessaires au maintien du mariage. *Mais ce sont ces mêmes exigences qui minent le mariage,* et le condamnent dès l'origine. L'obligation de relation sexuelle à vie provoque de toute nécessité une révolte contre la contrainte; que cette révolte soit consciente ou non, elle est d'autant plus intense que les besoins sexuels sont plus vivaces. La femme a vécu dans la continence jusqu'au mariage, réprimant pour ce faire ses besoins génitaux. Maintenant que le mariage arrive, sa génitalité n'est plus à sa disposition: elle reste frigide. Dès que le charme de la nouveauté s'est dissipé, elle n'est plus en mesure d'exciter ni de satisfaire son mari. Plus le mari est sain, plus tôt disparaîtra son désir et apparaîtra la recherche d'une femme qui puisse lui donner davantage, et c'est la première fissure dans l'édifice. Quoique l'homme soit autorisé par les mœurs à « jeter sa gourme », il est bien entendu qu'il ne doit pas aller trop loin dans ses « escapades ». Lui aussi, lorsqu'il se marie, doit refouler une grande partie de ses investissements génitaux. Ce refoulement est bénéfique pour le maintien du mariage, mais maléfique pour la liaison sexuelle, car il crée des troubles de la virilité. Si la femme est capable d'éveiller sa génitalité et commence à l'exercer, elle est rapidement désappointée par l'inadéquation sexuelle du mari; elle se mettra en quête d'un autre partenaire, ou bien souffrira de stase sexuelle et contractera une névrose. *Dans les deux cas, le mariage a été miné par la chose même qui était destinée à en assurer l'existence: l'éducation antisexuelle en vue du mariage.*

Un autre facteur de désintégration intervient: l'indépendance économique croissante de la femme l'aide à surmonter ses inhibitions sexuelles; elle est moins attachée au foyer et aux enfants et fait la connaissance d'autres hommes; son entrée dans le processus de la production l'incite à réfléchir à des choses qui jusque-là dépassaient son horizon.

Les mariages pourraient être bons, au moins pendant un certain temps, s'il y avait harmonie et satisfaction sexuelle. Mais il faudrait pour cela une éducation favorable à la sexualité, une expérience sexuelle prénuptiale, et une émancipation à l'égard de la moralité conventionnelle. *Mais ces facteurs mêmes qui permettraient de réaliser de bons mariages signifient en même temps la condamnation de l'institution.* Car, dès lors que la sexualité est affirmée, que le moralisme est surmonté, il ne reste plus d'argument interne contre les rapports avec d'autres partenaires, sauf pour la période où prend place la *fidélité fondée sur la satisfaction,* période qui ne dure pas toute la vie. L'idéologie matrimoniale s'effondre donc, et avec elle le mariage, qui n'est plus égal à lui-même, mais devient liaison sexuelle durable. Cette liaison, ne s'appuyant pas sur la répression des visées génitales, est plus génératrice de bonheur que le mariage monogamique strict. La guérison d'un mariage malheureux s'obtient souvent, nonobstant la loi et la morale autoritaires, par l'infidélité conjugale.

Gruber écrit:

« Il y aura certainement dans tout mariage des périodes d'intense mécontentement, où le fait d'être enchaînés l'un à l'autre sera ressenti comme un lourd fardeau. Ces perturbations fâcheuses seront plus facilement surmontées par ceux qui seront entrés chastes dans le mariage et y seront demeurés fidèles. »

(*Hygiène,* p. 148.)

Gruber a raison: plus les individus sont continents avant le mariage, plus ils sont fidèles dans le mariage. Mais cette sorte de fidélité n'est due qu'à l'atrophie de la sexualité par la continence pré-conjugale.

La stérilité des réformes matrimoniales traditionnelles s'explique par la contradiction entre l'idéologie conjugale, qui engendre à la fois la misère et le besoin de réforme, et le fait que la forme même du mariage à réformer fait partie intégrante de l'ordre social où elle s'enracine économiquement. Nous avons montré que la misère sexuelle prévalente est essentiellement imputable au conflit entre les besoins sexuels naturels et l'idéologie de continence extra-matrimoniale et de monogamie définitive.

Le réformateur de la sexualité constate que la majorité des mariages sont malheureux parce que la satisfaction sexuelle est incomplète, les hommes étant maladroits et les femmes frigides. C'est pourquoi un réformateur comme Van de Velde propose l'érotisation du mariage: il enseigne des techniques sexuelles aux maris, escomptant améliorer ainsi les relations entre époux. Son idée fondamentale est juste: un mariage qui repose sur une base érotique satisfaisante est meilleur que le mariage non érotique. Mais il méconnaît toutes les conditions de l'érotisation d'une liaison sexuelle, à savoir tout d'abord une affirmation générale de la sexualité, et une vie sexuelle préconjugale de la femme. Or, l'éducation sexuelle est déterminée par ces objectifs: chasteté des filles, fidélité obsessionnelle *(Zwangstreue)* de l'épouse. Ces deux objectifs rendent nécessaire un refoulement sexuel profond, sinon complet, chez la fille. La femme qui n'a pas d'exigences sexuelles, qui est dépendante, qui refuse la sexualité ou veut bien à la rigueur l'endurer, est l'épouse la plus fidèle, donc, au sens de la morale conservatrice, la meilleure épouse. Une éducation affirmant la sexualité rendrait la femme plus indépendante et serait par conséquent essentiellement dangereuse pour le mariage. *L'éducation négatrice de la sexualité est parfaitement logique du point de vue du mariage monogamique définitif. Réciproquement, l'exigence d'érotisation du mariage est en contradiction avec l'idéologie matrimoniale.* Par exemple, le professeur Häberlin, de Bâle, dans son livre *Die Ehe*, après avoir écrit que l'amour sexuel est le véritable motif du mariage, que sans lui « un mariage vrai est impossible », ajoute que « néanmoins, l'amour sexuel représente pour le mariage un élément de danger et d'incertitude et, par sa présence même, rend la vie conjugale constamment problématique ». En savant réactionnaire conséquent, il parvient à la conclusion que « le mariage doit être une communauté pour toute la vie *en dépit de* l'amour sexuel qui l'accompagne ». Cela signifie que la société réactionnaire est intéressée économiquement à l'institution du mariage monogamique à vie et ne peut prendre en considération les intérêts sexuels.

C'est pourquoi, dans cette société, tout allégement des formalités de divorce est pratiquement sans portée pour la masse. Les lois sur le divorce signifient seulement que la société admet le principe du divorce. Mais est-elle également disposée à créer les conditions économiques qui permettraient à la femme de réaliser le divorce? Une de ces conditions serait que la rationalisation de la production eût pour conséquence, non le chômage, mais la réduction du temps de travail et l'augmentation des salaires. Etant donné la dépendance matérielle de la femme à l'égard de l'homme et sa plus faible participation au processus de la production, le mariage représente pour elle une institution protectrice, mais permet en même temps de l'exploiter. En effet, elle est non seulement objet sexuel de l'homme et pourvoyeuse d'enfants pour l'Etat, mais aussi employée domestique non payée, ce qui accroît indirectement le profit de l'employeur. Car l'homme ne peut travailler au bas niveau de salaire habituel que si, à la maison, une quantité déterminée de travail s'accomplit gratuitement. Si le patron avait à veiller sur l'économie domestique de l'ouvrier, il devrait soit lui payer une ménagère, soit lui payer un salaire qui lui permette d'en louer une. Or la femme d'intérieur accomplit gratuitement ce travail. Si l'épouse est par ailleurs employée, elle doit faire des heures supplémentaires non payées pour assurer l'économie domestique; si elle ne le fait pas, cette économie se désintègre plus ou moins, et le mariage cesse d'être un mariage conventionnel.

Outre ces difficultés économiques, il est à noter que la femme, par suite de l'éducation sexuelle traditionnelle, n'est préparée qu'à la vie conjugale, avec toute sa misère sexuelle, ses contraintes et son vide, mais aussi avec sa tranquillité dans les rapports avec l'extérieur et sa routine intérieure, qui épargnent à la femme moyenne le souci sexuel et la lutte pour la vie extra-conjugale. Il importe peu à la conscience de cette femme que cette économie ait été payée d'une souffrance psychique. C'est que la conscience de sa sexualité lui épargnerait peut-être la névrose, mais non pas la souffrance sexuelle infligée par l'atmosphère conventionnelle.

Les contradictions de l'institution du mariage se reflètent dans les contradictions des réformes matrimoniales. La réforme par l'érotisation (à la manière de Van de Velde) est en elle-même contradictoire. La proposition de Lindsey, celle d'un « mariage-camaraderie », n'est qu'un compromis; au lieu de rechercher les raisons de la désintégration, on essaie d'étayer ce qui s'effondre, en se guidant sur le principe que « le mariage est la meilleure réforme sexuelle ». Les écrits de Lindsey montrent clairement ce passage de l'observation des faits à l'évaluation morale conventionnelle.

Il fait objection, par exemple, au mariage à l'essai pour des raisons morales, tout en se faisant le champion du mariage-camaraderie, c'est-à-dire d'une liaison « sanctionnée par la loi », avec un contrôle des naissances sanctionné par la loi. Si l'on cherche le motif de cette sanction légale, on ne trouve pas autre chose que l'idée que les relations sexuelles

« *devraient* » être légalement sanctionnées. La seule différence entre le mariage-camaraderie et le mariage conventionnel serait alors le contrôle des naissances et la possibilité d'une dissolution facile. Certes, une proposition de ce genre est la plus audacieuse qui puisse se faire dans la société conservatrice. Il faut pourtant comprendre qu'elle est liée à la société qui doit inéluctablement placer les intérêts économiques de la femme et des enfants avant les exigences de l'économie sexuelle; elle ne permet donc nullement de résoudre le problème du mariage.

Les faits se présentent ainsi: *le conflit du mariage est insoluble dans le cadre de l'ordre social actuel,* pour les raisons suivantes: *d'une part, le besoin sexuel ne peut plus être confiné dans la forme qui lui avait été imposée, d'où l'effondrement de la morale conjugale; d'autre part, la situation économique de la femme et des enfants rend nécessaire le maintien de l'institution, d'où le recours répété à la forme sexuelle existante, au mariage coercitif.* Ce conflit n'est que le prolongement d'un autre conflit plus profond: celui qui consiste en ce que, dans le cadre de la société autoritaire, se préparent des modes de production démocratiques. La morale conjugale se modifie dans la mesure où l'accès de la femme à l'indépendance économique et l'entrée de la jeunesse travailleuse dans la vie collective d'une part, le conflit sexuel de l'autre, provoquent des crises sexuelles. *Le mariage fait partie intégrante du système économique capitaliste et se maintient donc en dépit de toutes les crises auxquelles il est sujet.* Sa désintégration n'est qu'un des symptômes de la fragilité du mode de vie autoritaire en général. Le mariage s'effondre automatiquement lorsque sa base économique disparaît. C'est ce qui se produisit en Union soviétique.

La désintégration rapide et complète du mariage

coercitif après la révolution montra clairement à quel point la base sexuelle lui faisait défaut. La crise latente du mariage se manifeste toujours sous la forme d'une désintégration du mariage en période de crise sociale. « Baisse de la moralité dans les temps troublés », dira-t-on. Mais il nous faut examiner les faits dans leur contexte social et non d'un point de vue moral. La décomposition de la morale autoritaire en U.R.S.S. signifiait simplement que la révolution sociale entraînait une révolution sexuelle.

Tant que subsiste une réglementation de la vie sexuelle dans l'esprit monogamique, la vie sexuelle est ordonnée de l'extérieur, mais reste intérieurement chaotique et non conforme à l'économie sexuelle *(sexuell unökonomisch)*. Les avocats de l'idéologie matrimoniale ne se laissent pas convaincre par les résultats patents de la réglementation qu'ils approuvent: dégradation de la vie amoureuse, misère conjugale, privation sexuelle des adolescents, perversions et crimes sexuels. Dans ces conditions, ils ne se laisseront pas impressionner par cet autre argument que les pulsions naturelles n'ont aucun besoin d'une tutelle sociale pourvu que la société n'entrave pas leur satisfaction. Le sens de la socialisation de la vie humaine est de faciliter la satisfaction de la faim et celle des besoins sexuels. La société patriarcale rend la première difficile et la seconde impossible pour la plupart des individus.

L'élimination de la réglementation sociale de la vie sexuelle rétablira-t-elle la régulation par les lois de la nature, par l'économie sexuelle? Il ne nous appartient pas d'exprimer des espoirs ou des craintes; nous ne pouvons qu'étudier l'évolution sociale et voir si elle est orientée vers une amélioration des conditions de l'économie matérielle et sexuelle. Il est certain qu'une vision scientifique et rationnelle de la vie, si elle est assez largement répandue, aura raison de toutes les idoles; on ne voudra plus sacrifier la santé et le bonheur de millions d'individus à une idée abstraite de la culture, à un « esprit objectif » ou à une « moralité » métaphysique. On ne trouvera plus de soi-disant socialistes pour tenter d'étayer une réglementation morale ruineuse sur des « constatations scientifiques ».

On pouvait penser que c'était à la révolution sociale qu'il appartenait d'instaurer la vision scientifique de l'existence.

Voyons comment la révolution soviétique de 1917 aborda le problème sexuel et quels furent ses succès et ses échecs.

Deuxième partie

LA LUTTE POUR LA
« NOUVELLE FORME DE VIE »
EN UNION SOVIÉTIQUE

MISE AU POINT PRÉALABLE
LE RETOUR AUX MÉTHODES AUTORITAIRES

Au cours des dernières années, les mauvaises nouvelles concernant la politique sexuelle et culturelle de la Russie se sont accumulées, annihilant nos espoirs.

En juin 1934, la loi punissant l'homosexualité fut rétablie en Union soviétique et les rumeurs sur la persécution des homosexuels devinrent de plus en plus fréquentes. Dans leur combat contre la loi réactionnaire sur l'homosexualité, les réformateurs autrichiens et allemands avaient toujours tourné leurs regards vers la politique progressiste de l'Union soviétique, qui avait aboli la punition de l'homosexualité.

De même, l'avortement devint de plus en plus difficile pour les femmes, lors de leur première ou seconde grossesse, et l'avortement en général fut de plus en plus combattu. Le mouvement allemand pour le contrôle des naissances avait emprunté une grande part de sa vigueur à l'attitude soviétique dans ce domaine, au cours de sa lutte contra la réaction politique. Et maintenant les opposants à une législation libérale sur le contrôle des naissances et l'avortement arguaient triomphalement du fait que l'Union soviétique elle aussi avait abandonné son attitude première.

En Allemagne, le Verlag für Sexualpolitik[1], avec la collaboration de diverses organisations de jeunesse, de la maison d'éditions de l'Internationale de la Jeu-

---

[1] *Éditions de politique sexuelle.*

nesse et avec l'approbation du Comité exécutif de la
Jeunesse, publia mon livre, *Der Sexuelle Kampf der
Jugend*[1], dans le but de développer des idées et une
pratique progressistes dans le domaine sexologique.
Nous gardions l'attention fixée sur la liberté que
l'U.R.S.S. accordait à la jeunesse en matière sexuelle.
Puis, en 1932, le Parti communiste allemand interdit
la diffusion du livre; une année plus tard, les Nazis
le mirent à l'index. Nous apprenons maintenant
qu'en U.R.S.S., la jeunesse a une position difficile,
face aux vieux médecins et aux nombreux hauts
fonctionnaires qui, de plus en plus, retournent à l'ancienne idéologie d'ascétisme. Nous ne pouvons donc
plus nous référer à la liberté sexuelle de la jeunesse
soviétique, et il en résulte un trouble pour la jeunesse européenne, qui ne comprend pas cela.

Nous entendons dire et lisons qu'en U.R.S.S. la
famille contraignante est à nouveau chérie et encouragée. La réglementation du mariage établie en 1918
est plus ou moins en voie d'abolition. Dans notre
lutte contre les lois matrimoniales réactionnaires,
nous nous étions toujours référés aux lois soviétiques. La révolution avait confirmé la proposition
de Marx, selon laquelle la révolution sociale « met
un terme au mariage ». Maintenant, les politiciens
réactionnaires triomphent: « Vous voyez que vos
théories sont un non-sens. L'Union soviétique elle-
même abandonne la fausse doctrine de la destruction de la famille. La famille est et demeure la base
de la société et de l'Etat. »

Nous entendons dire que la responsabilité de l'éducation des enfants est à nouveau confiée aux parents.
Dans notre travail pédagogique et culturel, nous
avions coutume d'invoquer le fait qu'en Union soviétique les parents étaient dépossédés de leur pouvoir
sur les enfants, et que la société, dans son ensemble,

[1] *La lutte sexuelle de la jeunesse.*

prenait la charge de l'éducation des enfants. La collectivisation de l'éducation paraissait un processus fondamental de la société socialiste. Chaque travailleur progressiste, chaque mère clairvoyante, comprenait et soutenait cette tendance du soviétisme. Nous luttâmes contre les tendances possessives et le mauvais usage de l'autorité de la part des mères et leur fîmes valoir que les enfants ne leur étaient pas « arrachés », mais que l'éducation des enfants par la société leur ôtait fardeaux et soucis. Ce qu'elles comprirent. Maintenant la réaction politique peut dire: « Vous voyez, même en U.R.S.S., on a abandonné cette absurdité et on rétablit le pouvoir naturel et divin des parents sur les enfants. »

Nous entendons dire que le plan Dalton a été abandonné depuis longtemps dans les écoles soviétiques, et que les méthodes d'enseignement deviennent de plus en plus autoritaires. Dans notre combat pour l'autonomie *(Selbstverwaltung)* des enfants, pour l'élimination de l'école autoritaire, nous ne pouvons plus prendre l'Union soviétique pour modèle.

Dans notre lutte pour une éducation sexuelle rationnelle des enfants, nous gardions l'attention fixée sur les succès de l'U.R.S.S. Cependant, tout ce que nous entendons dire depuis quelques années, c'est que l'idéologie ascétique prend une forme de plus en plus sévère.

En somme, nous découvrons *un étouffement (Bremsung, inhibition) de la révolution sexuelle soviétique; bien plus, une régression à la réglementation moralisatrice et autoritaire de la vie sexuelle.*

Nous entendons dire de différents côtés que la réaction en matière sexuelle se réinstalle de plus en plus solidement en U.R.S.S., que les cercles révolutionnaires désespèrent de comprendre ce fait et sont par conséquent désarmés devant le progrès des mesures réactionnaires. Cette confusion, qui règne en

U.R.S.S. aussi bien qu'à l'extérieur, soulève d'importantes questions. Que s'est-il passé? Pourquoi la réaction en matière sexuelle reprend-elle sa prééminence? Quelle est la cause de l'échec de la révolution sexuelle? Que faire? Ces questions préoccupent aujourd'hui tout sexologue progressiste.

L'idée que la réaction en politique peut s'accommoder d'une liberté d'action dans ce domaine est une idée fausse.

Tout d'abord, la réaction politique ne pourrait jamais adopter le point de vue de la politique sexuelle révolutionnaire, *contre* les mesures actuelles prises par l'U.R.S.S. Au contraire, elle triomphe grâce à ces mesures.

En second lieu, l'éclaircissement de cette question à l'intérieur des mouvements ouvriers européens et américains est plus important que toute considération de prestige. La confusion est nuisible. En France, l'*Humanité* a déjà réclamé la protection de la « race » et de la « famille française ». Les mesures soviétiques récentes sont en général connues et ne peuvent être niées.

En troisième lieu, il subsiste une possibilité de venir en aide aux défenseurs de la révolution sexuelle soviétique. Bientôt, il sera trop tard.

Et enfin, ceux qui luttent pour la révolution sociale n'ont rien à cacher aux masses. Des considérations tactiques dans un tel domaine et en de tels moments, ne sont qu'obstacles. Bien souvent, elles ne sont que l'effet d'une impuissance à surmonter les difficultés par des mesures actives adéquates.

La régression dans le domaine sexuel en U.R.S.S. fait partie de problèmes plus généraux du développement culturel révolutionnaire. Nous entendons dire qu'à d'autres points de vue également, les tendances à l'auto-gestion sociale font place à la réglementation autoritaire. La seule différence, c'est que la régression est plus franche dans le domaine sexuel et est plus facile à comprendre ici que dans les autres domaines. Et ce n'est pas sans raison. *Le processus sexuel d'une société a toujours été le point central de son processus culturel.* On le voit aussi clairement dans la politique familiale du fascisme que dans le passage du matriarcat au patriarcat dans la société primitive. Il ne peut en aller autrement dans le passage à une société qui se gouverne elle-même. En Russie également, la révolution économique, dans les premières années, allait de pair avec la révolution sexuelle. Cette révolution sexuelle était l'expression objective d'une révolution culturelle. Faute de comprendre le processus sexuel en U.R.S.S., le processus culturel ne peut être compris.

Il est catastrophique que des dirigeants d'un mouvement révolutionnaire tentent de défendre des conceptions réactionnaires en qualifiant de « bourgeois » les progressistes en matière sexuelle. Le retour à Tolstoï, Wagner, aux films d'évasion, et à toute espèce de pacotille, exprime simplement ce fait que la percée vers l'avant n'a pas réussi. Les rapports entre l'étouffement de la révolution sexuelle et la régression culturelle seront ici simplement esquissés. Il sera peut-être possible avant longtemps d'obtenir le matériel nécessaire à un éclaircissement du problème général de la culture. Toutefois, il sera plus utile de commencer par examiner ce qui en constitue le noyau plutôt que de discuter le problème général de la culture sans en connaître le fondement, à savoir la structure humaine.

CHAPITRE VIII

L'ABOLITION DE LA FAMILLE

La révolution sexuelle en U.R.S.S. commença avec la dissolution de la famille. La famille se désintégra radicalement dans toutes les couches de la population, plus ou moins rapidement. Ce processus fut douloureux et chaotique; il engendra terreur et confusion. Il donna la preuve objective de l'exactitude de la théorie de l'économie sexuelle sur la nature et la fonction de la famille. La famille patriarcale est le lieu de la reproduction structurale et idéologique de tout ordre social fondé sur des principes autoritaires. L'abolition de cet ordre minait automatiquement l'institution de la famille.

Cette désintégration de la famille au cours de la révolution sociale était due au fait que les besoins sexuels rompirent les chaînes du lien économique et autoritaire de la famille. Elle représentait une *séparation de l'économie et de la sexualité*. Dans le patriarcat, les besoins sexuels étaient soumis à la pression des intérêts économiques d'une minorité; dans le matriarcat primitif et démocratique, l'économie était au service de la satisfaction des besoins (y compris des besoins *sexuels*) de la société prise comme un tout. La tendance sans équivoque de la révolution sociale était de mettre à nouveau l'économie au service de la satisfaction des besoins de tous ceux qui font un travail productif. L'inversion de cette relation entre les besoins et l'économie est l'un des points essentiels de la révolution sociale. Ce n'est que du point de vue de ce processus général que la désintégration de la famille peut se comprendre. Ce processus aurait lieu rapidement, complètement et facilement, n'étaient le fardeau des liens économiques familiaux et la force des besoins sexuels ainsi assujettis. Le problème n'est pas: pourquoi la famille se désintègre-t-elle? Les raisons en sont évidentes. La question à laquelle il est beaucoup plus difficile de répondre est la suivante: pourquoi ce processus est-il tellement plus laborieux que tout autre effet de la révolution? La dépossession des moyens sociaux de production ne lèse que leurs propriétaires, et non les masses, les acteurs de la révolution. Mais la désintégration de la famille frappe justement ceux qui, par hypothèse, doivent réaliser la révolution économique, les ouvriers, employés et paysans. C'est exactement sur ce point que la fonction conservatrice de la fixation familiale se révèle le plus clairement, sous la forme d'une inhibition (*Bremsung*) chez l'acteur de la révolution. Sa fixation à l'épouse et aux enfants, à son logis, s'il en a un, si pauvre soit-il, sa tendance à la routine, etc., tout cela le retient lorsqu'il est censé s'acheminer vers l'action essentielle, l'instauration d'une société d'autogestion et de démocratie du travail.

Au cours du développement de la dictature fasciste en Allemagne, par exemple, la fixation familiale créa une inhibition efficace de la vigueur révolutionnaire; cette fixation fournit à Hitler une base solide sur laquelle il put bâtir une idéologie impérialiste et nationaliste. De la même façon, la fixation à la famille fut un facteur inhibiteur de la *collectivisation* révolutionnaire de la vie. Il y a une sérieuse contradiction entre la désintégration de la base sociale de la famille d'une part, et la vieille et tenace structure psychique familiale de l'autre, qui, par des mécanismes émotionnels le plus souvent inconscients, tend à préserver la famille coercitive.

Le remplacement de la famille patriarcale par la collectivité de travail est sans aucun doute la base du problème culturel révolutionnaire. Le slogan « A bas la famille! » est le plus souvent trompeur. Habituellement, ceux qui le crient le plus fort sont ceux qui souffrent de la plus forte fixation inconsciente à la famille. Ils sont les derniers à qui l'on peut confier la solution, théorique et pratique, du plus difficile de tous les problèmes, celui du remplacement des liens familiaux par des liens sociaux collectifs. Mais si la société ne réussit pas, concurremment avec l'abolition des principes sociaux autoritaires, à dissoudre aussi leur ancrage dans la structure psychique de l'individu; si par conséquent les émotions familiales continuent à exister, il apparaîtra une contradiction toujours croissante entre le progrès économique et le progrès culturel d'une société *démocratique*. Etant donné que ce sont les hommes utilisant les machines qui font l'histoire, mais non les machines seules, l'instauration de la propriété sociale des moyens de production peut poser les *fondements* d'une société libre, se gouvernant spontanément, mais cela ne signifie pas qu'un édifice de liberté et d'autogestion s'élèvera sur cette base. *La révolution dans la superstructure idéologique fait faillite parce que le support de cette révolution, la structure psychique des êtres humains, n'a pas changé.*

Dans les « questions de la vie quotidienne » de Trotsky, nous trouvons un abondant matériel concernant la désintégration de la famille pendant les années 1919 et 1920. On put observer les faits suivants:

— La famille, y compris la famille prolétarienne, commença à se « désintégrer ». Le fait ne fut pas méconnu, et fut interprété de diverses manières; certains en furent « troublés », d'autres réservèrent leur jugement, d'autres encore ne savaient ce qu'il fallait en faire. Tous s'accordèrent à y reconnaître « un processus majeur, chaotique, susceptible de revêtir rapidement une forme tragique » et qui « n'avait pas jusqu'à présent prouvé quelque capacité d'engendrer une forme nouvelle et supérieure de l'ordre familial ». Nombreux étaient ceux qui pensaient que la désintégration de la famille ouvrière était le résultat d'une « influence bourgeoise sur le prolétariat ». D'autres estimèrent que cette interprétation était un contresens, faisant remarquer qu'il s'agissait d'un problème beaucoup plus profond et beaucoup plus complexe, que le processus principal consistait en une « évolution de la famille prolétarienne » elle-même, évolution critique et pathologique, dans ses premières étapes, visiblement chaotiques.

Ils firent remarquer que le processus de désintégration de la famille était loin de sa conclusion, mais plutôt qu'il battait son plein, que la vie quotidienne était beaucoup plus conservatrice que l'économie, notamment parce qu'elle était beaucoup moins consciente que celle-ci.

On fit observer en outre que la désintégration de l'ancienne famille n'était pas limitée aux couches engagées, qui étaient les plus exposées aux nouvelles conditions de vie, mais s'étendait bien au-delà de l'avant-garde. On exprima l'opinion que l'avantgarde révolutionnaire était simplement affectée plus tôt et plus intensément par un processus auquel la classe ouvrière tout entière était vouée.

Le mari comme la femme étaient de plus en plus absorbés par les tâches publiques; ceci diminua les exigences que la famille pouvait avoir à l'égard de ses membres. Les adolescents commencèrent à grandir dans les collectivités. C'est ainsi qu'il apparut *un conflit entre les obligations familiales et les obligations sociales*. Ces dernières cependant était récentes et dans l'enfance, alors que les liens familiaux étaient anciens et envahissaient tous les recoins de la vie quotidienne et de la structure psychique. Le vide sexuel du mariage moyen ne pouvait pas concurrencer les relations sexuelles vivantes des collectivités. Tout ceci se produisit sur la base d'une élimination croissante de l'attache familiale la plus solide, à savoir la férule économique du père sur l'épouse et les enfants. Le lien économique était brisé, et avec lui l'interdit sexuel. Mais cela ne signifiait pas encore la « liberté sexuelle ». Une liberté *extérieure* n'est pas encore le bonheur sexuel. Ce dernier présuppose, avant tout, la capacité psychologique de le créer et de l'éprouver. Dans la famille, en règle générale, les besoins sexuels normaux ont été remplacés par des attitudes infantiles et des habitudes sexuelles pathologiques. Les membres de la famille se haïssent mutuellement, consciemment ou inconsciemment, et étouffent cette haine par une affection forcée et une dépendance « collante » qui ne dissimulent qu'imparfaitement la haine sous-jacente. L'une des principales difficultés consistait dans l'incapacité des femmes — génitalement bloquées et inaptes à l'indépendance économique — à abandonner la protection quasi-servile par la famille et cette satisfaction substitutive qu'est leur domination sur les enfants. La femme, parce que toute sa vie était sexuellement vide et économiquement dépendante, avait fait de l'éducation de ses enfants la satisfaction de sa vie. Elle éprouvait toute restriction de ces relations, fût-ce pour le bien des enfants, comme une sérieuse dépossession, et elle la combattait. C'est bien compréhensible: il s'agissait de la plus importante de ses satisfactions substitutives. Le roman de Gladkov, *Nouvelle Terre*, montre que la lutte pour le développement de la collectivité ne rencontrait aucune difficulté qui puisse se comparer à ce combat des femmes pour la maison, la famille et les enfants. La collectivisation de la vie résulta de décrets pris en haut lieu et de l'effort de la jeunesse révolutionnaire qui brisa les chaînes de l'autorité parentale. Mais tout individu moyen était inhibé à chaque pas en direction de la vie collective par les liens familiaux, et particulièrement par sa propre dépendance et aspiration inconsciente à l'égard de la famille.

Toutes ces difficultés et conflits qui apparurent dans la vie quotidienne n'étaient en aucune façon l'effet de situations « accidentelles » et « chaotiques », résultant de la « stupidité » ou de « l'immoralité » du peuple, mais ces situations apparurent plutôt conformément à une loi définie qui régit les rapports entre les formes sexuelles et les formes d'organisation sociale.

Dans la société primitive, organisation collectiviste et d'un « communisme primitif », l'unité est le clan, qui comprend tous les descendants d'une même mère. A l'intérieur de ce clan, qui est aussi l'unité économique, il n'y a en guise de mariage que les liens lâches d'une relation sexuelle. Dans la mesure où, sous l'effet de changements économiques, le clan devient assujetti à la famille du chef, potentiellement patriarcale, le clan se désintègre.

La famille et le clan entrent en relation d'antagonisme. A la place du clan, c'est la famille qui devient de plus en plus l'unité économique et par conséquent le germe du patriarcat. Le chef de l'organisation matriarcale du clan, primitivement en harmonie avec la société clanique, devient progressivement le patriarche de la famille, et acquiert donc une prépondérance économique, puis se transforme en patriarche de la tribu tout entière. La première différence de classe est donc celle qui s'instaure entre la famille du chef et les clans inférieurs de la tribu.

Dans l'évolution qui conduit du matriarcat au

patriarcat, la famille acquiert, outre sa fonction économique, la fonction bien plus significative de transformation de la structure humaine, de celle de membre libre du clan en celle de membre opprimé de la
famille. La famille indienne d'aujourd'hui illustre
très clairement cette fonction. En se différenciant du
clan, la famille devient non seulement la source de
la distinction de classe, mais encore de la répression sociale, à l'intérieur comme à l'extérieur d'elle-
même. « L'homme familial » qui se développe alors
participe par sa structure à la reproduction de l'organisation patriarcale de classe. Le mécanisme de
base de cette reproduction est le passage de l'affirmation de la sexualité à sa répression; son fondement est la domination économique du chef.

Résumons les points essentiels de ce changement
psychologique: la relation entre les membres du clan,
libre et volontaire, uniquement basée sur une communauté d'intérêts vitaux, est remplacée par un conflit entre les intérêts économiques et sexuels. L'accomplissement volontaire du travail est remplacé par
le travail obligatoire et la révolte contre lui; la
socialité sexuelle naturelle est remplacée par les exigences de la moralité; la relation amoureuse volontaire, heureuse, est remplacée par le « devoir conjugal »; la solidarité du clan est remplacée par les
liens familiaux et la révolte contre eux; la vie réglée
selon l'économie sexuelle est remplacée par la répression génitale, les troubles névrotiques et les perversions sexuelles; l'organisme biologique naturellement fort, confiant en lui-même, devient faible,
désarmé, dépendant, craignant Dieu; l'expérience
orgastique de la nature est remplacée par l'extase
mystique, l'« expérience religieuse », et l'attente
végétative insatisfaite; l'*ego* affaibli de l'individu
cherche sa force dans l'identification avec la tribu,
puis la « nation », et avec le chef de la tribu, puis le

patriarche de la tribu et le roi de la nation. Avec ceci, la naissance de la structure vassale a eu lieu; l'ancrage structural de la servitude des hommes est assuré.

La révolution sociale en U.R.S.S., dans sa phase initiale, révèle un renversement de ce processus: le rétablissement des conditions du communisme primitif (*urkommunistisch*) sur un niveau plus élevé, civilisé, et un retournement du refus de la sexualité en une acceptation de la sexualité (*Sexualverneinung, — bejahung*).

Selon Marx, l'une des tâches essentielles de la révolution sociale est l'abolition de la famille (*Idéologie allemande*, Première partie). Ce que Marx avait déduit théoriquement à partir du processus social fut confirmé plus tard par le développement de l'organisation sociale en U.R.S.S. L'ancienne famille commença à faire place à une organisation qui avait quelque ressemblance avec l'ancien clan de la société primitive: *la collectivité socialiste* à l'école, dans les communes de jeunes, etc. La différence entre l'ancien clan et la collectivité socialiste est que le premier est fondé sur la relation de consanguinité et devient une unité économique sur cette base; alors que la collectivité socialiste, de son côté, n'est pas fondée sur la consanguinité mais sur la communauté de fonction économique; l'unité économique conduit nécessairement à des relations personnelles qui en font également une collectivité sexuelle.

Exactement de la même façon que la famille détruisit le clan dans la société primitive, la collectivité économique détruit la famille dans le communisme. Le processus est inversé. Si la famille coercitive est soutenue idéologiquement ou structuralement, le développement de la collectivité est freiné. Si la collectivité est incapable de surmonter cette entrave, elle est détruite par la structure familiale de ses membres, comme il advint aux communes de jeunes (cf. Ch. XII). Le processus qui se déroula dans les premières phases du développement communiste est caractérisé par le conflit suivant: *le conflit entre la collectivité économique comportant effort positif vers l'indépendance sexuelle d'une part, et la structure des individus, négatrice de la sexualité, familiale, dépendante, d'autre part.*

CHAPITRE IX

LA RÉVOLUTION SEXUELLE

1. — UNE LÉGISLATION PROGRESSISTE

La législation sexuelle soviétique était l'expression la plus claire de la première attaque de la révolution sexuelle contre l'ordre sexuel réactionnaire. Cette législation renversa littéralement la plupart des traditions. On montrera que, là où ce changement ne fut pas complet, la réaction sexuelle reprit bientôt le dessus. Pour mieux comprendre l'antithèse entre les régulations moralisatrice et économique de la sexualité, il suffit de comparer la législation révolutionnaire avec la législation tsariste antérieure. Il n'est pas nécessaire de montrer en détail que les lois sexuelles libérales et « démocratiques » ne sont pas différentes dans leur principe des lois tsaristes, et que, dans la mesure où il s'agit de répression sexuelle, la différence n'est que minime; les mesures de réglementation autoritaire et moralisatrice de la sexualité sont fondamentalement partout les mêmes. Il est important de remarquer ceci, car on a déjà soutenu que les mesures soviétiques ne firent que remplacer l'ordre capitaliste par un autre ordre type d'ordre autoritaire, que, par exemple, la loi soviétique sur le mariage n'était pas autre chose que l'abolition de la répression, et non pas une régulation fondamentalement *différente*. L'essence de cette régulation différente est précisément le problème de l'économie sexuelle.

Prenons tout d'abord un échantillon des lois tsaristes:

Art. 106. — Le mari est tenu d'aimer sa femme comme son propre corps, de vivre en harmonie avec elle, de l'aider quand elle est malade. Il est tenu de subvenir à ses besoins selon ses moyens et capacités.

Art. 107. — La femme est tenue d'obéir à son mari en tant que chef de famille, de lui conserver amour respect et obéissance illimitée, de lui accorder toute faveur et de lui témoigner toute affection en tant que maîtresse de maison.

Art. 164. — *Les droits des parents:* Le pouvoir des parents s'étend aux enfants des deux sexes de tout âge.

Art. 165. — Les parents ont le droit, pour l'amendement des enfants insolents et désobéissants, d'user de mesures correctrices à domicile. Si celles-ci sont insuffisantes, les parents ont le droit:

1º de faire mettre les enfants des deux sexes en prison pour désobéissance volontaire au pouvoir parental, pour immoralité ou tous vices notoires;

2º d'entamer une procédure judiciaire contre les enfants. La condamnation pour désobéissance volontaire au pouvoir parental, immoralité et autres vices notoires, est l'emprisonnement de deux à quatre mois, sans enquête particulière de la part des Cours. Dans de tels cas, les parents ont le droit de faire abréger ou suspendre la peine comme ils le jugent bon.

Voyons comment la réglementation morale autoritaire s'exprime ici. Il est clair que les épouses sont contraintes par une obligation morale avec soutien légal. Le mari *doit* aimer sa femme, qu'il le puisse ou non; la femme *doit* être la femme d'intérieur obéissante. Il est impossible de changer une situation qui est devenue désolée. La loi va jusqu'à exiger des parents qu'ils usent de leur pouvoir dans l'intérêt de l'Etat autoritaire: contre « la désobéissance volontaire au pouvoir parental » (qui est identique au pouvoir de l'Etat), dans le but de créer des structures serviles chez les enfants; contre « la vie immorale et autres vices notoires », dans le but d'assurer les *moyens* propres à produire cette structure. En face d'un aveu si naïf de la part de l'ordre patriarcal, il est inconcevable que le mouvement révolutionnaire ne comprenne pas mieux que la répression sexuelle est le *moyen essentiel* d'asservissement des hommes. L'économie sexuelle n'eut pas à découvrir le contenu et les mécanismes de la répression; ils sont clairs comme le jour dans toute législation et culture patriarcales. Le problème est plutôt de savoir pourquoi l'on *ne voit pas* ceci, pourquoi les armes puissantes que fournit cette candeur *ne sont pas* utilisées. La législation tsariste, comme toute autre législation sexuelle réactionnaire, confirme et illustre clairement la thèse de l'économie sexuelle: *l'objectif de l'ordre moral autoritaire est la subjugation sexuelle*. Partout où se trouve la réglementation morale et son instrument principal, la répression sexuelle, il n'est plus question de vraie liberté.

L'importance que la révolution sociale accorde à la révolution sexuelle est mise en évidence par le fait que Lénine, dès les 19 et 20 décembre 1917 publia deux décrets à ce sujet. L'un concernait « la dissolution du mariage »; il est vrai que son contenu n'était pas aussi net que son titre. L'autre concernait « Le mariage civil, les enfants et l'enregistrement à l'état civil ». Ces deux lois dépossédaient le mari de ses prérogatives dans la famille, donnaient à la femme le droit absolu de se déterminer économiquement et sexuellement, et déclaraient qu'il allait de soi que la femme puisse choisir librement son nom, son domicile et sa citoyenneté. Bien entendu, ces lois ne faisaient que garantir extérieurement le libre développement d'un processus encore à venir. Il était évident que la loi révolutionnaire tendait à abolir le pouvoir patriarcal. Priver la classe dominante du pouvoir, signifiait en même temps éliminer le pouvoir du père sur les membres de la famille et la représentation de l'Etat *à l'intérieur* de la famille en tant que cellule formatrice de la société de classe. Si la connexion entre l'Etat autoritaire et la famille patriarcale où il se reproduit structuralement, avait été clairement reconnue et pratiquement utilisée, la révolution se serait épargné non seulement maintes discussions stériles et erreurs, mais aussi de nombreuses et fâcheuses régressions. En particulier on aurait su comment neutraliser les représentants de la vieille idéologie morale qui commençaient à rassembler leurs forces. Ils détenaient les plus hauts postes de la fonction publique alors que les dirigeants du mouvement révolutionnaire n'imaginaient même pas le dommage qu'ils causaient.

Le divorce devint très facile. Une relation sexuelle, qu'on appelait encore « mariage », pouvait être aussi facilement dissoute qu'elle avait été établie. Le seul critère était le consentement mutuel des partenaires. Personne ne pouvait forcer quelqu'un à des relations contraires à sa volonté. Dans ces conditions, les « motifs de divorce » perdaient toute raison d'être. Lorsqu'un partenaire voulait abandonner une liaison sexuelle, il n'avait pas à donner de raison. Le mariage et le divorce devinrent des affaires purement privées.

L'enregistrement d'une liaison n'était pas obligatoire. Même lorsqu'une liaison était enregistrée, les relations sexuelles avec d'autres n'étaient pas « délictueuses ». Cependant dissimuler au partenaire une autre relation était considéré comme une « fraude ».

L'obligation de payer une pension était considérée comme une « mesure transitoire ». L'obligation durait six mois après la séparation et n'avait lieu que lorsque le partenaire était sans travail ou dans l'incapacité de subvenir à ses besoins. Que l'obligation de payer une pension fût considérée comme une mesure transitoire allait de soi, étant donné la tendance soviétique à établir une pleine indépendance économique de tous les membres de la société. Elle avait pour but d'aider à surmonter les premières difficultés dans l'accès à une pleine liberté personnelle et économique. Il ne fallait pas oublier que la famille coercitive était légalement, mais non effectivement, abolie. Car tant que la société ne pourra pas garantir la sécurité de tous les adolescents et adultes, cette garantie restera l'apanage de la famille et la cause de son maintien. L'enregistrement et la pension furent donc envisagés comme mesures transitoires. Si un homme avait vécu en mariage enregistré pendant un certain temps, et avait assuré l'entretien de sa famille, c'était au détriment de sa famille qu'il contractait de nouvelles obligations. S'il manquait à faire connaître à sa femme ces nouvelles obligations, il lui portait un préjudice certain. Cette situation familiale introduit une contradiction dans la signification de la loi soviétique, laquelle garantit explicitement la liberté personnelle, même dans les relations avec plusieurs partenaires.

Nous voyons apparaître ici pour la première fois une contradiction pratique entre l'idéologie soviétique libérale et les conditions actuelles de la vie familiale. L'intérêt de la femme *non encore* indépendante en ce qui concerne la pension est en conflit avec la lutte pour la liberté. Ce qui est important n'est pas que de telles contradictions existent, mais *la façon* dont elles furent résolues, c'est-à-dire de savoir si la solution était orientée dans le sens de la visée originelle de liberté, ou bien dans le sens de la régression.

La législation soviétique présente donc d'une part des éléments qui devancent, idéologiquement, le but final souhaité, et des éléments tenant compte de la période de transition d'autre part. Il est nécessaire de suivre pas à pas l'évolution dynamique de ces contradictions entre le but souhaité et les conditions du moment. C'est alors seulement que nous comprendrons l'étouffement progressif de la révolution sexuelle en Russie.

On a fréquemment recours à Lénine pour plaider en faveur d'attitudes culturelles et sexuelles réactionnaires. Il est donc utile de rappeler avec quelle clarté Lénine avait vu que la législation seule ne constituait qu'un début de révolution culturelle et sexuelle.

Les discussions concernant « le cours nouveau de la vie personnelle et culturelle », les « nouvelles formes de vie » (*Novii Bit*), durèrent plusieurs années dans toutes les couches de la population. On montrait un enthousiasme et une activité que seuls peuvent avoir ceux qui viennent de rejeter de lourdes chaînes et de reconnaître clairement qu'ils doivent recommencer entièrement leur vie. Ces discussions sur « la question sexuelle » commencèrent avec la révolution, s'amplifièrent ensuite et finalement s'éteignirent. *Pourquoi* s'éteignirent-elles et firent-elles place à un mouvement réactionnaire? C'est ce que nous tentons précisément de comprendre dans ce livre. Il est significatif qu'en 1925, au moment où ces discussions sur la révolution sexuelle étaient à leur apogée, le commissaire Koursky ait cru devoir préfacer un nouveau projet de législation conjugale par une citation de Lénine:

« Les lois ne suffiront certainement pas, et nous ne pourrons en aucune façon nous contenter de décrets.

En ce qui concerne la législation, nous avons fait tout ce qui était requis pour rendre la situation de la femme égale à celle de l'homme. Nous avons le droit d'être fiers: maintenant, la situation de la femme en Union soviétique est telle que, même chez les nations les plus progressistes, on devrait la considérer comme idéale. Et pourtant, nous disons que ce n'est qu'un commencement. »

Un commencement *de quoi*? Si l'on étudie ces discussions, on s'aperçoit que les conservateurs eurent l'avantage de tous les arguments et « preuves ». Les progressistes, les révolutionnaires, sentaient clairement qu'ils n'étaient pas capables d'exprimer la « nouveauté » en mots. Ils combattirent vaillamment, mais finirent par se lasser et échouèrent dans la discussion, en partie parce qu'ils étaient eux-mêmes prisonniers des vieilles notions dont ils ne parvenaient pas à se libérer.

Les contradictions de ce combat révolutionnaire particulièrement tragique doivent être parfaitement comprises afin que l'on soit mieux armé contre la réaction, s'il se présente une nouvelle occasion pour la société d'entreprendre la réorganisation de la vie humaine.

En U.R.S.S. personne n'était préparé, ni théoriquement ni pratiquement, aux difficultés que la révolution culturelle apportait. Ces difficultés étaient imputables en partie à la méconnaissance de la structure psychique héritée du patriarcat tsariste, et en partie au fait qu'il s'agissait d'une période de transition.

LA RÉVOLUTION SEXUELLE

2. — CERTAINS TRAVAILLEURS ADRESSENT UNE MISE EN GARDE

On croit communément que l'élément essentiel de la révolution sexuelle soviétique était sa *législation*. Cependant, l'aspect législatif, ou tout autre changement formel n'a de signification sociale que s'il « atteint les masses », c'est-à-dire s'il modifie leur *structure* psychologique. Une idéologie ou un programme ne deviennent une force révolutionnaire de dimensions historiques que par la réalisation d'un changement *profond* de l'émotivité et de la vie intellectuelle des masses. Car le célèbre « facteur subjectif dans l'histoire » n'est autre chose que la structure psychique des masses. C'est elle qui détermine le développement de la société, qu'elle soit tolérance passive du despotisme et de la répression, qu'elle soit ajustement aux processus techniques de développement instaurés par les pouvoir établis, ou qu'elle soit enfin participation active au progrès social, lors d'une révolution par exemple.

Aucune théorie du devenir historique ne peut être appelée révolutionnaire si elle considère la structure psychique des masses comme une simple résultante des processus économiques, et non pas comme étant aussi leur moteur.

Par conséquent, le *résultat* de la révolution sexuelle ne peut pas être jugé d'après les lois qui furent adoptées (qui n'indiquent que l'état d'esprit momentanément révolutionnaire des *dirigeants*), mais seulement par leur effet sur la masse de la population, et par l'issue dernière de ce combat pour la « nouvelle forme de vie ». Nous devons donc demander: Comment les masses réagirent-elles aux changements législatifs? Comment les petits fonctionnaires du parti, proches des masses, réagirentils? Et enfin, quelle fut l'attitude ultérieure des dirigeants?

C'est ce que raconte Alexandra Kollontaï, qui s'intéressa très tôt au problème sexuel, dans son ouvrage sur *La nouvelle moralité et la classe ouvrière*, p. 65:

« Plus la crise sexuelle dure longtemps, plus elle devient difficile à résoudre. Tout se passe comme si les individus étaient incapables de voir la seule issue qui conduise à une solution. Effrayés, ils passent d'un extrême à l'autre, et le problème sexuel reste sans solution. La crise sexuelle n'épargne même pas les paysans. Telle une maladie infectieuse qui ne respecte ni la richesse ni la situation sociale, elle visite les châteaux tout comme les tristes demeures des ouvriers et paysans... Ce serait une erreur considérable d'affirmer que seuls les membres des classes économiques aisées sont pris dans ses affres. La crise sexuelle provoque dans les couches laborieuses des drames non moins violents ni moins tragiques que les conflits psychologiques de la bourgeoisie raffinée. »

En d'autres termes, la crise sexuelle, crise de la vie privée étroite et familiale, battait son plein. La nouvelle législation matrimoniale, l'« abolition du mariage », avaient éliminé les seuls obstacles extérieurs. La révolution sexuelle réelle intervenait dans la vie quotidienne: en premier lieu, le fait que les dirigeants d'un Etat se préoccupent du problème sexuel était en soi une petite révolution; puis ce furent les fonctionnaires subalternes qui se saisirent du problème. De l'effondrement de l'ancien système il ne résulta, d'abord, que le chaos. Mais les acteurs simples et frustes de la révolution approchèrent courageusement le monstre, tandis que les universitaires raffinés et « instruits » écrivaient des « traités » dans la mesure où ils étaient conscients du processus historique qui se réalisait.

Dans son opuscule *Questions de la vie quotidienne*, Trotsky attira l'attention du public soviétique sur les petits problèmes de la vie. Mais il omit de mentionner la question sexuelle. Il demanda aux fonctionnaires de livrer leur pensée sur les problèmes pratiques de tous les jours: en l'occurrence, ils parlèrent surtout de la « question familiale » et non pas des problèmes juridiques et sociologiques de la famille, mais bel et bien des difficultés de la vie *sexuelle*. Auparavant, la vie sexuelle avait été étroitement associée à l'unité économique familiale; maintenant que la famille se désintégrait, elle posait des problèmes entièrement nouveaux.

Durant les premières années de la révolution, les fonctionnaires subalternes prirent d'excellentes positions. Le *début* de la révolution sexuelle fut tout à fait satisfaisant, non seulement du point de vue législatif, mais encore par la capacité des personnes à voir les difficultés et à formuler les problèmes. Quelques exemples illustreront ce fait.

Le responsable Kosakov s'exprima comme suit:

« Extérieurement, la vie familiale a changé, c'est-à-dire que l'on adopte une attitude plus simple à son égard. Mais la racine du mal subsiste, à savoir les soucis quotidiens de l'individu, en tant que membre de la famille, qui ne se sont pas allégés, ainsi que la domination persistante d'un membre de la famille sur les autres. Les individus luttent pour un mode de vie collectif, et si les soucis familiaux contrarient cet effort, ils deviennent agités et neurasthéniques. »

Comme on le voit, Kosakov, en quelques phrases, aborde les problèmes suivants:

LA RÉVOLUTION SEXUELLE

1. Extérieurement, la famille a changé; intérieurement, les choses restent en l'état où elles ont toujours été;

2. La famille agit comme un frein sur le développement de la vie collective;

3. L'inhibition familiale a endommagé la santé psychologique de ses membres; c'est-à-dire a réduit leur aptitude au travail, leur plaisir dans le travail, et a provoqué des troubles mentaux.

Les propos suivants témoignent d'autre part de la désintégration progressive de la famille provoquée par la révolution économique:

Kobosev: « Sans aucun doute, la révolution a produit d'importants changements dans la vie familiale de l'ouvrier; en particulier, lorsque mari et femme travaillent tous deux, la femme se considère comme économiquement indépendante et ayant des droits égaux. Certains préjugés, comme celui de la direction de la famille par le mari, sont sur le point d'être surmontés. La famille patriarcale se désintègre. Dans la famille ouvrière, comme dans la famille paysanne, il y a une forte tendance à la séparation, à la vie indépendante, aussitôt que se réalisent leurs conditions matérielles. »

Koulkov: « Sans aucun doute, la révolution a modifié la vie familiale, les attitudes à l'égard de la famille et de l'émancipation de la femme. Le mari est accoutumé à se considérer comme le chef de famille... De surcroît, il y a la question religieuse, le fait que l'on refuse à la femme des besoins considérés comme petits-bourgeois. Etant donné que, cependant, rien ne peut être fait avec les moyens dont on dispose, des scandales se produisent. La femme, de son côté, demande davantage de liberté, le droit de quitter ses enfants pour accompagner son mari plus souvent à l'extérieur. C'est la cause de toutes sortes de scènes et de scandales, qui conduisent souvent au divorce. *Les communistes, lorsqu'ils sont confrontés avec ces problèmes, ont coutume de dire que la famille, et en particulier les querelles entre mari et femme, sont une affaire privée ».*

Les difficultés ici dénommées « question religieuse » et « refus d'accorder à la femme des besoins petit-bourgeois », peuvent être sans hésitation considérées comme l'expression du conflit entre les liens familiaux et le besoin de liberté sexuelle. Les scandales résultant du manque de commodités matérielles, de chambres notamment, étaient, bien entendu, inévitables. L'attitude adoptée envers la sexualité, comme « affaire privée », était malheureuse; elle exprimait essentiellement l'incapacité des membres du parti communiste à réaliser la révolution de la vie personnelle; ils se réfugiaient donc dans une formule juridique. C'est ce qu'exprime clairement le responsable Markov:

« Je voudrais faire remarquer les conséquences désastreuses de notre mauvaise interprétation du concept d'« amour libre ». Le résultat en fut que les communistes mirent une multitude d'enfants au monde. La guerre nous a donné d'innombrables infirmes. Cette conception fausse de l'amour libre nous en donnera davantage encore et de bien plus affreux. *Nous devons nous résoudre à avouer franchement que nous n'avons rien fait en matière d'éducation pour donner aux travailleurs une saine conception de ces choses. Bien plus, nous devons reconnaître que lorsqu'on nous posera ces questions, nous serons incapables d'y répondre. »*

Cela ne veut pas dire que les communistes n'eurent pas le courage de s'atteler à ces tâches; comme on le montrera, ils n'avaient pas les connaissances requises pour résoudre les difficultés. Considérés à la lumière de l'évolution ultérieure, ces propos annoncent déjà la tragédie à venir comme le fit remarquer le responsable Koltsov:

« Ces questions ne sont *jamais discutées*. Tout se passe comme si quelque obscure raison conduisait à les *éviter*. Je ne leur ai moi-même jamais accordé beaucoup de réflexion, et elles sont toutes nouvelles pour moi. Elles sont très importantes et devraient être discutées. »

Et le responsable Finkovski aperçut l'une des raisons qui les faisaient éviter:

« On parle rarement de ce sujet *parce qu'il touche chacun de nous au plus vif*... Les communistes ont coutume de se donner pour horizon un futur doré, ce qui leur permet d'éviter les problèmes aigus du moment... Les travailleurs savent que dans les familles des communistes les choses vont encore plus mal à cet égard que dans leur propre famille. »

Tseitline dit à son tour:

« Dans la littérature, les problèmes du mariage et de la famille, des relations entre l'homme et la femme, ne sont pas discutés du tout. Néanmoins, *ce sont précisément les problèmes qui intéressent les travailleurs*, hommes et femmes. Quand ces problèmes sont au programme de nos réunions, *ils en sont informés et y viennent en masse*. Le peuple sent que nous étouffons ces problèmes et c'est bien ce que nous faisons. Je sais que certaines personnes disent que le parti communiste n'a pas d'idées déterminées dans ce domaine. Et pourtant, *les travailleurs,* hommes et femmes, *ne cessent de se poser ces questions et n'y trouvent point de réponse.* »

Ces opinions et ces attitudes de travailleurs, qui n'ont pas d'éducation sexologique, mais qui tirent tout leur savoir de la vie elle-même, valent mieux que tous les ouvrages érudits de « sociologie de la famille ». Elles montrent que l'abolition du système autoritaire engendra une aptitude à penser et un esprit critique qui étaient auparavant restés dans l'ombre. Tseitline, par exemple, sans posséder aucune expérience ou connaissance sexologique, exposa exactement ce qu'affirme l'économie sexuelle : *ce qui intéresse l'individu moyen n'est pas d'ordre politique, mais sexuel*. Il voyait clairement comment les masses critiquaient — quoique peut-être de façon non explicite — la fuite des chefs révolutionnaires devant les problèmes sexuels. Il se rendait compte qu'ils n'avaient pas de vues définies en la matière et par conséquent l'évitaient. Et c'était pourtant exactement le problème que les masses voulaient voir résolu.

Les responsables s'intéressaient ostensiblement à l'aspiration du peuple à la clarté en matière sexuelle et à un cours nouveau des relations sexuelles. Le peuple réclamait des ouvrages bon marché et de qualité pour s'informer. Ceux-là parlaient de « famille » au lieu de « sexualité ». Ils savaient que l'Ancien était hors d'usage et intenable, mais tentaient d'ordonner le Nouveau dans les termes de l'Ancien, ou pire, en termes purement économiques. Cela ressemblait pratiquement à ce que décrit Lyssenko : les enfants dans la rue « se conduisaient mal », par exemple, ils jouaient à « l'Armée Rouge ». On reconnaissait là une « teinte » de militarisme, qu'on jugeait toutefois « bonne ». Mais, par moments, on pouvait voir des jeux de « pire » espèce, à savoir des jeux sexuels, et s'étonner que personne n'intervînt. On se mettait l'esprit à la torture pour trouver comment mettre les enfants «sur le droit chemin». L'élément révolutionnaire se manifestait par l'intuition qu'*il ne fallait pas intervenir*; l'anxiété sexuelle traditionnelle conduisait en revanche à s'en préoccuper. Si la nouvelle façon de penser ne s'était pas heurtée à l'ancienne, sous forme d'anxiété sexuelle, on ne se serait pas soucié de remettre les enfants sur le « droit » chemin (c'est-à-dire l'asexuel); au lieu de cela, on aurait soigneusement examiné les manifestations de la sexualité de l'enfant, et on se serait demandé le sort qu'il convenait de leur réserver. Mais comme l'enfance et la sexualité ne paraissaient pas aller de pair, on s'effrayait et on considérait ces manifestations naturelles comme l'effet d'une dégénérescence. Les révolutionnaires avertirent: « On nous dit souvent que nous ne parlons que de problèmes de portée mondiale. Nous aurions avantage à parler des problèmes de la vie quotidienne. » Cela entraînait pratiquement, en ce qui concerne le jeu de l'enfant, que l'on se demande:

1. Devons-nous favoriser ou entraver ces jeux?
2. La sexualité infantile est-elle naturelle ou non?
3. Comment devons-nous comprendre et régler le rapport entre la sexualité infantile et le travail?

Les commissions de contrôle furent embarrassées. Les responsables dirent: « Il n'y a pas de raison de s'en soucier. Les communistes iront vivre avec les travailleurs et les maintiendront dans l'ordre. Si nous ne vivions pas avec eux, nous perdrions le contact avec les masses. » Mais garder le contact avec les masses ne suffisait pas à la tâche; il fallait en outre utiliser ce contact en vue de solutions concrètes. Tenter de « maintenir les masses dans l'ordre » signifiait que l'on ne savait que faire des nouvelles manifestations de la vie qui venaient de se dégager des chaînes du pouvoir autoritaire; cela signifiait en outre le remplacement de ce dernier par un nouveau pouvoir autoritaire au même sens que l'ancien. La tâche était, cependant, d'établir un *nouveau* type d'autorité qui permette aux masses de réaliser leur indépendance, en sorte qu'elles puissent en finir avec l'autorité qui les surveille constamment.

259

Les dirigeants, incapables de formuler leur dilemme, étaient alors dans l'alternative de forcer le passage vers une nouvelle forme de vie ou de revenir à l'ancienne. Etant donné que le parti communiste n'avait pas de théorie de la révolution sexuelle, étant donné que d'autre part l'analyse historique d'Engels n'exposait que le substrat social et non la nature de la révolution à venir, un combat s'ensuivit qui démontra clairement aux générations futures quelles sont les douleurs qui accompagnent la naissance d'une révolution culturelle.

On se consola d'abord en constatant l'insuffisance des préalables purement économiques. Mais l'attitude consistant à s'occuper « d'abord des questions économiques, *ensuite* de celles de la vie quotidienne » était erronée et ne faisait qu'exprimer l'impréparation aux formes apparemment chaotiques de la révolution culturelle. Ce n'était le plus souvent qu'une échappatoire. Il est vrai qu'une société épuisée par la guerre civile, incapable d'organiser sur-le-champ cantines, blanchisseries et jardins d'enfants, doit s'occuper tout d'abord de la situation économique. Elle est en effet la condition d'une révolution culturelle, et en particulier sexuelle. Mais il ne s'agissait pas seulement d'élever les masses au niveau culturel des pays capitalistes: ce n'était là que la tâche la plus évidente. Il fallait de plus éclaircir le *type* de la « nouvelle culture », de la culture « socialiste », « révolutionnaire ».

Au début, personne ne fut à blâmer. Il arriva que la révolution avait rencontré des problèmes imprévus, et que les moyens de les résoudre ne se pouvaient découvrir que lorsque les difficultés auraient pris toute leur extension et exigé une solution. Un mouvement de recul était inévitable. On doit se rappeler qu'il s'agissait de la première révolution sociale réussie. La lutte pour en maîtriser les conditions économiques et politiques fut gigantesque. Mais il apparaît clairement aujourd'hui que la *révolution culturelle posait des problèmes infiniment plus ardus que la révolution politique.* Il est facile de le comprendre. La révolution politique ne requiert rien de plus qu'une direction forte et entraînée et la confiance des masses envers elle. La révolution culturelle, en revanche, requiert une *modification de la structure psychique de l'individu moyen.* En ce domaine, il n'y avait guère à l'époque d'idées scientifiques, ni même pratiques. Voici quelques aperçus de ce qu'il en résulta en 1935:

Le 29 août 1935, la *Weltbühne* publia un article alarmant de Louis Fischer sur la recrudescence des idéologies sexuelles réactionnaires en U.R.S.S. Le fait que l'article fut publié par un périodique communiste témoigne du danger de la situation. L'article souligne les faits suivants:

Dans les appartements citadins surpeuplés, les jeunes n'ont pas de place pour une vie amoureuse. On rappelle aux filles que l'avortement est nocif, dangereux et indésirable, qu'il est bien préférable d'avoir des enfants. Un film, *La vie privée de Pierre Vinogradov,* fait de la propagande en faveur du mariage classique; film qui, écrit Fischer, « rencontrerait l'approbation des cercles les plus conservateurs dans les pays conservateurs ». On peut lire dans la *Pravda*: «Dans les Soviets, la famille est une affaire importante et sérieuse. » Fischer pense que les Bolcheviks n'ont jamais véritablement entrepris quelque chose dans le domaine familial. Ils savaient certes qu'il y eut des temps historiques où la famille n'existait pas; ils admettaient aussi, d'un point de vue théorique, qu'il fallait que la famille fût dissoute; mais ils ne l'avaient pas abolie, et l'avaient au contraire soutenue. Le régime, qui n'avait plus à craindre désormais la mauvaise influence des parents, saluait « la nécessité de l'influence morale et culturelle de la famille », c'est-à-dire le rôle répressif au point de vue sexuel de la génération adulte sur la jeune génération.

Un éditorial de la *Pravda* de 1935 affirme qu'un mauvais père de famille ne peut être un bon citoyen soviétique. « Une telle assertion eût été inconcevable en 1923 », écrit Fischer. « En Union soviétique, seul l'amour simple, pur et fier, peut et doit être la raison du mariage. » Et: « Si quelqu'un s'obstine à dire que défendre la famille est petit-bourgeois, il appartient lui-même à la couche inférieure des petits-bourgeois. » — « L'interdiction de l'avortement lors de la première grossesse aurait probablement raison de mainte affaire d'amour, de la promiscuité, et favoriserait le « mariage sérieux ». Dans les journaux, les articles de professeurs sur la grande nocivité de l'avortement se firent de plus en plus fréquents.

« Lorsque la presse quotidienne ne cesse de tempêter contre l'avortement, lorsque cette propagande s'accompagne d'un éloge des festivités et cérémonies matrimoniales; lorsque la sainteté du devoir conjugal est exaltée et que les mères de triplés et quadruplés reçoivent des prix spéciaux; lorsqu'on écrit des articles sur les femmes qui n'eurent jamais recours à l'avortement, lorsqu'une maîtresse d'école sous-payée, mère de quatre enfants, est publiquement louée de ne pas refuser un cinquième enfant, « malgré la difficulté de les nourrir tous »; — alors, écrit Fischer, cela fait penser à Mussolini. » Les filles qui résistent à la tentation sexuelle ne sont plus considérées comme « conservatrices » ou même « contre-révolutionnaires », car « le fondement de la famille doit être l'amour et non la satisfaction de besoins physiques ».

Ces quelques citations montrent que l'idéologie sexuelle des cercles dirigeants soviétiques n'est plus désormais différente de celle des dirigeants de n'importe quel pays conservateur. Il s'agit indubitablement d'une régression au moralisme sexuel conservateur. L'idéologie officielle de l'Union soviétique eut son écho en Europe occidentale. *L'Humanité* du 31 octobre 1935 écrit:

AU SECOURS DE LA FAMILLE!
AIDEZ-NOUS A LANCER NOTRE GRANDE ENQUETE POUR LE DROIT A L'AMOUR. On sait que la natalité décroît en France, avec une rapidité redoutable... Les Communistes se trouvent donc placés devant un fait très grave. Le pays qu'ils ont la tâche historique de transformer, le monde français qu'ils entendent *mettre à l'endroit* risque de leur revenir mutilé, atrophié, appauvri en hommes.

La malfaisance du capitalisme mourant, l'immoralité dont il donne l'exemple, l'égoïsme qu'il développe, la misère qu'il crée, la crise qu'il engendre, les maladies sociales qu'il propage, les avortements clandestins qu'il provoque, *détruisent la famille.**

*Les communistes veulent lutter pour défendre la famille française.**

Ils ont rompu une fois pour toutes avec la vieille tradition petite-bourgeoise — individualiste et anarchiste — qui fait de la stérilisation un idéal.

Ils veulent hériter d'un pays fort, d'une race nombreuse. L'exemple de l'U.R.S.S. leur montre la route. Mais il faut, *dès à présent,* employer les vrais moyens de *sauver la race.**

Dans *Le malheur d'être jeune,* j'avais évoqué les difficultés qu'ont aujourd'hui les jeunes pour fonder un foyer. Et j'avais défendu, avec eux, leur *droit à l'amour.*

Le droit à l'amour, amour de l'homme et de la femme l'un pour l'autre, amour de l'enfant, amour

* Souligné par Reich.

263

filial, ce sera le thème de notre nouvelle grande enquête... Cette enquête, je la vois alimentée par les lettres de nos lecteurs relatant leurs difficultés, leurs angoisses et leurs espoirs, enquête qui examinera les moyens de sauver la famille française en donnant à la maternité et à l'enfance, *en donnant aux familles nombreuses la place et les avantages*** qu'elles doivent avoir dans le pays.

Ecrivez-nous, les jeunes, écrivez-nous, les papas et les mamans!... »

P. Vaillant-Couturier.

Et voilà comment pense un communiste, rivalisant avec les nazis en fait de théories raciales et de plaidoyer pour les familles nombreuses. La publication de cet article dans un organe socialiste est une vraie catastrophe. La lutte est inégale: les fascistes sont tellement supérieurs dans ce genre de travail!

Une attitude de critique arrogante et de recherche des responsabilités n'exprimerait que l'incompréhension de la situation. Ce qui importe le plus, c'est de se rendre compte de l'étendue, de la complexité et de la diversité des tâches à accomplir. S'en rendre compte est la condition première pour aborder avec le courage et le sérieux nécessaires ce type de processus historique.

Lors de la révolution culturelle en Russie, la « nouvelle forme de vie » fit brutalement irruption, mais on ne le comprit pas, et l'on y mit un frein. Les anciennes façons de sentir et de penser s'insinuèrent dans les nouvelles manières. Le Nouveau commença par se libérer de l'Ancien, combattit pour trouver son expression claire, et sombra, faute d'y avoir réussi.

Il nous faut tenter de comprendre comment le Nouveau fut étouffé par l'Ancien, afin d'éviter que cela ne puisse se reproduire.

* Souligné par Reich.

LA RÉVOLUTION SEXUELLE

Nous devons apprendre de la révolution russe que l'aspect économique de la révolution, l'appropriation par la collectivité des moyens de production, ainsi que l'instauration politique de la démocratie sociale (la dictature du prolétariat) doit nécessairement s'accompagner d'une révolution des attitudes à l'égard de la sexualité et des formes de relation sexuelle.

Tout comme la révolution politique et l'économique, la révolution sexuelle doit être clairement comprise et guidée vers le progrès.

Mais quel est l'aspect concret de cette *marche en avant* qui succède à l'effondrement de l'Ancien?

Il est peu de gens qui savent quelle fut l'âpreté de la lutte qui eut lieu en Russie, pour la « nouvelle forme de vie », pour une vie sexuelle satisfaisante.

CHAPITRE X

L'ÉTOUFFEMENT
DE LA RÉVOLUTION SEXUELLE

1. — LES CONDITIONS GÉNÉRALES QUI PERMIRENT
L'ÉTOUFFEMENT

Vers 1923, on aperçut une certaine évolution dans le sens d'une lutte *contre* les transformations révolutionnaires dans la vie personnelle et culturelle; mais ce ne fut pas avant les années 1933 à 1935 qu'elle se traduisit également en mesures législatives réactionnaires. Ce processus constitue un *étouffement* de la révolution sexuelle et culturelle en U.R.S.S. Avant d'examiner les caractéristiques essentielles de cet étouffement, nous devons bien connaître certaines de ses conditions.

Du point de vue économico-politique la révolution russe était entièrement et consciemment guidée par la théorie économique et politique marxiste. Tous les processus économiques étaient considérés à la lumière de la théorie du matérialisme historique. Mais dans la mesure où il s'agissait de la révolution culturelle — sans parler de son noyau, la révolution sexuelle — ni Marx, ni Engels n'avaient fait de recherches qui eussent pu guider les dirigeants révolutionnaires. Lénine lui-même, dans sa critique d'un livre de Ruth Fischer, fit remarquer que la révolution sexuelle, tout de même que le processus sexuel d'ensemble de la société, ne se laissait pas du tout comprendre du point de vue du matérialisme dialectique, et que sa maîtrise requerrait une expérience considérable. Il pensait que s'il se trouvait quelqu'un

pour comprendre ce problème dans sa totalité et sa
véritable signification, cela rendrait le plus grand
service à la révolution. Ainsi que nous l'avons vu,
les responsables comprenaient qu'il y avait là un
domaine d'étude *nouveau*. Trotsky fit également
remarquer à plusieurs reprises combien le domaine
de la révolution culturelle et sexuelle était neuf et
peu compris.

La première cause de l'étouffement de la révolution sexuelle était donc *l'absence de toute théorie de
la révolution sexuelle*.

Une deuxième cause en était le fait que tous ceux
qui auraient dû guider cette révolution spontanée
restaient prisonniers de vieilles théories et règles
formelles, telle l'idée que l'existence sexuelle est
incompatible avec l'existence sociale, c'est-à-dire
l'affirmation d'un conflit entre la sexualité et la
socialité; ou bien l'idée que s'occuper de la sexualité
est une diversion par rapport à la lutte de classe.
La Sexpol éprouva de façon très désagréable, en
Allemagne, combien cette idée fausse est indéraci-
nable.

On ne se demandait pas *quel type* de sexualité
impliquait cette diversion, ni à quelles conditions la
crise sexuelle pouvait être un facteur de la lutte des
classes; on croyait au contraire que la sexualité en
elle-même contrariait la lutte de classe.

Un autre exemple de ces théories erronées est la
prétendue incompatibilité, et même l'antinomie,
entre la sexualité et la culture. En outre, c'est le
problème d'ensemble de la sexualité et de la satisfaction sexuelle qui était obscurci par le discours sur
« la famille », se substituant à « la sexualité ». Un
examen superficiel de l'histoire des réformes sexuelles aurait suffi à montrer que la famille patriarcale
n'est en aucune façon une institution destinée à
assurer la gratification sexuelle. Elle s'y oppose, au

267

contraire, étant essentiellement une institution économique qui engendre un conflit entre les besoins économiques et les besoins sexuels.

Une autre raison de l'étouffement de la révolution sexuelle est imputable aux conceptions erronées de cette révolution. Selon ces thèses, le renversement de la bourgeoisie et l'établissement de la législation soviétique avaient par eux-mêmes « produit » la révolution sexuelle; ou encore la question sexuelle se « résoudrait d'elle-même » du fait de l'exercice du pouvoir par le prolétariat. Ce qui avait échappé, c'est le fait que le règne du prolétariat et la législation sexuelle n'apportaient que les conditions extérieures d'un changement dans la vie sexuelle. Acquérir un lot de terrain ne signifie pas que l'on possède un immeuble, mais seulement que la tâche de construction ne fait que commencer. Voici un exemple de ces conceptions défectueuses (G. G. L. Alexander, *Die Internationale*, 1927, XIII):

« La solution du grand problème social, l'abolition de la propriété privée des moyens de production, fut aussi dans son principe une solution du problème du mariage, problème essentiellement économique... La thèse communiste est que la réalisation progressive d'une organisation radicalement nouvelle de la vie sociale entraînera la disparition du problème du mariage en tant que problème social... L'amour non partagé, avec ses séquelles de solitude et de souffrance, n'aura guère de raison d'être dans une société qui propose des tâches et des joies collectives, une société où les peines individuelles n'ont plus d'importance. »

Cette façon de traiter les problèmes délicats de la psychologie collective est dangereuse et trompeuse; l'adage: « Modifiez le substrat économique de la société et les institutions, et les relations humaines s'en trouveront modifiées », ne pouvait résister à l'épreuve des faits; le succès des fascismes avait indubitablement montré que les relations humaines, sous la forme de la structure psychique et sexuelle des individus, ont un pouvoir autonome et une influence profonde sur la société. Ne pas admettre cela, c'est éliminer l'homme vivant du cours de l'histoire.

Bref, on avait trop simplifié les choses. Les changements idéologiques avaient été compris comme trop immédiatement et directement liés à leur base économique. Que deviennent alors les «effets rétroactifs de l'idéologie sur la base économique » dont on parle tant, mais que l'on comprend si peu?

La femme dont le comportement est uniquement conjugal et familial, devient jalouse lorsque le mari entre dans la vie politique; elle craint qu'il n'ait des aventures avec d'autres femmes. Le mari patriarcal aura la même réaction lorsque sa femme s'intéressera à la politique. Les parents, même prolétaires, n'aiment pas que leurs jeunes filles participent à des réunions. Ils craignent qu'elles ne « tournent mal », c'est-à-dire ne s'engagent dans la vie sexuelle. Bien que les enfants dussent rejoindre leur organisation, les parents continuent à revendiquer leurs anciens droits sur eux. Ils sont horrifiés lorsque les enfants commencent à les regarder d'un œil critique. Et l'on pourrait multiplier les exemples à l'infini.

De nombreuses tentatives de solution de ces problèmes aboutirent à de simples slogans sur « la culture et la personnalité humaine ». En théorie, on savait bien que l'antagonisme de la nature et de la culture devait être aboli; mais lorsqu'on en venait pratiquement aux tentatives de solution, les vieilles théories antisexuelles et moralisatrices s'insinuaient à nouveau. C'est ainsi que Batkis, directeur de l'Institut d'Hygiène Sociale de Moscou, écrivit, dans sa brochure *La Révolution sexuelle en Union soviétique:*

« Pendant la révolution, l'élément d'érotisme et de sexualisme ne joua qu'un rôle mineur, car la jeunesse évoluait sur les hauteurs des sentiments révolutionnaires et ne vivait que pour de grandes idées. Mais quand vinrent les temps plus calmes de la reconstruction, on put craindre que la jeunesse, comme en 1905, attiédie et dégrisée, ne s'adonnât désormais à un érotisme sans frein.

» Sur la base des expériences de l'Union soviétique, je dis que la femme, en expérimentant la libération sociale et les tâches sociales, c'est-à-dire en passant d'une condition purement féminine à celle d'être humain, *devint dans une certaine mesure sexuellement froide*. Sa sexualité est — peut-être temporairement — réprimée... La tâche de la pédagogie sexuelle en Union soviétique est de former des individus sains, membres d'une société à venir, où il y aura complète harmonie des pulsions naturelles et des tâches sociales. Dans ce but, tout ce qui est créateur et constructif dans les pulsions naturelles doit être favorisé, et tout ce qui pourrait être nuisible au développement de la personnalité des membres de la collectivité doit être éliminé... L'amour libre en Union soviétique n'est pas un libertinage débridé et sauvage, mais la relation idéale de deux personnes libres et indépendantes qui s'aiment. »

C'est ainsi que même Batkis, penseur clairvoyant par ailleurs et partant de prémisses correctes, s'est enlisé dans des préjugés: la sexualité juvénile est appelée « sexualisme », le problème sexuel l'« importance de l'érotisme ». On découvre, sans aucune hésitation, que la femme devient sexuellement froide dans une certaine mesure, qu'elle se transforme de « pure et simple femme » en « être humain ». On doit éliminer tout ce qui pourrait être nuisible au développement de la personnalité (on désigne ici bien entendu la sexualité); le « libertinage » débridé, sauvage, est opposé à la relation « idéale » de deux « personnes libres et indépendantes qui s'aiment ». Les masses étaient empêtrées dans ces notions comme le poisson dans un filet. Si l'on examine ces notions avec quelque attention, leur vide total et leur caractère antisexuel, c'est-à-dire réactionnaire, apparaît avec évidence. Qu'est-ce qu'un « libertinage débridé »? Cela signifie-t-il qu'un homme et une femme ne devraient pas être libres de s'étreindre sexuellement? Et qu'est donc la relation « idéale »? La relation dans laquelle les individus sont capables d'un abandon « animal » complet? Mais ils sont dès lors « sauvages »! Bref, ce ne sont là que des mots, qui, loin de faire comprendre les réalités et les conflits de la vie sexuelle, ne font qu'obscurcir la vérité pour éviter d'aborder ces sujets pénibles.

Quelle est l'origine de cette confusion de pensée? C'est le défaut de distinction entre la sexualité *pathologique* de la jeunesse, laquelle s'oppose aux réalisations culturelles, et la sexualité *saine* qui est la base physiologique de ces réalisations; c'est le fait d'opposer la « pure et simple femme » (c'est-à-dire la femme du point de vue *sensuel*) et l'être humain (c'est-à-dire la femme *active*, sublimatrice), en méconnaissant que la compétence et l'assurance sexuelles de la femme sont la base psychologique de son émancipation sociale et de son activité; c'est le fait d'opposer le « libertinage » et la « relation idéale », en méconnaissant que l'aptitude à un abandon sexuel complet au partenaire aimé est la base la plus sûre de la camaraderie.

2. — OU LA PRÉDICATION MORALE REMPLACE LA COMPRÉHENSION ET LA MAITRISE DES PROBLÈMES

L'une des caractéristiques essentielles de l'étouffement de la révolution sexuelle, c'est que la situation chaotique qu'elle créa fut jugée d'un point de vue moral au lieu d'être considérée comme l'expression d'une période révolutionnaire transitoire. Il y eut des clameurs de désespoir lorsqu'on constata que le chaos s'était installé, qu'il fallait rétablir la discipline, que la « discipline intérieure devait se substituer à la contrainte extérieure ». Ce n'était là que de la vieille histoire sous un nouveau masque, car « la discipline intérieure » ne peut être exigée ou mise en application; elle est présente ou elle n'est pas. En exigeant « une discipline intérieure » au lieu de la contrainte extérieure, on exerçait à nouveau une pression extérieure. On aurait dû se demander: est-il donc possible de modifier les choses en sorte que les individus se disciplinent volontairement, sans y être contraints, et comment? L'« égalité de la femme » était un principe révolutionnaire. Du point de vue économique, le principe de l'égalité des salaires pour un travail égal avait été réellement mis en application. Du point de vue sexuel, il n'y avait pas à première vue d'objection à ce que la femme formulât les mêmes exigences sexuelles que l'homme. Mais ce n'était pas là le point important. La véritable question était: les femmes étaient-elles intérieurement capables d'user de leur liberté? Et les hommes l'étaient-ils? N'avaient-ils pas tous acquis au préalable une structure antisexuelle, moralisatrice, inhibée, lascive, jalouse, possessive et d'une façon générale névrotique? Il était tout d'abord nécessaire de comprendre le chaos, de distinguer clairement les forces révolutionnaires des forces réactionnaires et inhibitrices, et de se rendre compte qu'une nouvelle forme de vie ne pouvait naître sans douleur.

L'étouffement de la révolution sexuelle se cristallisa rapidement sur quelques points. Les hautes autorités soviétiques adoptèrent d'abord une attitude passive. La formule usuelle était la suivante : « Les problèmes économiques en premier lieu; nous aborderons plus tard les problèmes sexuels. » La presse était presque exclusivement au service des intérêts économiques. Je ne sais pas s'il y eut des journaux spécifiquement consacrés aux problèmes de la révolution sexuelle.

L'influence des intellectuels fut d'une importance décisive. Par leur origine, leur structure de pensée, ils étaient *opposés* à la révolution sexuelle. Ils donnèrent comme modèle les vieux révolutionnaires qui, par suite de l'ampleur de leur tâche, ne furent pas capables de mener une vie sexuelle satisfaisante. Ils voulurent appliquer aux masses ce mode de vie forcé des dirigeants révolutionnaires, et en firent un idéal. Ce fut évidemment néfaste. On ne peut attendre des masses ce que leurs tâches imposent aux dirigeants. Au demeurant, pourquoi le devrait-on? Fanina Halle, au lieu de montrer clairement l'influence désastreuse d'une telle idéologie sur les masses, en fait au contraire l'éloge dans son livre: *La femme en Russie soviétique*. Elle écrit, au sujet des anciennes révolutionnaires:

« Elles étaient toutes jeunes, beaucoup étaient très belles et douées de talents artistiques (Véra Figner, Ludmila Wolkenstein) tout à fait féminines et pour ainsi dire faites pour le bonheur personnel. Néanmoins, le facteur personnel, érotique et féminin resta toujours à l'arrière-plan. Ces caractères de chasteté et de pureté dans les relations entre les sexes qui furent ainsi cultivés et qui influencèrent toute

la génération des intellectuels russes ainsi que la
génération suivante, dominent encore dans les relations entre hommes et femmes et continuent à étonner les étrangers qui ont une attitude si différente...

Cette émancipation complète à l'égard de tout
philistinisme, cette négation complète des barrières
sociales, ont favorisé le développement de relations
pures, de stricte camaraderie, fondé sur une communauté d'intérêts intellectuels...

... C'est avec d'autant plus d'enthousiasme que certains parmi les révolutionnaires emprisonnés s'appli-
quèrent aux mathématiques, et quelques-uns de ces
fanatiques s'y passionnèrent tellement que ces problèmes vinrent nourrir leurs rêves. » (P. 101, 110, 112.)

Et derechef, ces constats ne disent pas clairement
si dans une telle relation « pure » l'acte génital est ou
n'est pas autorisé, si elle inclut ou exclut l'abandon
végétatif. C'est une absurdité que de vouloir que les
masses se conforment à un idéal, où les mathématiques procurent un sentiment d'exaltation et rem-
placent le plus naturel des besoins. Une telle idéologie n'est pas honnête et ne s'accorde pas avec les
faits. La révolution ne devrait pas défendre d'idéaux
déshonnêtes, mais la vraie vie d'amour et de travail.

En 1929, j'appris à Moscou que la jeunesse recevait
une instruction sexuelle. Il était immédiatement évident que cette instruction était *anti*sexuelle. Pour
l'essentiel, ce n'était qu'une information sur les maladies vénériennes et sur la conception, destinée à
détourner les gens des rapports sexuels en les effa-
rouchant. Il n'y avait pas la moindre trace de discussion honnête des conflits sexuels.

Quand je demandai au Commissariat à la Santé
publique comment était traitée la masturbation chez
les adolescents, on me répondit: « par la diversion
évidemment ». Le point de vue médical — qui allait

de soi dans les centres d'hygiène sexuelle autrichiens et allemands — selon lequel on devait libérer l'adolescent de ses sentiments de culpabilité et rendre ainsi possible une masturbation satisfaisante, était rejeté comme horrible.

Quand je demandai à la directrice de l'Office de la Santé maternelle, Lebedeva, si l'on instruisait les adolescents de la nécessité d'user de produits anticonceptionnels, elle me répondit qu'une telle mesure serait incompatible avec la discipline communiste. En parlant avec un groupe de jeunes gens dans une fabrique de verre près de Moscou, je m'aperçus que ces jeunes gens avaient tendance à rire de cette attitude des autorités; d'un autre côté, ils ne savaient pas comment se rapprocher des filles et avaient un sévère sentiment de culpabilité au sujet de la masturbation; bref, ils présentaient les conflits typiques de la puberté.

La réaction en matière de sexualité fit un usage particulièrement néfaste de quelques déclarations de Lénine mal comprises. Lénine avait une réticence extrême à formuler des idées précises sur les problèmes sexuels. Il comprenait correctement la tâche de la révolution à cet égard et l'exprimait ainsi: « Le communisme ne devrait pas apporter d'ascétisme, mais la joie de vivre et la vitalité par une vie amoureuse bien remplie. » Mais ce qui devint vraiment public, grâce à l'attitude réactionnaire en matière sexuelle des milieux responsables, ce fut ce passage de l'entretien de Lénine avec Clara Zetkine où il discute de la vie sexuelle « chaotique » de la jeunesse:

« La nouvelle attitude de la jeunesse à l'égard des questions de la vie sexuelle est évidemment « fondamentale » et relève d'une théorie. Nombreux sont ceux qui qualifient leur attitude de « révolutionnaire » ou « communiste » et croient sincèrement qu'il en est ainsi. Moi, le vieux, je ne vois rien de cela. Bien que je ne sois pas un ascète, il me semble que cette prétendue « nouvelle vie sexuelle » de la jeunesse, et aussi de nombreux adultes, n'est souvent rien de plus que le bon vieux lupanar bourgeois. Tout cela n'a rien de commun avec la liberté de l'amour telle que nous, les communistes, l'entendons. Tu connais certainement la célèbre thèse selon laquelle satisfaire l'instinct amoureux dans la société communiste est aussi facile et événementiel que boire un verre d'eau. Cette «théorie-du-verre-d'eau » a fait perdre la tête à une partie de notre jeunesse. Elle a été désastreuse pour nombre de garçons et filles. Ses défenseurs font valoir qu'elle est marxiste. Non, merci, pour un marxisme qui fait directement et immédiatement dériver les phénomènes et modifications de la superstructure idéologique de la base économique de la société. Ce n'est pas si simple...

» Tenter de réduire ces changements idéologiques, séparés de leur contexte idéologique global, à la base économique de la société, serait du rationalisme, et non du marxisme. Bien sûr, la soif demande à être étanchée. Mais un individu normal, dans des circonstances normales, s'allongera-t-il dans un caniveau pour y boire une flaque d'eau? Boira-t-il seulement à un verre sale? Ce qui est plus important que tout, c'est le point de vue social. Boire de l'eau est un acte individuel. L'amour requiert deux personnes et peut avoir pour résultat une troisième vie. Ceci entraîne un intérêt social, un devoir envers la société. »

Tâchons de comprendre ce que Lénine voulait dire ici. Tout d'abord, il réfutait l'économisme, cette théorie qui fait dériver directement tout ce qui est culturel de la base économique. Il reconnaissait que le refus de relations tendres dans la vie sexuelle de la jeunesse n'était que le renversement de la vieille vision conservatrice; et de plus, que la théorie-du-verre-d'eau n'était que l'inverse exact de la vieille idéologie d'ascétisme. Lénine reconnaissait aussi que cette vie sexuelle n'était pas celle qu'on attendait comme réglée conformément à l'économie sexuelle, car elle était antisociale et insatisfaisante.

Que manque-t-il donc dans la formulation de Lénine? Au premier chef, une notion *positive* de ce qui devrait se substituer à l'ancien ordre de choses dans la vie sexuelle de la jeunesse. Il n'existe que trois possibilités: l'abstinence, la masturbation et les relations hétérosexuelles satisfaisantes. Le communisme aurait dû désigner clairement l'une d'elles comme souhaitable. Lénine n'a pas adopté une attitude prospective; il a simplement répudié les actes sexuels sans amour et regardé dans la direction d'une «vie sexuelle heureuse», ce qui exclut abstinence et masturbation. Il est certain que Lénine n'a pas réclamé l'abstinence! Et malgré tout, comme nous l'avons déjà dit: c'est précisément ce passage concernant la théorie-du-verre-d'eau qui fut cité à maintes reprises par les esprits timorés et les moralistes pour justifier leurs conceptions désastreuses et leur combat contre la sexualité de l'adolescence.

Ceux-ci n'avaient rien de positif à apporter, et, au lieu d'essayer de comprendre le combat gigantesque de la jeunesse et de tenter de l'aider, ils se moquaient d'elle. C'est ainsi que la célèbre communiste Smidovitch écrivit dans la *Pravda*:

« 1. Tout komsomoletz, membre de la Jeunesse communiste, tout rabfakovetz, étudiant de l'Université ouvrière et tout autre blanc-bec a le droit de satisfaire ses besoins sexuels. Pour des raisons cachées, cela paraît être une loi non-écrite. S'abstenir est considéré comme « petit-bourgeois ». 2. Toute komsomolka, rabfakovka ou toute autre étudiante doit satisfaire aux exigences de tout homme à qui elle plaît, faute de quoi elle est « petite-bourgeoise » et ne mérite pas le nom d'étudiante prolétarienne. Comment de telles passions africaines ont pu se développer ici dans notre Nord, cela dépasse mon entendement. 3. Et voici le troisième acte de cette étrange trilogie: « Le visage étiré et pâle d'une fille enceinte. Dans la salle d'attente de la « Commission pour l'autorisation de l'avortement » on peut voir d'innombrables résultats de ces romans de Komsomol. »

Ces attitudes traduisent la fierté du «Nordique », de l'individu sexuellement « pur », la Smidovitch par rapport au « primitif ». Il n'est pas venu à l'esprit de cet individu nordique que grossesses et avortements pouvaient être évités en instruisant la jeunesse de l'usage des anticonceptionnels et en assurant les conditions d'hygiène de la vie sexuelle. Et tout ceci dans l'intérêt de « la culture soviétique ». Mais cela ne servit à rien: ces constatations de Smidovitch furent répandues sur les affiches allemandes comme exposant « l'idéologie sexuelle communiste »!

Et, comme toujours lorsqu'on n'ose pas faire face à la réalité de la sexualité juvénile, et après une période de dur conflit avec la jeunesse, apparut en Russie également cette devise: *abstinence*. Slogan aussi commode qu'inapplicable et catastrophique. Fanina Halle rapporta ceci:

« La vieille génération que l'on consulta, savants, spécialistes d'hygiène sexuelle, officiels du parti, recourut à la même attitude que Lénine, attitude que Semachko, commissaire à la Santé publique, résuma comme suit, dans une lettre à la jeunesse étudiante:

« Camarades, vous êtes venus dans les universités « et les instituts techniques pour vos études. C'est là « le but principal de votre vie. Et comme toutes vos « impulsions et vos actes sont subordonnés à ce but « principal, vous devez vous refuser de nombreux

« plaisirs parce qu'ils pourraient interférer avec
« votre objectif principal qui est d'étudier et de colla-
« borer à la reconstruction de l'Etat, et vous devez
« donc subordonner à ce but tous les autres aspects
« de votre existence. L'Etat est encore trop pauvre
« pour prendre en charge votre entretien et l'édu-
« cation des enfants. Notre conseil est donc: *Absti-*
« *nence*! »

Et ce qui résulte régulièrement de l'abstinence
apparut aussi en U.R.S.S.: la délinquance sexuelle.
On doit protester contre cette référence aberrante à
Lénine: Lénine n'a jamais réclamé l'abstinence des
jeunes gens. Il est certain que, lorsque Lénine parlait
de « vigueur et joie de vivre par une vie sexuelle
satisfaisante », il ne pensait pas à l'ascétisme de
savants impuissants et d'experts en hygiène sexuelle
complètement desséchés.

Les autorités soviétiques responsables de l'époque
ne peuvent être blâmées pour avoir ignoré la solution de ces difficultés. Mais elles doivent être blâmées
pour avoir fui ces difficultés, pour avoir pris la voie
la plus facile, pour ne s'être pas posé de questions,
pour avoir parlé de la révolution de la vie sans la
rechercher dans la vie réelle; pour avoir interprété
le chaos qui se manifestait comme un « chaos moral », au sens de la réaction politique, au lieu de le
comprendre comme une situation chaotique inhérente à la transition vers de nouvelles formes
sexuelles; et, dernier point — mais non le moindre — pour avoir répudié la contribution à la compréhension du problème qu'offrait le mouvement
allemand de politique sexuelle révolutionnaire.

Quelles étaient donc ces difficultés qui devinrent
finalement si grandes qu'elles aboutirent à l'étouffement de la révolution sexuelle?

Tout d'abord, une révolution sexuelle revêt un
aspect différent de celui d'une révolution économi-

que: elle ne se réalise pas sous forme de plans et de lois, mais dans le détail de la vie quotidienne des individus, avec sa complexité d'émotions diverses et souterraines. Cette complexité et cette multitude suffit à interdire la maîtrise du chaos sexuel par un traitement de détail. D'où l'on conclut: « la vie privée entrave la lutte de classes; par conséquent, il ne doit pas y avoir de vie privée. » Bien sûr, on ne peut maîtriser le chaos en tentant de résoudre chaque cas individuel; ces problèmes doivent être traités de façon collective. Mais parmi les difficultés individuelles, il s'en trouve beaucoup qui sont communes à des millions de personnes. L'une de celles-ci, par exemple, est ce problème qui tourmente très intensément tout adolescent à peu près sain: comment parvenir à se trouver seul avec sa partenaire? Il est hors de doute que résoudre ce seul problème, c'est-à-dire faire en sorte qu'on puisse accomplir l'union sexuelle sans être dérangé, éliminerait immédiatement une bonne part du chaos. Car si dans une ville il se trouve quelques milliers de jeunes gens qui ne savent où aller pour s'unir à leurs partenaires, ils le feront dans les coins sombres et se gêneront mutuellement, auront des rixes, se sentiront insatisfaits et irritables et seront conduits à des excès; bref, ils créeront le « chaos ». Si évident que cela soit, il n'y a absolument aucune organisation, politique ou autre, qui en viendrait à admettre la nécessité de *fournir à la jeunesse des locaux destinés au rapprochement sexuel sans dérangement.*

3. — LES CAUSES OBJECTIVES DE CET ÉTOUFFEMENT

Les difficultés exposées jusqu'ici avaient leur source dans l'ignorance et les préjugés des fonctionnaires responsables. Mais l'élan de la révolution était assez fort pour que ces entraves dues à quelques fonctionnaires et professeurs réactionnaires n'aient pu être décisives, s'il n'y avait eu aussi, dans le processus *objectif* même, des difficultés concourant au même résultat. Il serait donc erroné de dire que la révolution sexuelle, et, à sa suite, la révolution culturelle, échoua pour cause d'ignorance et d'anxiété sexuelle de la part des cercles dirigeants. L'étouffement d'un mouvement révolutionnaire de l'ampleur de la révolution sexuelle soviétique ne peut qu'être le résultat d'obstacles objectifs décisifs. On peut les schématiser comme suit:

1. La tâche laborieuse de reconstruction, notamment en raison du retard culturel de la vieille Russie, de la guerre civile et de la famine.

2. L'absence de théorie de la révolution sexuelle. Il faut se rappeler que la révolution sexuelle soviétique était la première en son genre.

3. La constitution antisexuelle des individus en général, c'est-à-dire la forme concrète sous laquelle un patriarcat répressif du sexe s'est perpétué durant des millénaires.

4. La complexité pratique d'un secteur de la vie aussi explosif et varié que la sexualité.

Il n'y a aucun doute que la guerre civile de 1918 à 1922, succédant à une guerre désastreuse de trois ans, fit que la désintégration des anciennes formes de vie revêtit des formes dangereuses. Des milliers de familles, la population de villages entiers, durent émigrer pour tenter de trouver ailleurs leur nourriture. Bien souvent, des mères abandonnèrent leurs enfants ou des maris abandonnèrent leur femme en cours de route. Bien des femmes durent se vendre pour se nourrir et nourrir leurs enfants. Dans de telles conditions, la pression des adolescents vers la liberté sexuelle ne pouvait qu'aboutir à des formes différentes de celles qui eussent été réalisées dans des conditions plus normales. Au lieu d'un laborieux effort de clarification et de réorientation, il y eut un abrutissement de la vie sexuelle. Personne n'avait une idée de ce qui aurait dû se substituer à l'« ancien ». Pour l'essentiel, cet abrutissement ne faisait que révéler une structure qui a toujours été typique de l'homme patriarcal, qui est d'ordinaire plus ou moins recouverte, et n'apparaît que sous forme d'excès occasionnels. Le prétendu chaos sexuel ne pouvait pas plus être imputé à la révolution sociale que la guerre civile ou la famine. La révolution n'avait pas voulu la guerre civile; elle avait simplement renversé les tsaristes et capitalistes et dut se défendre lorsque ceux-ci tentèrent de reconquérir leur pouvoir primitif. Le chaos sexuel était partiellement attribuable à l'ambiance réactionnaire qui ne laissa pas à la révolution le loisir et le calme nécessaires pour résoudre le problème des vieilles structures inadaptées à la liberté.

Si l'on passe en revue les idées des dirigeants soviétiques au sujet de ce chaos, il apparaît immédiatement que la peur de la liberté sexuelle les rendit aveugles aux véritables difficultés et faussa leur jugement. Les acteurs aussi bien que les victimes de la révolution sexuelle furent accusés d'avoir perdu le sens des responsabilités. Mais on ne devrait pas oublier que durant des millénaires une moralité sexuelle pourrie avait rendu impossible le développement d'une responsabilité sexuelle; cette responsabilité n'est possible qu'avec une structure génitale pleinement développée. En particulier, l'on accusa la jeunesse de limiter de moins en moins les relations sexuelles. On oubliait le fait que des relations sexuelles vraiment saines, sûres et satisfaisantes, n'avaient jamais existé; il n'y avait donc rien qui pût se relâcher. Ce qui se relâchait en réalité, c'était la pression de l'asservissement économique dans les relations familiales et la pression de la conscience antisexuelle chez les jeunes gens. Ce qui s'effondra, dès lors, ce n'était nullement les relations sexuelles saines, mais une moralité autoritaire, moralité qui avait toujours abouti à l'exact opposé de ce qu'elle prétendait réaliser. Il n'y avait donc aucune raison de verser des larmes sur elle.

Personne ne parvenait à expliquer la situation. C'est ainsi que les relations sexuelles occasionnelles étaient expliquées par la pression économique. C'était une erreur, car la misère économique seule ne conduit jamais aux relations sexuelles occasionnelles, sauf dans la prostitution. On ne parvenait pas à distinguer la situation héritée de la guerre civile, les difficultés économiques, des manifestations d'une vie nouvelle, saines en elles-mêmes, qui apparaissaient comme un « chaos sexuel » à ceux qui pensaient avec des concepts démodés. Une relation sexuelle entre un jeune homme de dix-sept ans et une fille de seize ans peut être le résultat d'un chaos sexuel, ou peut être vraiment saine. La relation sexuelle est chaotique, contraire à l'économie sexuelle *(sexuell unökonomisch)*, nuisible et socialement dangereuse, si elle se produit dans un contexte défavorable, s'accompagne d'une structure interne maladive, comportant de l'anxiété et des obsessions morales, et est par conséquent insatisfaisante; bref, quand elle se réalise sous l'influence du chaos de notre temps. C'est une tout autre affaire lorsqu'elle se réalise dans une situation extérieure favorable, s'accompagne d'une structure psychique adaptée au bonheur amoureux, en pleine conscience de l'importance de celui-ci, sans angoisse de culpabilité et sans crainte des autorités ni des enfants non désirés qu'on ne peut élever convenablement. C'est une chose bien définie que l'acte de deux hommes affamés sexuellement qui violent une femme ou la font boire pour la séduire, qui se soulagent sur elle, en quelque sorte. Mais c'est tout autre chose quand deux personnes indépendantes, capables d'une pleine expérience sexuelle, passent une nuit heureuse ensemble, même s'ils savent que ce sera la seule nuit. Ce sont deux choses différentes qu'un homme, irresponsable, qui quitte sa femme et ses enfants pour quelque relation sexuelle superficielle; et qu'un homme qui, sexuellement sain, rend un mariage intolérable plus supportable en ayant une liaison secrète et heureuse avec une autre femme.

Ces exemples suffisent à éclairer les points suivants:

1. Ce qui apparaît comme un chaos à ceux qui sont pervertis par l'ordre sexuel autoritaire n'est pas nécessairement un chaos; cela peut être au contraire la révolte de l'être psychique contre des conditions de vie impossibles.

2. Une bonne part de ce qui est vraiment un chaos n'est pas le résultat de quelque immoralité de la part de la jeunesse, mais le résultat d'un conflit insoluble entre les besoins sexuels naturels et un milieu qui en empêche la satisfaction par tous les moyens.

3. La transition d'un mode de vie, en soi chaotique, et d'apparence extérieure ordonnée, à un mode de vie en soi ordonné, qui peut cependant paraître chaotique aux bien-pensants, ne peut se réaliser qu'à travers une période de grande confusion.

On doit se rappeler que les êtres humains de notre époque ont une peur incroyable précisément de ce genre de vie auquel ils aspirent si fort mais qui est en contradiction avec leur structure intime. Certes, la résignation sexuelle qui caractérise l'écrasante majorité des individus est génératrice d'indolence, de vacuité de la vie, de paralysie de toutes les initiatives et activités saines, ou au contraire d'excès brutaux et sadiques; mais, par la même occasion, elle procure un calme relatif à la vie. C'est comme si le mode de vie était une anticipation de la mort; les individus vivent tournés vers la mort. Ils préfèrent cette mort vivante toutes les fois que leur constitution est incapable de faire face aux incertitudes et difficultés d'une vie vraiment vivante. Il suffit de citer pour mémoire l'effet de la peur de ne pas trouver un partenaire sexuel convenable après avoir perdu le précédent, quelque pénible qu'ait pu être la vie commune; ou bien les milliers de meurtres de partenaires sexuels survenant parce que l'idée que le partenaire puisse étreindre quelqu'un d'autre est intolérable. De tels faits jouent un rôle bien plus décisif dans la vie réelle que les voyages politiques d'un Laval, par exemple. Car les gouvernements peuvent faire ce qu'ils veulent dans la mesure où les populations se débattent incessamment, inconsciemment et inutilement, avec ces problèmes personnels qui mettent en jeu le cœur de leur vie. Supposons que l'on interroge, dans une commune urbaine de cent mille âmes, toutes les femmes qui ont de la difficulté à élever leurs enfants, à conserver la fidélité de leur mari, et à être elles-mêmes capables de satisfaction sexuelle, et qu'on leur demande ce qu'elles pensent des voyages diplomatiques d'un Laval: leurs réponses montreraient que des millions de femmes, d'hommes et d'adolescents sont tellement absorbés par les problèmes de la vie individuelle qu'ils ne se rendent même pas compte de la façon dont les politiciens se servent d'eux.

CHAPITRE XI

LIBÉRATION DU CONTRÔLE DES NAISSANCES
DE L'HOMOSEXUALITÉ,
ET LE COUP D'ARRÊT QUI SUIVIT

Dans le domaine du contrôle des naissances, il y eut, dès le début, une remarquable clarté des conceptions. Les idées essentielles furent les suivantes:

Aussi longtemps que la société ne peut ou ne veut prendre en charge les enfants, elle n'a pas le droit d'exiger des mères qu'elles portent des enfants dont elles ne veulent pas, ou qui ajoutent à une misère économique sérieuse. Pour ce motif, toutes les femmes, sans exception, eurent le droit d'interrompre une grossesse pendant les trois premiers mois; les avortements devaient avoir lieu dans des hôpitaux d'obstétrique publics, seuls les avortements clandestins devaient être punis. Par cette mesure on espérait que l'avortement sortirait de la clandestinité et serait arraché des mains des charlatans. Dans les villes, ce fut un assez large succès; à la campagne, les femmes étaient moins aptes à abandonner leurs vieilles habitudes.

Cela montrait à nouveau que l'avortement n'est pas un problème simplement légal, mais qu'il touche aussi à l'anxiété sexuelle des femmes. Le secret et la gêne dont a été affublée la sexualité durant des milliers d'années ont eu pour conséquence qu'une femme du milieu ouvrier ou paysan va chez un charlatan plutôt qu'à l'hôpital.

Il n'y eut pas la moindre velléité de faire de l'avortement une institution sociale durable; les Soviétiques avaient nettement l'idée que la légalisation de l'avortement n'était qu'un moyen de combattre les charlatans; l'objectif principal était la *prévention de l'avortement* grâce à une instruction complète dans l'usage des produits anticonceptionnels.

La marque infamante que portait la fille-mère disparut bientôt. La participation croissante de la femme au processus de la production lui procura une indépendance matérielle et une sécurité qui non seulement lui facilitèrent la grossesse, mais de plus la firent paraître plus souhaitable. Les femmes cessèrent le travail deux mois avant et deux mois après la délivrance, tout en étant payées. Les usines et les fermes collectives installèrent des pouponnières avec des jardinières d'enfants spécialisées pour prendre soin des enfants durant le travail des mères. Celui qui a vu ces crèches n'a pu douter du progrès considérable qu'elles représentent du point de vue de l'hygiène sociale. Les femmes furent exemptées de travail pénible pendant les premiers mois de la grossesse. Le temps de travail qu'elles distrayaient pour s'occuper des enfants était payé. Le budget consacré à la maternité et à l'enfance s'accrut d'année en année, en progression presque géométrique. Il n'est donc pas surprenant que la chute de la natalité, si redoutée des esprits timorés et des moralistes ne se soit pas produite; il y eut au contraire un accroissement considérable de la natalité.

Le gouvernement fit tout l'effort possible pour pénétrer dans les communes les plus isolées de cet énorme pays; c'est ainsi que des trains spéciaux complètement équipés pour l'organisation du contrôle des naissances, partirent pour les provinces éloignées. Le fait que dix à douze années de grands efforts furent nécessaires pour réduire l'avortement clandestin à un niveau minimal, montre l'importance de l'anxiété sexuelle des masses; elle rend inévitable un long et difficile processus pour l'acceptation des mesures utiles.

Comme toujours, la tentative de mettre en œuvre

des mesures d'hygiène sexuelle trouva sur son chemin l'attitude réactionnaire des hygiénistes traditionnels. Comme toujours, la preuve fut faite que les masses ont une compréhension directe et instinctive de ces problèmes vitaux, tandis que l'« expert » hygiéniste, avec toute son argumentation pour et contre, fait songer à ce mille-pattes qui, ayant appris qu'il avait mille pattes, se trouva dès lors incapable de marcher. Tâchons de découvrir à quel stade du problème de l'avortement, et par quels moyens, la réaction réussit à s'implanter et à exercer son influence inhibitrice. Nous pouvons faire l'économie d'un exposé historique et statistique du problème de l'avortement, que l'on peut trouver dans de nombreux bons livres. Nous tenterons simplement de comprendre la dynamique du conflit entre les facteurs de progrès et d'inhibition. L'argumentation morale et religieuse, plus ou moins dissimulée, non seulement ne cessa jamais d'agir, mais acquit de plus en plus d'efficacité. Comme toujours, la morale réactionnaire se reconnaît au vide de son verbalisme. Dès le début, la réaction en matière sexuelle combattit la révolution de l'avortement, mêlant aux vieux arguments hérités du tsarisme de nouveaux arguments adaptés au fait soviétique, mais non moins réactionnaires. On prétendit que « l'humanité s'éteindrait », que « la moralité s'effondrerait », que la « famille doit être protégée » et que « la volonté d'avoir des enfants doit être encouragée ». Le principal chef d'inquiétude pour la réaction, ici comme partout ailleurs, fut l'éventualité d'un déclin de la natalité.

Parmi ces arguments, on ne peut distinguer ceux qui sont honnêtes de ceux qui, à la fois subjectivement et objectivement, ne sont que des prétextes pour ne pas aborder de front les véritables problèmes de la vie sexuelle. Le souci de maintenir la moralité, c'est-à-dire de faire obstacle à la satisfaction des besoins sexuels, est naturel chez ces experts; il en va de même de leur souci pour la famille.

D'autre part, le discours sur le dépeuplement et la protection de la vie en gestation n'est qu'une excuse. Ces individus oublient que dans la nature tout croît et se multiplie, peut-être en particulier parce qu'il ne s'y trouve pas de politique démographique. On ne peut plus désormais en douter: la politique démographique, telle qu'elle existe aujourd'hui, c'est-à-dire vague et malhonnête, *est un système de répression sexuelle et un moyen de détourner l'attention du problème de l'établissement des conditions de la satisfaction sexuelle.*

De toute évidence des tendances fascistes s'exprimèrent dans l'attitude de ceux dont le premier devoir aurait été justement de s'intéresser moins à l'« Etat » qu'à la santé maternelle. Citons, par exemple, les paroles du Dr Kirilov, au Congrès de Kiev de 1932:

« L'avortement criminel est le signe d'une *immoralité* qui se trouve encouragée par la légalisation de l'avortement...

» L'avortement légal est bien souvent la plus mauvaise issue à *l'horrible chaos (verzerrte Fratze) du problème sexuel...* Il entrave la maternité et amoindrit souvent la réussite de la femme dans la vie sociale. Il est donc étranger à *la vraie vie communautaire.*

» *L'avortement est un moyen de destruction massive de la progéniture.* Son but n'est pas d'aider la mère ou la société; il n'a rien à voir avec la protection de la santé maternelle. »

A l'opposé de ces rhéteurs à mentalité fasciste, il se trouva des sexologues et des médecins qui, sans grand savoir théorique, mais simplement par une intuition sûre issue de la pratique, eurent la notion exacte et révolutionnaire des choses. Ainsi, par exemple, Clara Bender qui, au Congrès de la section allemande de l'Association Criminologique Internationale de 1932, s'opposa courageusement aux hypocrites qui adoptaient les arguments des théoriciens d'une politique démographique réactionnaire en U.R.S.S.

Ce discours sur le dommage physique et émotionnel causé par l'avortement est dépourvu de sens, dit-elle, dès lors que l'avortement est réalisé dans les conditions convenables. L'argument relatif au déclin de la natalité, dit-elle, est contraire aux statistiques. Le bavardage sur l'instinct de la femme pour l'enfant est dépourvu de sens, dès lors que l'on constate la brutalité avec laquelle les femmes, dans les pays capitalistes, ont été forcées d'élever leurs enfants dans des conditions impossibles. Dans le capitalisme, dit-elle, l'avortement n'est qu'une question d'argent, et les lois sur l'avortement y ont un caractère de classe évident, et conduisent les femmes chez les avorteurs charlatans. En revanche, à l'hôpital de contrôle des naissances de Moscou, il n'y a pas un seul décès pour 50 000 avortements réalisés en une seule année.

On s'étonne sans cesse de l'inefficacité d'arguments si clairs. En participant aux discussions sur le contrôle des naissances en Allemagne, on ne pouvait s'empêcher de comprendre que démographes et hygiénistes réactionnaires n'invoquaient nullement des arguments rationnels. Ils faisaient toujours plus ou moins penser aux discussions des nazis sur la théorie raciste. Dès lors, il était devenu évident qu'on ne pouvait absolument pas collaborer avec des rhéteurs et des professeurs vains et impuissants en essayant péniblement de leur démontrer que la race germanique du Nord *n'est pas* supérieure à toutes les autres ou qu'un enfant noir n'est pas moins intelligent ou gracieux que le rejeton d'un bourgeois allemand.

Si ce n'était qu'une affaire d'argumentation logique, les arguments révolutionnaires auraient balayé depuis longtemps l'idéologie des démographes réactionnaires et des théoriciens racistes. Mais ces milieux avaient pour eux les forces traditionnelles de la pensée collective qui ne peuvent être maîtrisées par le seul discours rationnel.

Les partisans d'une politique démographique réactionnaire ont le dernier mot parce que les femmes sont habitées par la peur inconsciente de l'agression *(Beschädigung)* génitale. C'est pourquoi des millions de femmes allemandes votèrent, contre leur propre intérêt, pour le maintien des peines sanctionnant l'avortement. C'est ce qui se produisit aussi au Danemark en 1934, lors de la campagne de signatures contre l'abrogation de la loi sur l'avortement. Les théoriciens racistes, quant à eux, doivent l'existence au fait que le bourgeois allemand peut compenser son sentiment d'infériorité lorsqu'on lui dit qu'il appartient à la race Nordique, c'est-à-dire la race « dominante », « la plus intelligente », « la plus créatrice ».

Il faut insister sur le fait que ces formations irrationnelles, telles que la théorie raciste et l'eugénisme moderne, ne peuvent être combattues par l'argumentation rationnelle seulement; les arguments rationnels doivent s'appuyer sur un terrain d'affectivité saine. Il n'est pas question de « mettre en application » quelque théorie intellectuelle concernant l'économie sexuelle; c'est la vie sociale elle-même qui révèle spontanément les faits décrits par la théorie de l'économie sexuelle, dès lors que la révolution permet aux sources de la vie humaine de s'exprimer à nouveau. Il ne s'agit pas de la procréation, mais avant tout de la sauvegarde du bonheur sexuel. Le fait que le problème du contrôle des naissances fut discuté en Union soviétique, non pas dans des cercles privés, mais officiellement et publiquement, et d'une manière *positive,* était en soi un progrès consi-

dérable. C'est ainsi qu'on put entendre un révolutionnaire intelligent et courageux comme Zélinsky
dire aux autorités conservatrices:

« Mes déclarations sembleront hérétiques dans le
cadre des discussions de ce Congrès sur la nocivité de
l'avortement. Il est difficile de croire à l'honnêteté
envers la société de ces orateurs qui, détournant leur
regard de la vie et des réalités, nous assènent des
vérités abstraites sur l'avortement. Il règne ici une
atmosphère de myopie ou d'hypocrisie sociales. On
ne voit pas, ou on ne veut pas voir, les conditions
socio-économiques et psychologiques *collectives* dans
lesquelles se produit l'épidémie d'avortements. Ces
jugements sur l'avortement trahissent le préjugé
moral, plutôt que l'objectivité dans l'appréciation.
A ce sujet, on a répandu toutes sortes de romans
d'épouvante. On a tenté de nous effrayer par tous
les moyens: infection et perforation utérines, maladies nerveuses, baisse de la natalité, extinction de
l'instinct maternel, interventions réalisées sans visibilité, dans des recoins, etc. Est-ce que les tubages
stomacal ou duodénal ne sont pas aussi des interventions sans visibilité? Si l'on injecte toutes sortes de
produits sait-on d'avance ce qui va en résulter?
A-t-on prouvé en quelque façon le rapport entre les
troubles endocriniens et l'avortement? Comment se
fait-il que les femmes des villes, qui vont d'avortement en avortement, peuvent, à l'âge balzacien, à
trente ans, ne pas le céder en beauté à celles de
vingt ans, alors que leurs homologues de la campagne, qui ont consciencieusement porté leurs enfants,
deviennent des cadavres ambulants à trente ans,
après six ou huit enfantements? Et qui prétend que
moins d'enfantements nuiront à la beauté? Ce pourrait bien être le contraire. Il est plus facile pour la
femme de subir des avortements que de conduire au
cimetière des petits cercueils l'un après l'autre, et

d'enterrer avec eux sa jeunesse et sa beauté. Et certes, il peut bien y avoir plus d'enfants, mais il faudrait alors des conditions sociales tout autres. Regardons franchement la vie, voyons dans quelles conditions socio-économiques les femmes vivent et élèvent leurs enfants. La famille, vu sa faible durée, ne garantit pas aux femmes les conditions nécessaires à une éducation convenable des enfants. La pension alimentaire ne remplit pas toujours son rôle. L'homme qui est incapable de payer sa pension présente plus d'intérêt théorique pour l'homme de loi que d'intérêt pratique pour la femme. Les moyens anticonceptionnels ne sont pas toujours sûrs. La femme ne peut toujours user de son droit à l'avortement, car elle est souvent sans emploi, alors qu'elle peut user de ce droit si elle a un revenu mensuel de quarante ou cinquante roubles. Souvenez-vous de ce passage de Zola où l'avorteur clandestin dit au médecin patenté: « Vous autres vous conduisez les femmes en prison ou à la Seine, et nous, les en tirons. » Voulez-vous que ce « repêchage de la Seine » devienne à nouveau la spécialité des avorteurs? L'un des orateurs s'est écrié avec honneur: « Tout ce qu'il faut, c'est le certificat du médecin et la décision de la femme, et vous obtenez l'avortement. » Oui, c'est exactement ce qu'il faudrait: le désir de la femme suffit, parce que le droit de déterminer l'indication sociale de l'avortement appartient à la femme et à personne d'autre. Aucun de nous, hommes, ne tolérerait que quelque commission ou autre autorité ait à statuer sur notre mariage, l'autorisant ou l'interdisant selon quelques critères sociaux. N'empêchez donc pas la femme de décider elle-même de la question capitale de sa vie. La femme a un droit à la vie sexuelle et veut l'accomplir, tout comme l'homme, elle doit avoir la pleine possibilité de le faire. Il ne devrait pas y avoir cette production systématique d'une classe de vieilles filles, qui ne peut être que préjudiciable à un programme de vie collective. »

Zelinsky, avec une intuition sûre, fit ce constat précisément à l'époque où la réaction en matière sexuelle commençait à faire obstacle au contrôle des naissances et à l'avortement, par le jeu de commissions, décrets et arguties humanitaires. Ce congrès fut le théâtre d'un combat acharné entre les défenseurs et les contempteurs de la sexualité. Dix ans après la légalisation de l'avortement, la réaction était toujours puissante en ce domaine. Yefimov réclama une étude complète des produits anticonceptionnels, mais se plaignit en même temps qu'ils fussent vendus publiquement dans les rues de Moscou sans aucun contrôle médical, ce qui ouvrait la porte à la fraude et à la spéculation. Benderskaïa et Shinka demandèrent la distribution gratuite de ces articles; Belinsky, Shinka et Zelitsky, réclamèrent qu'ils ne soient distribués que sur prescription médicale, disant qu'une libre distribution pourrait être extrêmement nuisible du point de vue démographique.

La question de la meilleure façon de les distribuer ne fut pas résolue. Le souci « démographique » n'était rien d'autre que le souci de la conduite « morale » de la population. L'expérience du plaisir sexuel semblait incompatible avec le désir de procréer. Le Dr Benderskaïa, de Kiev, par exemple, proposa les principes que voici:

1. Punir à nouveau l'avortement reviendrait à renforcer l'avortement illégal pratiqué par des charlatans.

2. L'avortement criminel des charlatans doit être combattu grâce à l'avortement légal.

3. L'avortement légal doit être combattu par l'information sur le contrôle des naissances.

4. Dans un régime socialiste, la femme doit rem-

plir son rôle maternel conformément aux exigences de la collectivité dont elle fait partie.

Le quatrième point annule immédiatement les trois premiers. Ceux-ci font partie des mesures d'hygiène sexuelle qui garantiraient la joie et la liberté sexuelles; le quatrième point subordonne la maternité à une exigence morale, « les exigences de la collectivité ». On méconnaît le rôle du plaisir d'avoir des enfants. Il ne sera jamais possible d'obliger les femmes à porter des enfants au nom d'une autorité extérieure. Ou bien la procréation fait partie de la joie de vivre en général et repose sur un terrain solide, ou bien elle existe à l'état d'exigence morale et pose à ce titre un problème insoluble.

Pourquoi les objectifs démographiques sont-ils en contradiction avec les intérêts sexuels des individus? Ce conflit est-il insoluble?

Tant que les nations sont hostiles les unes aux autres; tant qu'elles sont séparées par des barrières juridiques et douanières; tant qu'elles ont intérêt à lutter entre elles quant au nombre de soldats disponibles, *la politique démographique est nécessairement en contradiction avec les exigences de l'hygiène sexuelle*. Dans la mesure où l'on ne peut dire ouvertement que l'on a besoin d'un accroissement de la population, on parle de la « moralité de la procréation » et de « la sauvegarde de l'espèce ».

En fait, la volonté des femmes de ne pas enfanter n'est qu'un aspect parmi d'autres de la crise de la vie sexuelle humaine.

Il n'y a aucun plaisir à avoir des enfants dans des conditions de vie misérables et avec des partenaires non aimés; qui plus est, la vie sexuelle elle-même est devenue un supplice. Les démographes ne voient pas cette contradiction; ils sont donc les exécutants d'intérêts nationalistes. En dépit de son fond de socialisme, l'Union soviétique fut incapable, précisément en raison de cette contradiction, d'organiser une politique démographique socialiste; elle vivait sous la menace d'une intervention extérieure. La contradiction entre le bonheur sexuel et l'intérêt démographique ne disparaîtra pas avant que les causes sociales de la guerre ne soient éliminées et que la société ne puisse se consacrer à la tâche d'instaurer les conditions d'une vie heureuse. C'est alors seulement que le plaisir d'enfanter pourra s'intégrer à la joie sexuelle en général, et que l'impératif: « Multipliez-vous » perdra sa raison d'être.

La légalisation de l'avortement contenait implicitement l'affirmation du plaisir sexuel. Pour l'accomplir, il aurait fallu une conversion consciente de toute l'idéologie sexuelle du négatif au positif, du refus de la sexualité à l'acceptation de la sexualité.

Selon les obstétriciens présents au Congrès, 60 à 70 % des femmes étaient incapables d'expérimenter le plaisir sexuel. On prétendit, entre autres choses, que ce manque de puissance sexuelle était dû à l'avortement. Cette affirmation est contredite par l'expérience clinique; ce n'est qu'une tentative pour obscurcir le problème de l'avortement et justifier son interdiction. Ce pourcentage de femmes sexuellement dérangées est le même d'une façon générale et partout, avec ou sans avortement. Il arriva que des femmes subirent quinze avortements, certaines deux ou trois fois par an. Cela montre que les femmes *ont peur d'user des moyens anticonceptionnels.* Sinon, elles rechercheraient d'elles-mêmes les procédés appropriés. L'expérience de nos centres d'hygiène sexuelle en Allemagne nous a appris que la plupart des femmes éprouvent cette peur; cependant le problème de la prévention des naissances est pour elles un problème des plus brûlants. Les femmes doivent être libérées de cette peur. Il est nécessaire de leur permettre d'exprimer ce désir brûlant et inconscient

et de veiller à sa réalisation. La législation de l'avortement à elle seule n'engendre pas de désir positif
d'avoir des enfants. Celui-ci suppose avant tout la
réalisation des conditions sociales d'une vie sexuelle
heureuse. Au lieu de débattre du mode de distribution des moyens anticonceptionnels, il faudrait se
demander lesquels d'entre eux constituent la meilleure *garantie de satisfaction sexuelle*. A quoi bon
un pessaire si la femme a peur de s'en servir ou
éprouve la sensation d'un corps étranger qui l'empêche d'atteindre la satisfaction? A quoi bon un
condom s'il diminue la satisfaction et engendre des
troubles neurasthétiques? A quoi sert la meilleure
propagande en faveur des moyens anticonceptionnels si l'on ne donne pas la possibilité de fabriquer
les *meilleurs* d'entre eux en quantité suffisante et à
un prix accessible à tous? Et à quoi servirait cette
fabrication si les femmes conservent leur crainte
d'user des moyens anticonceptionnels?

La résolution du Congrès conservait la légalité
de l'avortement, mais cependant elle témoignait
d'une peur générale d'évoquer la satisfaction sexuelle.
Cette atmosphère de crainte fut décrite par Fanina
Halle en 1932:

« On a peu entendu parler à l'étranger des protes-
tations des vieux Bolcheviks, dont plusieurs d'ailleurs
allèrent beaucoup plus loin que Lénine et prêchèrent
pour ainsi dire l'idéal ascétique; au lieu de cela, il
n'y eut que le vague discours sur la « socialisation
de la femme », surtout là où sévissait la propagande
antisoviétique. Cependant, la vague d'intérêt pour
les problèmes sexuels a définitivement reflué, et la
jeunesse soviétique, l'avant-garde de la révolution,
se trouve en face de tâches si sérieuses que les problèmes sexuels deviennent *sans importance*. Ainsi,
les relations entre les sexes en Union soviétique ont
à nouveau atteint un stade de *désexualisation* peut-

être plus profond que jamais. Le caractère accidentel des relations entre hommes et femmes qui n'était propre qu'à un cercle étroit de pionniers de la révolution, est devenu maintenant caractéristique des masses populaires. C'est le plan quinquennal qui est à l'origine de ce changement. »

L'idéologie soviétique est fière de cette « désexualisation ». Mais celle-ci n'est qu'une fiction: la sexualité ne disparaît pas, elle subsiste sous des formes pathologiques, déviées et nocives. L'alternative de la sexualité et de la socialité n'existe pas. La seule alternative véritable est entre une vie sexuelle socialement reconnue, satisfaisante et heureuse, *ou* une vie sexuelle pathologique, dissimulée et hors-la-loi. Dans la mesure où cette désexualisation apparente — qui n'est en réalité qu'une perturbation de la sexualité naturelle — rendra les individus malades et antisociaux, les autorités en Union soviétique se verront contraintes de renforcer les lois de l'ordre moral, par exemple de supprimer la légalité de l'avortement. C'est un cercle vicieux, car la sexualité réprimée appelle une pression morale, laquelle en retour accroît la perturbation de la sexualité. Le professeur Stroganov se plaignait déjà de ce que les femmes, jadis honteuses d'avoir subi un avortement, considéraient celui-ci désormais « comme leur droit légal ». Lebedeva, directrice de l'organisation de la santé maternelle, disait que la légalisation de l'avortement avait « libéré *(entfesselt)* le psychisme de la femme », que l'avortement était devenu une espèce de « psychose ». Krivky affirma que cette psychose allait croissant, et qu'on ne pouvait prévoir où elle s'arrêterait. Le résultat de cette « dépravation », dit-il, était un affaiblissement du sentiment maternel de la femme. Certains médecins soviétiques en conclurent avec raison que la motivation économique *n'était pas* le facteur essentiel de la progression de l'avortement. C'est tout à fait évident: s'il n'en était pas ainsi, l'avortement ne serait pas si fréquent chez les femmes qui n'ont aucun problème économique. En réalité, l'avortement est la manifestation claire du fait que les individus désirent avant tout le plaisir sexuel, indépendamment de la procréation.

Grâce à cette confusion, on réduisit considérablement la liberté sexuelle au cours du second plan quinquennal. C'est ainsi que les femmes ne furent plus autorisées à interrompre une première grossesse. Il est impossible de prévoir l'issue de cette évolution; elle ne sera pas l'effet de décisions libres, mais elle sera déterminée par le résultat du combat entre les tendances favorables à la sexualité et révolutionnaires, d'une part, et les tendances hostiles à la sexualité et réactionnaires, d'autre part. Il est à craindre que les tendances à la révolution sexuelle ne puissent trouver assez de forces pour dominer les vieilles idées.

Le résultat en sera une organisation économique superbe, dirigée par des neurasthéniques et des robots vivants, mais non pas *un socialisme*.

*
**

Résumons les enseignements de cette lutte, afin d'être mieux préparés si la société doit se trouver à nouveau devant la tâche de réorganisation du mode de vie. Les conditions nécessaires de cette tâche sont les suivantes:

1. *Elimination de tous alibis et explications de mauvaise foi,* comme le souci de la sauvegarde de l'espèce ou la thèse que le besoin économique est la seule cause de l'avortement. Suppression donc de la

séparation entre la politique démographique et la politique sexuelle en général.

2. *Reconnaissance de l'indépendance de la fonction sexuelle à l'égard de la procréation.*

3. *Reconnaissance du désir de procréer comme fonction sexuelle partielle,* du désir d'avoir des enfants comme faisant partie de la joie de vivre en général. Reconnaissance du fait que, si les conditions d'une vie matérielle et sexuelle satisfaisantes sont réalisées, la joie de l'enfant va de soi, que l'enfant est une conséquence naturelle de la joie de vivre.

4. Recours explicite à la *prévention des naissances* non seulement pour l'élimination de l'avortement, mais au premier chef, pour assurer la joie et la santé sexuelles.

5. *Courage de favoriser la sexualité et l'autonomie dans la vie sexuelle.*

6. *Mesures de défense contre l'influence pratique* des saints, moralistes et autres sortes de névrosés sexuels déguisés.

7. *Contrôle très strict des pratiques et de l'idéologie* de professeurs d'obstétrique et d'hygiène réactionnaires par des organisations de politique sexuelle composées de femmes et d'adolescents. Extirpation du respect stupide des masses pour la science d'aujourd'hui qui ne mérite que rarement ce nom.

Le but d'une politique démographique rationnelle ne peut être que d'éveiller l'intérêt des populations elles-mêmes, au lieu de leur imposer d'en haut le devoir de « sauvegarder l'espèce ». La condition première en est l'affirmation et la défense du plaisir sexuel pour tous ceux qui ont une participation *productive* à la vie sociale. Les populations doivent sentir qu'elles sont entièrement et exactement comprises sur cette question du plaisir sexuel, et que la société est disposée à faire tout ce qu'il est possible pour la préserver et en assurer les conditions.

La solution de ces problèmes paraît relativement simple comparée au problème central: *comment éliminer l'anxiété de plaisir orgastique des individus à l'échelle collective?* C'est un problème gigantesque. S'il était résolu, la politique démographique ne resterait plus l'apanage d'universitaires névrosés, mais serait entre les mains de jeunes gens, d'ouvriers, de paysans et de spécialistes scientifiques. Sinon, la politique démographique et l'eugénique sont condamnées à rester ces formations réactionnaires que nous connaissons.

LE RÉTABLISSEMENT DE LA LOI SUR L'HOMOSEXUALITE

La législation soviétique en matière de sexualité avait purement et simplement biffé la vieille loi tsariste punissant l'homosexualité de lourdes peines de prison. La présentation de l'homosexualité dans l'*Encyclopédie soviétique* recourait à Magnus Hirschfeld et en partie à Freud. Le motif avancé pour la suppression de la loi sur l'homosexualité était qu'il s'agissait d'un problème exclusivement scientifique et que, par conséquent, on ne devait pas punir les homosexuels. Il était nécessaire, disait-on, d'abattre le mur séparant les homosexuels du reste de la société.

Cette action du gouvernement soviétique donna une vive impulsion au mouvement de politique sexuelle en Europe occidentale et en Amérique. Ce n'était pas uniquement une mesure de propagande, mais elle se fondait sur le fait que l'homosexualité, qu'on la considère comme congénitale ou acquise, est une activité qui ne nuit à personne. C'était bien le sentiment général de la population. Les gens étaient en général très tolérants en matière de sexualité, même si, comme le rapporte un journaliste, on

« taquinait » de temps en temps les homosexuels et les lesbiennes. En revanche, les conservateurs, comme partout, étaient toujours sous l'influence des idéologies ascétiques et des préjugés médiévaux. Ils avaient des représentants dans la hiérarchie du parti, si bien que leur influence se fit progressivement sentir sur les ouvriers eux-mêmes. Deux conceptions de l'homosexualité se précisèrent peu à peu :

1. l'homosexualité est un « signe d'inculture barbare », une turpitude d'Orientaux à demi-primitifs;

2. L'homosexualité est une « manifestation de la dégénérescence culturelle de la bourgeoisie dépravée ».

Ces idées, jointes au manque de conceptions claires dans le domaine sexuel, conduisaient parfois à des persécutions grotesques d'homosexuels; elles se firent de plus en plus fréquentes. Il est vrai que l'abolition de la loi répressive ne suffisait pas à résoudre le problème. Les connaissances acquises dans le domaine de l'économie sexuelle nous permettent de considérer l'homosexualité comme l'effet d'une inhibition très ancienne de l'amour hétérosexuel. Par suite de l'étouffement général de la révolution sexuelle, un accroissement de l'homosexualité dans la jeunesse, notamment l'armée et la marine, était inévitable. On vit se développer l'espionnage et la dénonciation, l'ostracisme politique et même les « purges ». Pour quelques cas individuels, de vieux bolcheviks, comme Klara Zetkine, intervinrent et obtinrent l'absolution. Mais peu à peu, et en raison de l'absence de solution du problème sexuel en général, la vague d'homosexualité s'enfla, jusqu'aux arrestations massives de janvier 1934, à Moscou, Leningrad, Kharkov et Odessa. Ces arrestations avaient des motifs politiques. Parmi les prévenus, il y avait de nombreux acteurs, musiciens et artistes qui, sous le chef d'« orgies homosexuelles », furent emprisonnés ou exilés pour plusieurs années.

LA RÉVOLUTION SEXUELLE

En mars 1934, la loi interdisant et réprimant les rapports sexuels entre hommes fit son apparition. Elle était signée de Kalinine et était apparemment une mesure d'urgence, vu que les amendements à la législation existante ne pouvaient être décidés que par le Congrès des Soviets. Cette loi qualifiait les rapports sexuels entre hommes de « crime social », devant être puni, dans les cas les plus bénins, de trois à cinq ans de prison, de cinq à huit ans dans les cas où l'un des partenaires dépendait de l'autre. L'homosexualité était ainsi mise sur le même plan que d'autres crimes sociaux: le banditisme, l'activité contre-révolutionnaire, le sabotage, l'espionnage, etc. Les persécutions d'homosexuels n'étaient pas sans rapport avec l'affaire Röhm en Allemagne, en 1932 et 1933. La presse soviétique avait entrepris une campagne contre l'homosexualité, signe de « dégénérescence de la bourgeoisie fasciste ». Le célèbre journaliste soviétique Koltsov avait écrit une série d'articles où il parlait des « mignons du ministère de la propagande de Gœbbels » et des « orgies sexuelles dans les pays fascistes ». Un article de Gorki sur « l'humanisme prolétarien » eut une influence décisive. Il y écrit que « l'on est révolté à la seule évocation des horreurs qui fleurissent sous le fascisme », désignant par là l'antisémitisme et l'homosexualité. Il ajoute que « dans les pays fascistes, l'homosexualité, ruineuse pour la jeunesse, fleurit partout impunément; dans le pays où le prolétariat s'est audacieusement emparé du pouvoir, l'homosexualité a été déclarée crime social et est sévèrement punie. Il y a déjà en Allemagne un slogan: extirpez l'homosexualité et le fascisme disparaîtra.

On peut voir quelle était la confusion et le danger de ces idées sur l'homosexualité. On ne distinguait pas l'homosexualité du *Männerbund* (Ligue des hommes), qui était à la base de l'organisation de Röhm et de bien d'autres, de l'homosexualité d'urgence des soldats, marins et prisonniers, due au manque de possibilités hétérosexuelles. On négligeait en outre le fait que l'idéologie fasciste était elle aussi hostile à l'homosexualité: il suffit de rappeler que, le 30 juin 1934, Hitler enleva toute autorité aux S.A. pour la même raison que celle avancée en Union soviétique pour justifier le début de la persécution des homosexuels. Il est évident que des idées aussi chaotiques sur les rapports entre la sexualité et le fascisme et sur les problèmes généraux de la sexualité ne peuvent donner rien de bon. Les arrestations massives d'homosexuels en Union soviétique semèrent la panique chez ceux-ci; on dit qu'il y eut de nombreux suicides dans l'armée. Jusqu'en 1934, il n'y avait pas d'atmosphère de délation en Union soviétique; mais après ces événements, elle s'installa. La masse de la population en revanche avait une attitude tolérante à l'égard des homosexuels.

Je m'en tiendrai à cette brève esquisse. Le rapport entre la persécution des homosexuels et la situation de politique sexuelle générale, en particulier chez les peuples orientaux, exigerait une étude spéciale qui n'a pas sa place ici. La théorie de l'homosexualité du point de vue de l'économie sexuelle est présentée dans mes livres *Die Funktion des Orgasmus, Charakteranalyse* et *Der sexuelle Kampf der Jugend*. On peut en conclure que:

1. L'homosexualité des adultes n'est pas un crime social, elle ne nuit à personne.

2. On ne peut la réduire qu'en réalisant toutes les conditions nécessaires à une vie amoureuse naturelle des masses.

3. En attendant, on doit la considérer comme une forme de satisfaction sexuelle parallèle à la forme hétérosexuelle qui, à l'exception de la séduction d'adolescents ou d'enfants, ne doit pas être punie.

CHAPITRE XII

CE MÊME ÉTOUFFEMENT DANS LES COMMUNES DE JEUNES

La jeunesse soviétique, dans les premières années de la guerre civile, obtint immédiatement le rôle qui lui revenait. Lénine avait parfaitement compris l'importance du vouloir-vivre de la jeunesse et avait dès l'abord accordé une attention particulière à son organisation et à l'amélioration de sa situation économique. La reconnaissance de l'indépendance de la jeunesse était pleinement exprimée par la résolution votée au Second Congrès de l'Union de la Jeunesse: « Le Komsomol est une organisation autonome qui a ses propres statuts. » Dès 1916, Lénine avait affirmé: « Sans une indépendance complète, la jeunesse ne peut produire de socialistes efficaces. »

Seule une jeunesse indépendante, agissant hors de toute discipline autoritaire, et sexuellement saine, pouvait à longue échéance maîtriser les tâches extrêmement difficiles de la révolution. Ce qui va suivre peut servir d'exemple de la politique sexuelle d'organisations de jeunesse révolutionnaires et indépendantes:

1. — LA JEUNESSE RÉVOLUTIONNAIRE

Il y a dix ans encore, Bakou était l'une des régions les plus réactionnaires de la Russie. Certes, la révolution avait modifié la législation, l'économie, et la religion avait été déclarée affaire personnelle. Mais, si l'on en croit Balder Olden, « derrière la nouvelle

façade, il y avait toujours l'ancienne et cruelle moralité du harem ». Les filles étaient élevées dans des
institutions religieuses; elles n'avaient pas le droit
d'apprendre à lire et à écrire, à moins d'entrer en
contact avec le monde extérieur, de s'évader et de
déshonorer leurs familles. Cela signifie que les filles
étaient les esclaves de leur père. A l'âge mûr, elles
devenaient les esclaves de leur mari, qu'elles ne pouvaient d'ailleurs ni choisir, ni même voir avant le
mariage. Les filles, comme les femmes, devaient porter le voile, et ne montrer leur visage à aucun
homme. Elles ne pouvaient aller nulle part sans être
sous surveillance; elles ne pouvaient travailler, lire
des livres ou des journaux. Elles avaient théoriquement le droit de divorcer, pratiquement elles ne le
pouvaient pas.

Certes, le chat à neuf queues avait disparu des prisons, mais on battait toujours les femmes.

Celles-ci devaient accoucher seules, car il n'y avait
pas de sages-femmes, ni de femmes-médecins; et se
faire examiner par un médecin homme était interdit
par la religion.

Puis, dans les années 20, des femmes russes fon-
dèrent une Association des Femmes qui organisa leur
éducation. Les filles commencèrent à suivre les cours
de professeurs aux cheveux blancs (les hommes jeunes ne pouvaient leur faire la classe). Ainsi, de nombreuses années après la révolution sociale, une
« révolution des mœurs » commençait. Les filles
apprirent qu'il y avait des pays où filles et garçons
étaient élevés ensemble, où les femmes faisaient du
sport, allaient au théâtre et aux réunions sans voile,
et d'une façon générale participaient à la vie contemporaine.

Ce mouvement de politique sexuelle s'étendit. Lorsque les pères de famille, les frères et les maris eurent
vent de ce qui se disait à l'Association, ils sentirent

leurs intérêts menacés. Ils répandirent le bruit que l'Association était un lieu mal famé. Il devint alors dangereux pour les femmes de se rendre à cette Association. Selon Olden, il arriva que des filles qui se rendaient à l'Association reçurent en cours de route des seaux d'eau bouillante ou que des chiens furent lâchés sur elles. Qui plus est, même en 1923, une fille fut menacée de mort au cas où elle se montrerait en public ou en tenue de sport bras et jambes nus. On comprend que dans ces conditions, même les femmes les plus courageuses ne pouvaient songer à une relation amoureuse hors du mariage. En dépit de tout, il y eut des filles qui entreprirent résolument la lutte pour la libération de la jeunesse féminine. Elles eurent beaucoup à souffrir. Bien entendu, on les reconnaissait immédiatement, on les frappait d'ostracisme et on les tenait pour moins que des prostituées, si bien qu'aucune d'entre elles ne pouvait espérer se marier.

En 1928, une fille de vingt ans, Zarial Haliliva, s'échappa du domicile paternel et se mit à fréquenter des réunions sur l'émancipation sexuelle des femmes; elle y allait sans voile et, sur la plage, portait un costume de bain. Son père et ses frères se constituèrent en tribunal, la condamnèrent à mort et la dépecèrent vivante. C'était en 1928, onze ans après la révolution. Son meurtre accentua considérablement le mouvement de politique sexuelle chez les femmes.

Son corps fut enlevé à ses parents, exposé à l'Association avec une garde d'honneur de garçons et de filles. Les femmes et les jeunes filles vinrent en foule à l'Association. Ses meurtriers furent exécutés, et l'on dit que depuis lors il n'y eut plus de pères et de frères pour oser prendre de telles mesures contre l'émancipation des femmes et des adolescents.

Olden décrit ces événements comme une révolution

culturelle générale. Il s'agissait plus exactement d'une révolution sexuelle déterminée qui conduisit à une prise de conscience culturelle des filles et des femmes. En 1933, il y avait déjà 1 044 filles inscrites dans les universités, 300 sages-femmes, et 150 groupements de femmes et de jeunes filles. Il y eut de nombreuses femmes auteurs et journalistes. Les femmes ont des situations d'ingénieurs, de médecins et de pilotes; le président de la Haute-Cour est une femme. La jeunesse révolutionnaire à conquis le droit de vivre.

2. — LES COMMUNES DES JEUNES

Les communes de jeunes montrent particulièrement bien le rôle que joua la révolution sexuelle de la jeunesse. Elles furent la première manifestation naturelle du progrès de la vie collective chez les adolescents. Une commune composée de personnes plus âgées doit immédiatement faire face aux difficultés que constituent la rigidité des réactions et des habitudes. Chez les jeunes gens, en revanche, surtout lors de la puberté, tout est fluent, et les inhibitions ne sont pas encore devenues des structures rigides. Les communes de jeunes semblaient donc destinées au succès et susceptibles de faire la preuve du progrès représenté par la vie collective. Qu'y eut-il donc en fait de vie révolutionnaire dans ces communes? Quels facteurs entravèrent ce progrès?

On reconnut très tôt que l'organisation politique de la jeunesse et son bien-être économique devaient être les préoccupations essentielles. Mais on comprit aussi que cela ne suffisait pas. Boukharine tenta de résumer le souci principal par la formule: « La jeunesse a besoin de romantisme. » Cette notion parut nécessaire lorsque le mouvement de la jeunesse prolétarienne perdit son élan après la fin de la guerre civile, quand les événements révolutionnaires eurent fait place aux tâches moins romantiques et plus laborieuses de la reconstruction. « Nous ne pouvons faire appel au cerveau seulement, car les individus doivent ressentir les choses avant de les comprendre », affirmèrent les dirigeants au Ve Congrès du Komsomol. « Toute la matière romantique de la révolution doit être utilisée pour l'éducation de la jeunesse: le travail souterrain antérieur à la révolution, la guerre civile, la Tchéka, les combats et les hauts faits révolutionnaires des ouvriers et de l'Armée Rouge, les inventions et les expéditions. » Il faut essentiellement, dirent-ils, créer une littérature où l'idéal socialiste soit présenté sous « une forme exaltante »; où la lutte de l'homme avec la nature, l'héroïsme des ouvriers et le dévouement inconditionnel au communisme soient glorifiés. Autrement dit, l'enthousiasme de la jeunesse devait être éveillé et soutenu par l'appoint d'idéaux *éthiques*. Les idées et idéaux réactionnaires devaient être remplacés par des idées et idéaux révolutionnaires.

En fait cela signifiait ceci: La jeunesse traditionnelle aime lire des romans policiers à cause du sensationnel qu'ils renferment. Or, il est actuellement possible de remplacer complètement le roman policier à contenu traditionnel par un roman policier à contenu révolutionnaire; par exemple, on peut substituer à la poursuite d'un criminel par un détective, la poursuite d'un espion blanc par un agent du Guépéou. Mais l'expérience vécue du jeune lecteur reste exactement la même: elle est faite d'horreur, de curiosité et de tension, et donne naissance à des fantasmes sadiques qui se lient à l'énergie sexuelle condamnée et sous pression. C'est que la formation de la structure psychique *ne dépend pas du contenu du vécu mais de la nature des excitations végéta-*

tives concomitantes. Une histoire d'horreur produit le même effet, qu'il s'agisse d'Ali Baba et des Quarante Voleurs ou de l'exécution d'espions blancs; ce qui est véhiculé jusqu'au lecteuř, c'est la chair de poule et non le fait que ce sont quarante voleurs ou quarante contre-révolutionnaires qui sont décapités.

Que si le mouvement révolutionnaire n'avait eu pour objectif que d'imposer ses idées et d'y convertir le peuple, le remplacement d'un idéal éthique par un autre eût été suffisant. Mais s'il avait aussi pour objectif de restructurer l'homme, *de rendre les individus capables de pensée et d'action indépendantes*, d'extirper la structure servile, il aurait dû se souvenir qu'il ne suffisait pas de remplacer le Sherlock Holmes traditionnel par un Sherlock Holmes Rouge ou de tenter de surpasser le romantisme traditionnel par un romantisme révolutionnaire. Or, les résolutions du Ve Congrès portaient que « les manifestations, défilés aux flambeaux, drapeaux et concerts collectifs devaient être utilisés au maximum pour influer sur la jeunesse ». Il est possible que cela fût nécessaire; ce n'était néanmoins que l'usage réitéré d'*anciennes* formes d'enthousiasme et d'influencement idéologique. Les mêmes procédés furent employés avec succès dans l'Allemagne d'Hitler, et la jeunesse hitlérienne ne montra certainement pas moins d'enthousiasme et de dévouement à la cause que le Komsomol. La différence essentielle était la suivante: la jeunesse hitlérienne jure obéissance aveugle et inconditionnelle à un Führer quasi-divin, et la pensée de se créer une vie autonome avec ses lois propres lui est tout à fait étrangère; la tâche du Komsomol, en revanche, était précisément de créer une vie nouvelle pour toute la jeunesse laborieuse, une vie en rapport avec ses besoins propres; de la rendre indépendante, anti-autoritaire, capable de plaisir au travail et capable de satisfaction sexuelle, capable d'adhérer à une cause non par obédience aveugle mais par libre choix. Cette jeunesse devait apprendre qu'elle ne combattait pas pour quelque « idéal » communiste abstrait, mais que l'objectif communiste *était la réalisation de sa propre vie autonome*. Ce qui caractérise la société autoritaire est que la jeunesse n'y a pas conscience de sa vie propre; en conséquence, les adolescents végètent tristement ou se confient *aveuglément*. La jeunesse révolutionnaire, en revanche, développe, grâce à la conscience de ses besoins, l'enthousiasme le plus puissant et durable qui soit: *la joie de vivre*. Mais être « jeune » et être « indépendant » suppose l'affirmation de la sexualité. L'État soviétique avait à choisir entre asseoir sa puissance sur le sacrifice ascétique ou la fonder sur la joie de vivre affirmant la sexualité. La jeunesse dans son ensemble ne pouvait être conquise à longue échéance, et sa structure ne pouvait être changée en une orientation vers le socialisme, que par le concours d'une affirmation de la vie.

Le Komsomol avait un million de membres en 1925, deux en 1927, cinq en 1931, et presque six millions en 1932. L'organisation de la jeunesse ouvrière était aussi un succès. Mais la structure de ces jeunes gens fut-elle modifiée, dans le sens d'une « indépendance complète », comme le réclamaient les résolutions du second congrès? Au même moment, il y avait tout juste 15 % de la jeunesse rurale au Komsomol; des cinq cent mille jeunes paysans qui vivaient dans les communes agricoles et qu'on aurait pu atteindre facilement, 25 % seulement étaient membres du Komsomol. Pourquoi les 75 % restants n'étaient-ils pas organisés? La jeunesse peut être touchée par les organisations dans l'exacte mesure où ces organisations comprennent les besoins sexuels et matériels de la jeunesse, dans la mesure où elles se font l'écho de ces

besoins et font tout ce qui est possible pour les satisfaire. De nouvelles formes de vie ne peuvent surgir
que de *nouveaux* contenus de vie, et les nouveaux
contenus doivent prendre de nouvelles formes. Dans
la jeunesse paysanne, le changement de structure
doit revêtir un autre aspect que celui de la jeunesse
ouvrière, étant donné les différences de leurs modes
de vie sexuelle.

a) *La commune Sorokine.*

Lors des transformations révolutionnaires, on vit
se développer des formes sociales qui, bien que typiques de cette période de transition, ne peuvent pas
être considérées comme les germes d'un ordre communiste futur. Examinons ces caractéristiques dans
le cas de la célèbre « commune Sorokine ».

Elle est le prototype de la commune autoritaire,
anti-féministe, fondée sur des liens homosexuels, et
dont la structure *n'est pas* spécifiquement communiste.

Sorokine était un jeune ouvrier d'une minoterie
du Caucase du Nord. Il entendit parler de la construction d'« Avtostroï », la grande usine d'automobiles soviétique, et décida d'y travailler. Il se rendit
à la ville voisine, y suivit des cours techniques et
organisa un groupe d'étudiants. A la fin du cycle, ces
vingt-deux diplômés, entraînés par l'enthousiasme
de Sorokine, allèrent à l'Avtostroï le 18 mai 1930.
Ces vingt-deux jeunes ouvriers, sous la direction de
Sorokine, formèrent une commune de travail. Ils
mirent leurs salaires et leur budget en commun.
C'était vraiment une commune de jeunes, aucun de
ses membres n'ayant plus de vingt-deux ans. Dix-
huit d'entre eux appartenaient au Komsomol, un
autre était au parti, deux n'étaient affiliés nulle part.

Leur enthousiasme juvénile, leur ambition et leur

activité débordante, irritèrent rapidement les autres ouvriers. Le directeur aussi leur rendit la vie dure, les faisant travailler ici ou là, au lieu de les laisser tous au même endroit, comme ils le voulaient. Sorokine réussit à faire changer le directeur. Son succes- était plus compréhensif à l'égard de la com- mune. Ils se mirent immédiatement à un travail particulièrement difficile, le drainage d'un marécage, qui était en retard de 70 % sur le plan. Quatre com- munards, et parmi eux la seule femme de la com- mune, abandonnèrent parce que le travail était trop dur. Les dix-huit autres travaillèrent comme des fous. Ils se plièrent à une discipline très sévère. Ils avaient décidé d'exclure de la commune tout membre qui manquerait plus de deux heures de travail; un com- munard qui commit cette faute fut impitoyablement exclu, bien que tous l'aimassent.

Le travail eut bientôt 100 % d'avance sur le plan. La réputation de la commune Sorokine s'étendit dans les coins les plus reculés de l'entreprise. Ils furent désormais systématiquement affectés aux postes les plus difficiles. Partout, ils inspirèrent les autres ouvriers. Ils travaillaient quelquefois vingt heures par jour. Ils se procurèrent deux tentes où ils vécu- rent ensemble. C'était donc une communauté com- plète. Leur exemple fut suivi. Lorsque Sorokine et ses camarades arrivèrent, il y avait 68 brigades et 1 691 travailleurs de choc *(oudarniki)*; ils étaient la seule commune. Six mois plus tard, il y avait 253 brigades, dont sept communes. Une année plus tard, il y avait 339 brigades et 7 023 *oudarniki* et treize communes. Sorokine fut décoré de l'ordre du Drapeau Rouge.

Ces communards évoquent les groupes collectivis- tes de maintes divisions du Front Rouge en Allema- gne. L'exclusion des femmes suffit à les caractériser comme *non*-typiques de la collectivité démocratique de l'avenir. Leur structure est étrangère à l'individu moyen; les exigences que leurs membres s'imposaient sont certainement héroïques et nécessaires pendant les durs combats de la période de transition, mais ne sont nullement orientés vers le futur. Il faut distinguer entre une commune qui doit l'existence à une dure nécessité et à l'accoutumance réciproque et une commune qui se fonde sur la satisfaction des besoins vitaux. Le développement de nombreuses communes en Union soviétique se caractérise précisément par cet élément de transition: le travail collectif et les difficultés collectives dans l'usine et dans l'armée en sont l'origine; le mode de vie primitif effaçait les différences individuelles. Les collectivités de travail devinrent des collectivités complètes lorsque la vie collective s'y ajouta.

Mais une telle collectivité n'est pas encore une vraie commune parce qu'une partie seulement des salaires allait à un budget commun.

La communauté complète était considérée comme « la plus haute forme de vie ». Le développement de cette communauté complète montra que la méconnaissance des problèmes structurels et personnels conduisait à une forme d'organisation coercitive et autoritaire. En voici un bon exemple:

Il y avait une commune complète à la bibliothèque d'Etat de Moscou, où vêtements, chaussures et même sous-vêtements étaient en commun. Si l'un des communards voulait porter son propre vêtement, cela était stigmatisé comme « petit-bourgeois ». Il n'y avait pas de vie personnelle. Il était interdit d'avoir des relations plus étroites avec l'un des communards qu'avec les autres. L'amour était hors-la-loi.

Quand on découvrait qu'une fille avait un faible pour un communard, tous deux étaient accusés de « détruire l'éthique communiste ». La commune se désintégra rapidement.

LA RÉVOLUTION SEXUELLE

Si l'on affirme que la commune en tant que « forme de famille » est l'unité de la vie collective future, il devient important d'étudier et de comprendre l'échec de ces communes. Tout ce qui est en conflit avec les besoins humains, toute espèce de règle autoritaire, moraliste ou éthique détruira inéluctablement la commune. Le problème de base est de savoir comment une commune peut se développer sur une base de conditions naturelles et non pas morales. Le conflit entre la structure humaine et les formes de vie conduisit quelquefois à des situations grotesques. Certaines communes allèrent jusqu'à régler à la minute près l'emploi du temps de leurs membres. La commune de l'usine AMO donna la statistique suivante concernant l'emploi du temps moyen des communards:

1. Travail à l'usine . . . . 6 h, 31 mn
2. Sommeil . . . . 7 h, 35
3. Etudes . . . . 3 h, 1
4. Repas . . . . 1 h, 24
5. Activités politiques . . . . . . 53 mn
6. Lecture 51
7. Distractions (cinéma, club, promenades, etc.). 57
8. Travail domestique. 27
9. Visites 25
10. Hygiène 24
11. Inassignable . . . . 1 h, 32

C'est du délire statisticomaniaque *(zwangskranker Statistikkoller)*. De tels phénomènes sont manifestement pathologiques, ils sont les symptômes d'une névrose obsessionnelle de vie dans le devoir, qui aurait dû révolter les communards à tous les points de vue. La conclusion qu'il faut tirer de ces faits n'est pas, comme le pense Mehnert [1], que la vie collec-

[1] Klaus MEHNERT, *Die Jugend in Sowjetrussland.* Berlin. S. Fischer Verlag 1932.

tive est impossible, mais qu'il reste à trouver un
mode de vie collectiviste compatible avec la structure individuelle. Tant que la structure, la pensée et
l'affectivité des communards sont en conflit avec le
mode de vie collectif, la contrainte sociale prévaudra
sous forme de conscience morale et d'obligation. Il
s'agit de combler le fossé qui sépare la structure
humaine des formes de vie, non par la contrainte
mais d'une manière organique.

b) *La commune Bolchevo pour délinquants.*

Ce fut la première commune de travail pour adolescents délinquants, établie en 1924 sur le conseil
de Dzerjinsky, directeur du Guépéou, conformément
au principe que les criminels devaient être rééduqués
dans une liberté complète. Le problème était de
trouver une forme d'organisation. Deux des fondateurs de la commune eurent un entretien avec les
hôtes de la prison Boutirki à Moscou. Il s'agissait
d'adolescents emprisonnés pour larcins, vols qualifiés, vagabondage, etc. La proposition du Guépéou
était la suivante: nous vous donnons la liberté, et
une occasion de vous instruire et de collaborer à
l'édification de l'Union soviétique; voulez-vous partir et fonder une commune? Les prisonniers étaient
méfiants; ils ne pouvaient pas croire que le Guépéou, qui les avait arrêtés, allait maintenant leur
donner la liberté. Ils craignaient une ruse et refusè-
rent tout d'abord. Puis une évolution se fit, et ils
décidèrent d'aller sur place examiner la chose, pour
pouvoir s'échapper et reprendre leur carrière cri-
minelle. Finalement, quinze d'entre eux se décidèrent. Puis ils établirent des listes d'autres garçons
qu'ils agréaient et envoyèrent des délégations dans
les prisons pour prendre contact avec eux. Ils furent
bientôt un millier.

Quant au travail, il fut décidé d'installer une fabrique de chaussures pour la population de la région. Les garçons organisèrent tout eux-mêmes. Ils établirent des communes pour le travail, l'économie domestique et l'instruction. Les salaires partaient de douze roubles. La population protesta violemment contre cette commune de délinquants qui l'effrayait; elle envoya des pétitions au Gouvernement. Puis cette attitude se modifia. Il y eut un club et un théâtre, où les paysans purent venir, et en l'espace de quelques années, les rapports entre les délinquants et la population devinrent si bons que les garçons purent établir des liaisons sexuelles avec les filles des villages et villes d'alentour.

Le travail prit de l'extension: en 1929, il y avait un rendement quotidien de 400 paires de chaussures et de 1 000 paires de patins, et aussi des vêtements. Les salaires allaient de 18 roubles pour les nouveaux venus, à 130 roubles pour les plus anciens. Les travailleurs payaient de 34 à 50 roubles pour l'entretien et le vêtement. On déduisait 2 % du salaire pour le programme d'instruction. Les nouveaux venus, ne pouvant faire face aux dépenses avec leurs 18 roubles, bénéficiaient d'un crédit jusqu'à ce qu'ils aient un salaire complet. Il y avait le même système d'autogestion que dans toutes les fabriques soviétiques.

Alors qu'au début, les délinquants avaient eu peur d'entrer dans la commune, les candidatures devinrent peu à peu si nombreuses que la commune dut instituer un examen d'entrée, où le candidat devait faire la preuve qu'il était vraiment un délinquant, qu'il avait été arrêté et emprisonné, etc.

On vit apparaître successivement une bibliothèque, un cercle d'échecs, une galerie d'art et un cinéma, tenus par les communards eux-mêmes. Il y avait aussi des commissions de litige: si quelqu'un n'allait pas à son travail ou était en retard, il était publiquement réprimandé; s'il récidivait, on opérait un retrait sur son salaire. Dans les cas les plus graves, le coupable était condamné à un ou deux jours d'arrestation: on lui donnait l'adresse d'une prison de Moscou, il s'y rendait sans escorte, purgeait sa peine et revenait.

Durant les trois premières années, il y avait outre les 320 garçons, 30 filles. Il n'y eut pas de difficultés sexuelles sensibles, étant donné que les garçons avaient des liaisons avec les filles des environs. Le chef de la commune me dit que les communards discutaient des problèmes sexuels entre eux et qu'il y avait fort peu d'excès. La vie sexuelle se réglait spontanément parce que la satisfaction sexuelle complète était possible.

La commune « Bolchevo » est le prototype d'une éducation des jeunes délinquants fondée sur le principe de l'auto-gestion et de la restructuration du psychisme autoritaire. Malheureusement, ces communes restèrent des exemples isolés, et le principe en fut abandonné au cours des années suivantes, comme le montrent les rapports qui nous sont parvenus en 1935.

Il faut se rappeler qu'en 1935, la régression générale aux méthodes autoritaires était déjà très avancée.

c) *La jeunesse à la recherche de nouvelles formes de vie.*

A l'époque même où, grâce à la N.E.P. (Nouvelle Politique Economique), l'économie se rétablissait, l'institution de communes privées jouait un grand rôle. La jeunesse devait pratiquer la forme communiste de vie communautaire dans des habitations collectives. Mehnert rapporte que plus tard ces tentatives passèrent à l'arrière-plan. « On est devenu plus

1odeste », écrit-il en 1932; « on admet ouvertement
u'il est peu sensé d'anticiper sur l'étape finale du
ocialisme, le communisme, sous la forme de petits
ots, à l'époque où l'ensemble du pays est à peine
n train de liquider la N.E.P. et ne se trouve qu'aux
remiers stades du socialisme. La création de com-
unes était une mesure d'urgence qui n'est plus
écessaire aujourd'hui ».

Cette explication ne satisfait pas. Il est possible
ue vers le milieu des années 20, l'installation de
ommunes de jeunes ait été prématurée. Mais la ques-
on est de savoir pourquoi elles échouèrent.

Le développement soviétique, jusqu'à ce jour, se
aractérise par une lutte sévère entre les nouvelles
ormes de vie et les anciennes. L'issue de ce conflit
era déterminante pour l'issue de la révolution russe.
e problème des communes de jeunes n'est qu'un
spect du problème d'ensemble. On ne peut pas dire
ue leur création était une « mesure d'urgence »; il
agissait bien plutôt d'un progrès sérieux et plein
e sens pour la jeunesse, mais qui échoua pour des
aisons inexpliquées jusqu'ici. Sans doute, le nou-
eau ne pouvait-il pas survivre à l'emprise de l'ordre
ncien. On a néanmoins affirmé que le socialisme
tait en Union soviétique un « fait définitivement
tabli [1] ».

Examinons quelques extraits d'un journal de com-
une, cité par Mehnert:

C'était en hiver 1924, période de grande disette,
otamment dans les grandes villes comme Moscou.
'expérience commune de la faim, du dénuement
t du manque de logements rapprochait les indivi-

---

[1] « En Union Soviétique, le socialisme, sous la direction du P.C.,
e son comité central léniniste, sous la direction du grand guide des
availleurs, le camarade Staline, a définitivement et irréversiblement
iomphé. » (Manouilski, dans son rapport aux sections de Moscou et
e Léningrad du Parti, sur les résultats du VIIe congrès du Komin-
rn.)

dus. Quelques amis qui étaient sur le point de quitte
l'école, trouvant insupportable de retourner chacu
dans sa famille, décidèrent de rester ensemble dan
une espèce de nouvelle famille, et de fonder un
commune. Après avoir longuement cherché, ils tro
vèrent quelques chambres au second étage d'un
vieille maison. Au premier étage, il y avait une blar
chisserie chinoise, et la vapeur passait par les fiss
res, sauf entre deux et six heures du matin lorsqu
la blanchisserie s'arrêtait. Mais cela n'avait p;
d'importance; on était heureux d'être sous un to

Ils emménagèrent en avril 1925. L'appartement s
composait de deux chambres à coucher, d'un salo
appelé « le club », et d'une cuisine; le mobilier s
composait de couchettes, de deux tables et de deu
bancs. Dix personnes, cinq filles et cinq garçons, s'a;
prêtaient à bâtir une nouvelle vie.

Les communards furent bientôt si occupés par leu
travail à l'extérieur qu'ils négligèrent l'économ
domestique. Le journal rapporte ceci:

« 28 octobre. — Le préposé au ménage a tro
dormi: pas de petit déjeuner. La commune n'a p;
été nettoyée. Après le dîner, la vaisselle n'a pas é
lavée (il n'y a d'ailleurs pas d'eau).

29 octobre. — A nouveau pas de petit déjeune
Pas de dîner non plus. Vaisselle non faite dereche
Office et salle de bains non nettoyés. Une épais
couche de poussière s'étend partout. La porte e
restée non verrouillée, la lumière était allumée da
deux pièces. A deux heures du matin, notre phot
graphe amateur, contre tout règlement, développa
ses clichés.

30 octobre. — Nous avons commencé par les cha
bres à coucher: tout est par terre, sur les fenêtre
sur les chaises, sur et sous les lits. Au club, d
journaux, des encriers, des porte-plume, des lettr
sont répandus à travers toute la pièce. Sur la tab

règne le chaos. A la cuisine, il y a encore davantage de vaisselle non lavée et il ne reste plus rien de propre. L'armoire à vaisselle est chargée aux limites de sa capacité. La vidange est bouchée. L'office est un fouillis. Les communards sont apathiques, paisibles, quelques-uns sont même satisfaits. Pouvons-nous bâtir une nouvelle vie de cette façon? »

Quelques jours plus tard, on discuta de l'embauche d'une bonne à tout faire. N'était-ce pas de l'exploitation? Après un long débat, on parvint à la conclusion suivante: « Tout le monde est constamment forcé de recourir aux services rémunérés de tierces personnes: il donne ses effets à la blanchisserie, fait venir une femme de ménage, etc. Une bonne à tout faire n'est que la réunion de toutes ces personnes en une seule ». C'est ainsi que la bonne Akoulina fut introduite dans la commune, et avec elle un certain degré d'ordre et de propreté.

Néanmoins, le journal de la première année dresse un tableau plutôt sombre. « La dureté des temps a fini par engendrer la nervosité et l'irritabilité. » Quatre membres sont partis: une fille qui disait qu'elle se ruinait la santé dans la commune; une autre qui prétendait que l'un des garçons était insupportable; une troisième se maria et alla vivre avec son mari; un jeune homme fut expulsé parce qu'il avait mis de côté une partie de son revenu. Il restait donc deux filles et quatre garçons. Au cours de l'été, l'arrivée de nouveaux membres porta ce nombre à onze, cinq filles et six garçons, tous âgés de vingt-deux à vingt-trois ans, étudiants pour la plupart. Il restait quatre des dix membres fondateurs.

Tout problème, même le plus mince, était discuté par une réunion de la commune tout entière. Il y avait une « commission » pour tout aspect de la vie quotidienne: commission financière, commission vestimentaire, commission de l'hygiène qui était chargée des questions sanitaires et de l'approvision-nement en savon, pâte dentifrice, etc. En ce qui con-cerne l'organisation, la commune prit donc la forme d'un gouvernement étatique, c'est-à-dire d'une admi-nistration par « commissions ».

Mais il y eut des difficultés fondamentales qui n'étaient pas dues au besoin matériel immédiat, mais à l'anxiété sexuelle structurale. Extérieurement, cela se présentait comme l'« égoïsme », l'« individualis-me » et l'« atavisme petit-bourgeois », interférant avec l'esprit collectiviste de la commune. On tenta d'ex-tirper ces vieilles « mauvaises habitudes » par une discipline morale. On instaura un idéal, le principe moral de la « vie collective » contre l'« égoïsme ». On voulut donc bâtir une organisation, dont le prin-cipe est l'auto-gestion et la discipline volontaire et intérieure, à l'aide de mesures morales et même auto-ritaires. D'où venait ce manque de discipline inté-rieure? *Une commune pouvait-elle résister long-temps au conflit entre le principe de l'auto-gestion et la discipline autoritaire?*

L'auto-gestion d'une commune présuppose la santé mentale, qui requiert à son tour toutes les conditions internes et externes d'une vie amoureuse satisfaisante. Le conflit entre l'auto-gestion et la dis-cipline autoritaire s'enracinait dans le conflit entre le désir de vie collective et la structure psychique d'inaptitude à cette vie: *ils échouèrent lorsqu'il fut question d'agencer les conditions de la vie sexuelle.* La collectivité devait fournir *un nouveau foyer* aux jeunes gens qui étaient fatigués du foyer parental et de la vie familiale. Mais ces jeunes gens avaient à la fois une *aversion* pour la famille et une *aspiration* à la famille. Les petits problèmes quotidiens de mé-nage, etc., devinrent insolubles uniquement en rai-son de la confusion des relations sexuelles.

Tout d'abord, les communards formulèrent des

exigences correctes. Ils disaient que les relations devaient être « amicales », bien qu'on n'ait jamais dit clairement ce qu'on entendait par là. Ils précisèrent que la commune n'était pas un monastère, ni les communards des ascètes. Les statuts de la commune disaient textuellement:

« Nous sommes d'avis qu'il ne doit pas y avoir de restriction des relations sexuelles. La franchise doit régner en matière de sexualité; nous devons la considérer en pleine conscience et avec sérieux. Sinon, il apparaîtra un désir de secret et de coins sombres, de flirt et autres manifestations indésirables. »

Dans ces quelques phrases, les communards saisissaient instinctivement un principe fondamental de l'économie sexuelle: la restriction des relations sexuelles conduit à une clandestinité et à une distorsion de la sexualité. Les communards avaient-ils reçu l'éducation appropriée, étaient-ils assez conscients de leur sexualité, assez sains pour pouvoir vivre conformément à ce principe collectiviste, conforme à l'économie sexuelle? Ils ne l'étaient pas.

Il apparut bientôt que le difficile problème de la structure humaine ne pouvait pas être résolu avec des mots et des exigences morales. Il devint évident que le désir qu'un couple pouvait avoir de s'isoler, de ne pas être dérangé dans son activité amoureuse, n'était en aucun cas un manque de « camaraderie ».

La commune dut faire face au problème habituel de la jeunesse de tous les pays et de toutes les catégories sociales: *le manque de chambres indépendantes*. Toutes les pièces étaient surpeuplées. Où pouvait-on avoir une vie amoureuse sans trouble?

En fondant la commune, personne n'avait pensé à la multitude des problèmes que poserait la vie sexuelle commune. Ces questions ne pouvaient être traitées par quelque réglementation ou discipline morale. Néanmoins, on apporta un amendement aux

statuts afin de résoudre définitivement le problème :
« *Les relations sexuelles sont indésirables chez les
communards durant les cinq premières années de la
commune.* »

Le journal affirme que ce principe fut appliqué
pendant deux ans. Etant donné ce que nous savons
de la sexualité adolescente, nous considérons ceci
comme tout à fait impossible : sans aucun doute, les
relations sexuelles étaient clandestines, échappant à
la surveillance de la « commission ». Cela réintro-
duisit un peu de l'ancien monde réactionnaire ; le premier et bon principe de la commune, celui de la
franchise et de la simplicité en matière sexuelle,
avait été détruit.

d) *La contradiction insoluble entre la famille et la
commune.*

Les difficultés de la vie dans la commune ne pro-
cédaient pas de la question de savoir si les garçons
devaient participer au raccommodage des chaus-
settes ; il s'agissait essentiellement d'une question de
vie sexuelle. Cela apparaît dans la façon, nouvelle
et révolutionnaire d'un côté, tendue et craintive de
l'autre, d'aborder les problèmes sexuels. Ces conflits
permirent d'arriver à la conclusion que : *la famille
et la commune sont des organisations incompatibles.*

Le problème se posa sous une forme aiguë au
début de 1928. Le communard Vladimir demanda
une réunion, et la discussion suivante eut lieu :

VLADIMIR : Katia et moi avons décidé de nous
marier. Nous voulons vivre dans la commune, parce
que nous ne pouvons imaginer de vivre ailleurs.

KATIA : Je veux devenir membre de la commune.

SEMION : A quel titre Katia veut-elle devenir membre ? Comme femme de Vladimir ou simplement
comme Katia. Notre décision en dépend.

KATIA: Il y a déjà longtemps que je voulais devenir membre de la commune et veux y appartenir.

SERGUEI: Je suis pour. Si Katia avait posé sa candidature indépendamment de son mariage avec Vladimir, j'y aurais réfléchi à deux fois. Mais il ne s'agit pas seulement de Katia, mais de l'un de nos communards; ne l'oublions pas.

LELIA: Je suis contre l'admission de quelqu'un pour la seule raison qu'il est un conjoint. Nous devons d'abord nous demander si *la famille ainsi fondée peut s'intégrer à la commune*. Il est vrai que Katia est particulièrement qualifiée pour cette expérience, parce que son tempérament s'accorde avec la vie de la commune.

MICHA: La Commune est en crise. *Un mariage constituerait un sous-groupe à l'intérieur de la commune, et achèverait d'ébranler l'unité de la commune.* Je suis donc contre la participation de Katia.

LELIA: Si nous n'acceptons pas Katia, nous perdrons Vladimir. Nous l'avons déjà pratiquement perdu; il n'est presque jamais ici. Je suis donc pour.

KATIA: Je voudrais que vous considériez mon cas sans « circonstances atténuantes »; je veux devenir un membre à part entière et non simplement la femme d'un communard.

Résolution: Katia est acceptée comme membre.

Une nouvelle couchette fut installée dans la chambre à coucher des filles. Ni dans le journal, ni dans la relation de Mehnert, on ne trouve de données concrètes concernant la vie sexuelle des communards. Le problème du mariage d'un communard était théoriquement résolu, mais les difficultés n'apparurent qu'ensuite. Après de longs débats, on décida qu'en raison du surpeuplement des locaux et du manque d'argent, des enfants n'étaient pas souhaitables; ils ôteraient aux étudiants toute possibilité de travail à domicile. Le journal contient les phrases suivantes:

« Le mariage est possible et permis dans la commune. Toutefois, étant donné les conditions de logement, le mariage doit rester sans descendance. *L'avortement n'est pas autorisé.* »

Ces trois phrases sont plus éclairantes sur les problèmes de la révolution sexuelle en Union soviétique que des milliers de pages de rapports officiels.

1. *Le mariage est possible et permis dans la commune.* Autrement dit, après avoir douté que cela fût possible, on l'a finalement admis; après tout, on ne pouvait pas interdire une relation amoureuse. Il ne vint à l'idée de personne que l'on n'avait pas besoin de contracter un « mariage » pour maintenir une liaison sexuelle, parce que le concept du mariage, dans l'idéologie soviétique officielle, comprenait *toute* sorte de liaison sexuelle. On ne faisait pas la distinction entre une liaison comprenant le désir d'avoir des enfants, et une liaison fondée seulement sur le besoin d'amour. On ne distinguait pas non plus entre une liaison passagère et une liaison durable; on ne pensait pas à la fin d'une liaison passagère ni au développement graduel d'une liaison durable.

2. *Etant donné les conditions de logement, le mariage doit rester sans descendance.*

D'un côté, les communards comprenaient la possibilité d'entrer dans un mariage sans enfants, dès lors qu'il n'y avait pas de place pour eux.

Mais le problème le plus urgent était de savoir où les relations sexuelles pourraient avoir lieu. Dans l'organisation de la jeunesse révolutionnaire allemande, le problème avait été parfois résolu par un expédient: les jeunes gens qui avaient des chambres à eux les mettaient à la disposition de leurs camarades. Quelque nécessaire qu'ait été cette mesure, aucun officiel du parti n'eût osé y recourir officiellement comme à une mesure d'urgence.

3. *L'avortement n'est pas autorisé.*

Cette phrase exprime la tendance conservatrice à admettre une liaison amoureuse, mais non l'avortement; la continence était donc la solution pratique. La résolution adéquate eût été: « Etant donné que nous ne pouvons admettre d'enfants pour le moment, l'espace vital faisant défaut, vous ne pouvez avoir d'enfants. Si vous voulez vous fréquenter, utilisez des anticonceptionnels et indiquez-nous les moments où vous ne voulez pas être dérangés. »

La discussion qui suivit cette résolution montra de quelle confusion irréparable les communards étaient victimes, en ne distinguant pas la procréation de la satisfaction sexuelle. De nombreux communards protestèrent contre cette résolution, disant qu'elle était un empiètement injustifié sur le domaine de la nature, qu'elle était confuse et nuisible. Une année plus tard, la commune put acquérir un logement plus vaste; la résolution fut alors remplacée par la suivante: « La commune autorise la naissance d'enfants. » Le problème des rapports sexuels isolés n'était toujours pas abordé. Ce qui était vraiment révolutionnaire, c'était l'attitude qu'adoptèrent les communards en ce qui concerne les enfants, considérés comme les enfants de la commune qui prenait en charge leur éducation.

Mais ici, le conflit devenait patent. La commune devenait alors la nouvelle forme de la « famille », une collectivité de personnes non parentes par le sang, destinée à remplacer l'ancienne forme de famille. Certes, la collectivité devait l'existence à la protestation contre les contraintes familiales; mais elle procédait en même temps du désir de vivre dans une communauté semblable à une famille. Cela signifie que l'on créait un nouveau type de famille, tout en y maintenant, à l'intérieur, la vieille forme familiale. Il y avait beaucoup de confusion. Les communards adoptèrent la résolution suivante:

« Si l'un des communards veut se marier, la commune ne devra pas l'en empêcher. Au contraire, la commune devra faire tout ce qui est possible pour assurer les conditions nécessaires à une vie familiale. »

Le conflit entre la famille et la collectivité se manifesta concrètement à propos de questions comme celle-ci: Que faire si un communard veut épouser une fille étrangère à la commune et qui ne s'adapte pas à la commune? Et si cette fille ne veut pas se joindre à la commune? En ce cas, mari et femme devront-ils vivre séparément? Une question en entraînait donc une autre. Ce que les communards ignoraient, c'était:

1. Qu'il y avait un *conflit* entre la *nouvelle forme de la commune* et *l'ancienne structure des communards*.

2. Que la commune est *incompatible avec ces formes anciennes que sont le mariage et la famille.*

3. Qu'il était nécessaire de provoquer un *changement de structure psychologique* des individus vivant dans la commune, et *de quelle façon* cela pouvait être fait

Les communards ne s'étaient pas libérés de la notion réactionnaire de « mariage » avec ce qu'elle implique d'irréversibilité.

Et précisément au moment où ils pensaient avoir résolu le problème avec leurs nouvelles résolutions, il arriva ceci, que relate le journal:

« Vladimir n'aime plus Katia. Il ne peut se l'expliquer à lui-même. Lorsqu'il l'épousa, il l'aimait, mais maintenant il ne reste qu'un sentiment de camaraderie, si bien que continuer à vivre comme mari et femme, sans amour, est difficile et inutile. »

Le résultat en fut le divorce, qui bouleversa les communards; les filles en particulier furent assez violentes dans leurs jugements:

« Vladimir est un cochon. Il aurait dû réfléchir et prévoir avant de se marier. Cela ressemble trop au romantisme petit-bourgeois: quand je veux aimer, j'aime, et quand je ne le veux plus, je cesse d'aimer. Aujourd'hui cela prend la forme suivante: je ne peux vivre sans toi, marions-nous; et un peu plus tard: je ne t'aime plus, soyons simplement amis. »

On voit combien fut dérisoire l'effet de la législation matrimoniale soviétique sur la structure psychique des communards! Ils considéraient comme petit-bourgeois ce que le petit-bourgeois lui-même craignait le plus: la dissolution d'une relation conjugale.

Les garçons se montrèrent plus compréhensifs: « Il n'y a pas de doute que Vladimir aimait Katia, et ce n'est pas sa faute si ce sentiment a cessé d'être », dirent-ils. Il y eut un long débat en réunion plénière de la commune. Certains dirent: « Vladimir a raison de vouloir le divorce, on ne peut le blâmer. Après tout, il n'y a pas de résolution de la commune qui puisse le forcer à aimer. » Mais la majorité le condamna, disant qu'il s'était engagé dans le mariage à la légère et s'était montré indigne d'un komsomoletz et d'un communard. Pendant ce temps, cinq des onze communards s'étaient mariés. Les conditions de vie restèrent les mêmes, garçons et filles habitant des chambres à coucher séparées. Du point de vue de l'hygiène sexuelle, cette situation est intenable.

La communarde Tania écrivit à son mari:

« Tout ce que je demande, c'est une parcelle de bonheur personnel, tout simple. J'aspire à un coin tranquille où nous pourrions être tout seuls ensemble, afin que nous n'ayons pas à nous cacher des autres, afin que notre relation puisse être plus libre et plus joyeuse. La commune ne peut-elle pas comprendre que c'est une simple nécessité humaine? »

Tania avait une structure sexuelle saine. Nous pouvons comprendre maintenant ce qui fit échouer la commune. Les communards comprenaient très bien Tania; ils souffraient tous de leurs conditions de vie et de la confusion idéologique, mais ils étaient incapables de changer cet état de choses. Ce problème disparut des délibérations et du journal pour continuer une existence soùterraine.

Certes, la solution du problème du logement n'eût pas résolu en même temps le problème des liaisons sexuelles dans la commune; elle n'eût été qu'une condition *externe* importante de cette solution. Les communards ne comprenaient pas que l'on ne doit pas établir de liaison durable sans s'être convaincu qu'on est adapté l'un à l'autre au point de vue sexuel, rythmique et psychique, que pour le savoir, un couple doit d'abord vivre ensemble quelque temps sans engagement; que l'adaptation mutuelle prend souvent un temps considérable; que l'on doit pouvoir se séparer si l'on aperçoit que l'on n'est pas sexuellement assortis; que l'on ne peut exiger l'amour, que le bonheur sexuel est spontané, ou bien n'est pas. Tout ceci, ces jeunes hommes et femmes l'auraient certainement trouvé, si l'idée conventionnelle du mariage et l'équation réactionnaire de la sexualité et de la procréation n'avaient été comme une seconde nature en eux. Ces idées n'étaient pas innées, mais on n'avait rien fait pour les extirper de l'idéologie sociale.

3. — CONDITIONS DE STRUCTURE INDISPENSABLES

Pour résumer les observations précédentes, nous pouvons dire que:

1. Vers 1900, la situation familiale était relativement simple. Les individus vivaient dans la coquille familiale. Il n'y avait pas de collectivités dont les

exigences fussent en contradiction avec la situation familiale ou avec la structure familiale de l'individu *(menschliche familiäre Struktur)*. Il n'y avait pas non plus de conflit entre la famille et l'ordre social de l'État patriarcal autoritaire. La sexualité réprimée trouvait issue dans l'hystérie, la rigidité et les bizarreries du caractère, la prostitution, les perversions, le suicide, les tourments infligés aux enfants et le fanatisme belliqueux.

Vers 1930, la situation était infiniment plus complexe. La famille se désintégrait sous l'effet de la production collectiviste et de la suppression du fondement économique de l'institution familiale. Cette institution se maintenait moins par des facteurs économiques que par des facteurs de structure humaine. Elle ne parvenait ni à vivre, ni à mourir. Les hommes sentaient qu'ils ne pouvaient plus vivre dans la famille, mais s'éprouvaient en même temps incapables de vivre *sans* elle. Ils ne pouvaient pas vivre avec un seul partenaire pour toujours, ni ne pouvaient vivre seuls. Bref, il n'y avait dans les pays conservateurs aucune forme de vie qui pût prendre en charge de façon satisfaisante les besoins humains à peine libérés des attaches familiales.

2. En Union soviétique, cette nouvelle forme de vie fut créée. C'était la *nouvelle forme de famille constituée par les collectivités de personnes non apparentées par le sang*. Elle excluait l'ancien mariage. La question suivante est celle de la forme que devraient prendre les relations sexuelles dans des communautés de ce genre. Nous ne pouvons ni ne devons la prédéterminer. Tout ce que nous pouvons faire est de suivre de près la révolution sexuelle et en soutenir les orientations qui ne sont pas contraire aux formes économiques ou sociales d'une société libre. D'une façon générale, cela implique une *affirmation absolue et concrète du bonheur*

sexuel; celui-ci n'est possible ni dans la monogamie coercitive ni dans les liaisons de circonstance sans amour et insatisfaisantes (la « promiscuité »). La collectivité soviétique exclut les modèles d'ascétisme et de monogamie coercitive définitive. Les relations sexuelles entrent dans une phase entièrement nouvelle. La collectivité rend les relations humaines de l'individu si polymorphes qu'un garde-fou contre un changement de partenaire et contre le développement de relations avec des tiers est impensable. Ce n'est que lorsqu'on a parfaitement compris le caractère douloureux et sérieux de l'idée que le partenaire aimé étreint quelqu'un d'autre, lorsqu'on l'a expérimenté activement et passivement, que l'on peut comprendre que ce problème n'est pas simplement économique, mais est un problème de structure. Dans une collectivité, où hommes et femmes se trouvent en nombre égal, il y a de grandes possibilités de changements de partenaire.

Ne pas tenter de comprendre et de maîtriser ce processus douloureux de l'apparition d'un nouvel ordre sexuel serait une faute dangereuse. Ce processus doit être maîtrisé non pas d'une manière moralisatrice, mais par l'affirmation de la vie. La jeunesse soviétique a payé cher pour l'apprendre; la leçon ne devrait pas être perdue.

La structure humaine doit être adaptée à la vie collective. Cette adaptation devra certainement impliquer un dépérissement de la jalousie et de la peur de perdre un partenaire. En général, les individus sont incapables d'indépendance sexuelle; ils sont liés à leurs partenaires par des attachements collants et sans amour, qui les rendent incapables de se séparer d'eux; ils ont peur en cas de perte d'un partenaire de ne pouvoir en trouver un autre. Cette peur est toujours fondée sur des attachements infantiles à la mère, au père ou aux frères et sœurs aînés. Si la famille était remplacée par la collectivité, la formation de ces attachements pathologiques ne pourrait se produire, et par là serait détruit le noyau de la déréliction sexuelle; la possibilité de trouver des partenaires convenables s'en trouverait considérablement accrue et le problème de la jalousie disparaîtrait presque entièrement. L'aptitude à changer de liaison durable sans douleur ni dommage est en effet l'un des problèmes déterminants. La restructuration devrait rendre les individus capables d'éprouver simultanément l'amour tendre et l'amour sensuel génital, capables d'expérimenter pleinement la sexualité depuis l'enfance, c'est-à-dire capables de *puissance orgastique*. La prévention des troubles sexuels, de la névrose, de la polygamie insatisfaisante, de l'investissement sexuel collant, de la sexualité inconsciente, etc., demandera des efforts considérables. Il ne s'agit pas de dire aux individus comment ils devraient vivre; il s'agit de faire leur éducation de telle manière qu'ils puissent régler eux-mêmes leur vie sexuelle sans complication sociales dangereuses. Cela suppose en premier lieu *le développement d'une génitalité naturelle non restreinte, et favorisée par la société.* C'est alors seulement que pourra se développer l'aptitude à la franchise avec le partenaire et l'aptitude à supporter les émotions de jalousie sans réactions brutales. Les conflits de la vie sexuelle ne peuvent être complètement effacés, mais leur solution peut et doit être facilitée.

Une prévention sociale cohérente des névroses veillerait à ce que les individus ne compliquent pas névrotiquement leurs conflits quotidiens inévitables. Si la confiance en soi au point de vue sexuel était répandue dans les masses, l'hypocrisie morale serait stigmatisée comme crime social. L'idée de vie collective n'a rien à voir avec l'idée de paradis. La lutte, la souffrance, la sexualité, sont en effet partie intégrante de la vie, et il importe de faire en sorte que les individus soient capables d'éprouver en pleine conscience le plaisir et la peine, et capables de les maîtriser rationnellement. Des individus bâtis de la sorte seraient inaptes à la servitude. *Seuls les individus génitalement sains sont capables de travail volontaire et d'auto-détermination de leur vie hors de tout principe d'autorité.* Tant que cela n'est pas bien compris, la tâche de restructuration des hommes ne peut qu'échouer; elle ne peut même pas être correctement conçue. L'inadaptation de la structure sexuelle humaine à la vie collective conduirait en effet à des résultats objectivement réactionnaires.

Toute tentative pour réaliser cette adaptation par la voie des obligations morales et autoritaires ne peut que faire fiasco. On ne peut *exiger* une discipline sexuelle « volontaire » : elle est ou elle n'est pas. On ne peut qu'aider les hommes à réaliser le plein développement de leurs capacités naturelles.

CHAPITRE XIII

QUELQUES PROBLÈMES
DE SEXUALITÉ INFANTILE

Les jardins d'enfants que je visitai en Russie en 1929 avaient une excellente organisation collective.

Un jardin d'enfants de trente enfants avait six maîtres qui passaient cinq heures avec les enfants et une heure à préparer le travail. La directrice de l'école et l'intendante étaient des ouvrières d'usine; les maîtres avaient une secrétaire. Quinze enfants environ étaient fils d'ouvriers d'usine, les autres, fils d'étudiants. Le conseil comprenait la directrice, un maître, deux représentants des parents, une représentante de l'arrondissement et un médecin. Les enfants étaient élevés hors de toute religion; le travail continuait pendant les vacances. Le choix des sujets d'enseignement était frappant; on trouvait, par exemple: « Quelle est l'importance de la forêt pour les hommes? », ou « pour leur santé ». Les enfants travaillaient beaucoup sur du bois.

En ce qui concerne la sexualité, les choses allaient moins bien. Les institutrices se plaignaient de la nervosité des enfants. On avait fréquemment recours aux rituels du coucher en guise de protection contre la masturbation. Souvent, les enfants qui se masturbaient étaient retirés par les parents. Une institutrice fit remarquer: « *Même* les enfants de médecins se masturbent. » Voici enfin une petite observation: en parlant avec la directrice, je regardais par la fenêtre les enfants qui jouaient; un petit garçon exhibait son pénis devant une petite fille qui regardait; à ce moment précis la directrice m'assurait que dans

son jardin d'enfants des « choses telles que » la masturbation et la sexualité infantiles ne se produisaient
pas.

1. — LA CRÉATION D'UNE STRUCTURE COLLECTIVE

L'histoire de la formation des idéologies montre
que tout système social, de façon consciente ou non,
utilise l'influence sur les enfants afin de s'enraciner
dans la structure humaine. Si nous suivons ce processus d'ancrage dans son évolution de la société
matriarcale à la société patriarcale, nous nous aper-
cevons que l'*éducation sexuelle* est le noyau de ce
processus d'influencement. Dans la société matriarcale, fondée sur l'ordre social du communisme primitif, les enfants jouissent d'une liberté sexuelle
complète. Et dans la mesure même où le patriarcat
se développe économiquement et socialement, nous
voyons se développer une idéologie ascétique relative à l'éducation des enfants. Ce changement a pour
fonction de créer une structure interne de type *autoritaire* au lieu de la structure antérieure non-autoritaire. Dans le matriarcat, il y a une sexualité *collective* des enfants, qui correspond à une vie collective
en général; c'est-à-dire que l'enfant n'est pas contraint par quelque règle à une forme de vie sexuelle
prédéterminée.

La sexualité libre de l'enfant constitue une base
structurale solide pour son adaptation *volontaire* à
la collectivité et pour la discipline volontaire du travail.

Avec le développement de la famille patriarcale,
la répression sexuelle chez l'enfant va croissant. Le
jeu sexuel devient interdit, la masturbation punie.
Le récit de Roheim sur les enfants Pitchentara montre clairement de quelle façon tragique tout le carac-

tère de l'enfant est changé lorsque sa sexualité naturelle est réprimée. Il devient timide, plein d'appréhension, redoutant l'autorité, et développe des impulsions sexuelles non-naturelles, telles que les dispositions sadiques. Le comportement libre, non-craintif, est remplacé par l'obéissance et la dépendance *(Leichtbeeinflussbarkeit)*. La lutte contre les pulsions sexuelles réclame beaucoup d'énergie, d'attention et de « maîtrise de soi »; dans la mesure où les énergies végétatives de l'enfant ne sont plus investies dans le monde extérieur et la satisfaction instinctuelle, celui-ci perd sa vigueur motrice, son agilité, son courage et son sens du réel: il revient « inhibé ». Au centre de cette inhibition, il y a toujours une inhibition de la motricité, de la course, du saut, du tapage, bref de l'activité musculaire. On peut aisément observer comment, dans tous les milieux patriarcaux, les enfants de quatre, cinq ou six ans deviennent rigides, froids, et commencent à se cuirasser contre le monde extérieur.

Au cours de ce processus, ils perdent leur charme naturel et deviennent souvent gauches *(ungelenk)*, inintelligents, insolents *(trotzig),* « malcommodes » *(schwer erziehbar)*; ce qui en retour entraîne une aggravation des méthodes patriarcales d'éducation. C'est également sur ce fond structural que se développent les tendances à la religion, l'attachement infantile aux parents et la dépendance à leur égard; ce que l'enfant a perdu en motricité naturelle, il le remplace par des idéaux imaginaires; il devient introverti et névrotique, « rêveur ». Plus son Moi s'affaiblit dans sa fonction de réalité, son affectivité et son action présentes, plus se renforcent les exigences idéales qu'il doit s'imposer pour conserver sa capacité d'action. Nous devons ici distinguer soigneusement entre *deux sortes d'idéaux*: ceux qui ont pour origine la mobilité végétative naturelle de l'enfant et ceux qui dérivent de la nécessité d'une maîtrise de soi et d'une répression des instincts. Les premiers sont à l'origine du travail volontaire, librement productif, les seconds à l'origine du travail comme devoir. Ainsi, dans la société patriarcale, l'autonomie dans l'adaptation sociale et le travail agréable sont remplacés structuralement par le principe de l'obéissance à l'autorité et du travail comme devoir, avec la révolte qui s'ensuit. Nous en resterons à ce schéma. En réalité, ces situations sont très compliquées et ne peuvent être bien présentées que dans une étude d'analyse caractérielle spécialisée.

Ce qui nous intéresse avant tout ici, c'est de savoir comment une société auto-gérée se reproduit elle-même chez les enfants. Existe-t-il des différences spécifiques entre la reproduction par l'éducation du système patriarcal et celle du système non-patriarcal d'auto-gestion? Deux possibilités sont offertes:

1. Endoctriner l'enfant dans les idéaux révolutionnaires à la place des idéaux bourgeois patriarcaux;

2. Abandonner tout endoctrinement idéologique et lui substituer la formation d'une structure de l'enfant qui le fasse réagir spontanément d'un point de vue collectif et communiste, et qui lui fasse accepter l'atmosphère révolutionnaire *sans révolte*.

La seconde méthode est en accord avec le principe d'autonomie souhaité; la première ne l'est pas.

Si, à tous les moments de l'histoire, la structure de l'enfant a été forgée par l'intermédiaire de l'éducation sexuelle, la structure communiste ne doit pas faire exception. Il y eut, en Union soviétique, de nombreuses tentatives en ce sens. De nombreux pédagogues, notamment ceux qui avaient une orientation psychanalytique, comme Véra Schmidt, Spielrein et d'autres, essayèrent d'instaurer une éducation sexuelle positive. Ce ne furent pourtant que des tentatives isolées, et, dans l'ensemble, *l'éducation sexuelle des enfants en Union soviétique resta anti-sexuelle.* Ce fait est de la plus grande importance.

Il était nécessaire que la structure de l'enfant fût adaptée à la vie collective souhaitée, et cela ne pouvait se faire sans l'affirmation de la sexualité infantile, car on ne peut élever les enfants dans une collectivité tout en réprimant la plus vivace de leurs tendances, la tendance sexuelle. Si on la réprime, l'enfant, bien que vivant *extérieurement* dans la collectivité, doit employer bien plus d'énergie *interne* pour contenir sa sexualité qu'il ne lui en faudrait dans la famille, et souffrira de plus de conflits et de solitude.

Face à cette situation, l'éducateur ne peut que recourir à une discipline rigoureuse, à un « ordre » imposé de l'extérieur, à des interdictions et des idéaux antisexuels. Cela est d'autant plus difficile que la sexualité reçoit plus de stimulations dans la collectivité que dans la famille. C'est pour cette raison que les objections contre l'éducation collective sont habituellement motivées par la crainte que les enfants ne « tournent mal », i.e. manifestent des impulsions sexuelles.

Les impressions que je retirai des jardins d'enfants furent assez contradictoires. Il y avait de vieilles formes patriarcales à côté des nouvelles, originales et prometteuses. Ici, les enfants, sous la conduite d'un pédagogue, devaient décider par eux-mêmes (« auto-gestion »). Une innovation incontestablement importante pour la restructuration de l'enfant, c'est la combinaison du travail manuel avec l'apprentissage intellectuel. Les écoles dites techniques, où les enfants apprennent un métier concurremment avec les autres matières scolaires, représentent incontestablement la forme primitive d'institutions éducatrices qui produiraient des structures de vie collective. Jusqu'à il y a quelques années seulement, il régnait une véritable camaraderie entre élèves et maîtres.

LA RÉVOLUTION SEXUELLE

Dans le *Journal de l'élève Kostia Riabtsev*, on trouve mainte anecdote sur la vie des enfants quant à leur rapport au maître, témoignant de la vivacité de leur intelligence et de leur esprit critique. Un exemple particulièrement frappant de formation d'une structure communiste me fut donné par les « jardins d'enfants volants » du parc de la culture de Moscou : les visiteurs du parc pouvaient laisser leurs enfants dans une garderie où des éducateurs jouaient avec eux ; c'en était fini du spectacle déprimant de l'enfant qui, triste et maugréant, arpente le parc avec ses parents ou sa gouvernante. Les enfants apprenaient ainsi à se connaître et avaient l'occasion de jouer ensemble. Les enfants de deux à dix ans étaient réunis dans une grande pièce et on leur donnait quelque objet primitif tel qu'une clef, une cuillère ou une assiette. Un professeur de musique s'asseyait au piano et jouait quelque chose. Sans aucune directive ni incitation, les enfants attrapaient le rythme et participaient avec leurs « instruments ». L'existence d'un parc de la culture n'est pas spécialement communiste ; il y en a dans la plupart des pays réactionnaires. Ce qui était communiste, c'était que les enfants fussent réunis et divertis de cette façon qui prenait en considération les besoins moteurs et rythmiques des enfants. Des enfants qui expérimentent ainsi la joie de jouer à l'organisation spontanée seront mieux préparés à développer une idéologie communiste, sans avoir besoin d'y être endoctrinés.

La question de l'orientation de l'*activité motrice infantile* nous conduit au centre du problème de l'éducation. La tâche d'un mouvement révolutionnaire est, d'une façon générale, de libérer et de satisfaire les besoins végétatifs auparavant réprimés. C'est là le sens véritable du socialisme. Une possibilité suffisante et toujours croissante de satisfaire les besoins devrait permettre aux individus de développer leurs capacités et besoins naturels. Un enfant qui n'est pas inhibé et dont la motricité est libre n'est pas susceptible de réceptivité à l'égard des idéologies et des mœurs réactionnaires. Inversement, un enfant inhibé, rigide, est prédisposé à accepter toute espèce d'idéologie. Nous devons rappeler ici les tentatives que fit le gouvernement soviétique, dans les premières années de la révolution, pour donner aux enfants toute liberté de critiquer leurs parents. C'était une mesure qui, tout d'abord, ne fut absolument pas comprise dans les pays d'Europe occidentale. De nombreux enfants appelaient leurs parents par leurs prénoms. Cela veut dire que l'école aussi bien que le foyer familial commençaient à modifier leurs méthodes en vue de restructurer les enfants de façon non-autoritaire. Cette tendance, qu'illustrent bien d'autres exemples encore, se heurtait à l'opposition d'une autre tendance, qui prit progressivement le dessus. Cette dernière a récemment triomphé en ce qui concerne la responsabilité de l'éducation des enfants, à nouveau confiée aux parents; c'est une nouvelle régression aux formes patriarcales d'éducation. L'étude des problèmes complexes de l'éducation collective des enfants parut décliner ces dernières années, et l'éducation familiale redevint la règle. Il y eut une modification correspondante du type d'éducation politique à l'école. On peut lire, par exemple, dans des revues pédagogiques que les enfants participent à des polémiques politiques. Des questions du genre: « Que dit la n^{ieme} thèse du Sixième Congrès Mondial ? », montrent que l'endoctrinement forcé dans l'idéologie communiste est devenu une méthode de choix. Il est évident qu'un enfant ne peut comprendre ni juger aucune thèse d'un congrès mondial. Quelle que soit sa valeur dans ces polémiques, quelle que soit son aptitude à réciter

341

les thèses, il n'en sera nullement protégé contre les influences fascistes; il sera tout aussi facilement endoctriné dans les idéologies fascistes. En revanche, un enfant dont la motricité est parfaitement libre et dont la sexualité s'exerce naturellement résistera énergiquement à l'influence des idéologies ascétiques et autoritaires. Dans le domaine de l'influencement autoritaire, superficiel et externe, de l'enfant, la réaction politique pourra toujours faire mieux que concurrencer l'éducation révolutionnaire. Elle ne le peut dans le domaine de l'éducation sexuelle; aucune idéologie réactionnaire, aucune politique, ne peut offrir aux enfants, quant à leur sexualité, ce que leur destine la révolution sociale.

Il est donc clair que, *pour créer une structure révolutionnaire chez l'enfant, il faut préserver sa mobilité végétative et sexuelle.*

2. — LA CRÉATION D'UNE STRUCTURE NON-AUTORITAIRE CHEZ L'ENFANT

La première tâche dans la création d'une structure non-autoritaire des individus est l'éducation favorable à la sexualité des enfants.

En août 1921, la psychanalyste Véra Schmidt, de Moscou, fonda un jardin d'enfants où elle entreprit l'expérimentation d'une éducation correcte des enfants. Ses expériences, publiées en 1924 dans la brochure: *Education psychanalytique en Russie soviétique*, montrent que ce que l'économie sexuelle nous apprend aujourd'hui quant à l'évolution de l'enfance, s'était manifesté spontanément là-bas, grâce à une attitude de proximité à la vie et d'affirmation du plaisir. Son travail était entièrement orienté dans le sens d'une affirmation de la sexualité infantile.

Les grands principes du jardin d'enfants étaient

les suivants: on apprenait aux éducatrices qu'il ne devait pas y avoir de punition, qu'elles ne devaient même pas parler durement aux enfants; la louange et le blâme étaient considérés comme des jugements incompréhensibles pour l'enfant, et n'ayant de sens que pour l'adulte. Le principe de la morale autoritaire était donc éliminé. Que mit-on à sa place?

Ce qui était jugé, ce n'était pas l'enfant lui-même, mais le résultat objectif de son action. Autrement dit, on disait que la maison dessinée ou construite par l'enfant était belle ou laide, *sans* le louer ou le réprimander de ce fait. S'il y avait une rixe, l'enfant n'était pas réprimandé, mais on lui montrait le mal qui était advenu à l'autre enfant.

Les éducatrices devaient se garder de porter aucun jugement sur la conduite ou les particularités de l'enfant. Les démonstrations violentes d'affection, baisers et embrassements, n'étaient pas autorisées. Comme le fait justement remarquer Véra Schmidt, ces démonstrations sont toujours destinées à satisfaire l'adulte plutôt que l'enfant.

On se débarrassait ainsi d'un second principe néfaste de l'éducation moralisatrice autoritaire: car ceux qui se sentent fondés à battre les enfants se croient aussi fondés à les utiliser pour exprimer leur sexualité insatisfaite; ce qui se voit particulièrement bien chez les défenseurs acharnés de l'éducation familiale. Dès lors qu'on abandonne les mesures disciplinaires et le jugement moral, il n'y a pas de raison d'éponger avec des baisers le mal qu'on a fait avec des gifles.

Tout l'environnement était adapté à l'âge et aux besoins spécifiques de l'enfant. Les jouets et les matériaux étaient choisis en fonction du besoin d'activité de l'enfant et en vue de stimuler ses aptitudes créatrices; si les besoins de l'enfant changeaient, les jouets et les matériaux étaient modifiés en conséquence. Ce principe de l'*adaptation du matériel au besoin*, au lieu de l'adaptation inverse, est en parfait accord avec les conceptions essentielles de l'économie sexuelle, et s'applique à la vie sociale tout entière: *les institutions économiques devraient être adaptées aux besoins*, et non les besoins à l'économie existante. Ce principe d'économie sexuelle démontré dans le jardin d'enfants de Véra Schmidt, est l'opposé du principe moral autoritaire utilisé dans les écoles Montessori, où les enfants doivent pour ainsi dire s'adapter à un matériel préétabli.

Véra Schmidt disait: « Si l'enfant doit s'adapter à la réalité extérieure sans de grandes difficultés, il ne faut pas que le monde extérieur lui apparaisse comme quelque chose d'inamical. Nous essayons donc de rendre la réalité aussi attrayante que possible pour l'enfant, et de remplacer tout plaisir primitif auquel l'enfant doit apprendre à renoncer par d'autres plaisirs cette fois rationnels. »

Cela signifie que, si l'enfant doit s'adapter volontairement à la réalité, il doit d'abord apprendre à aimer cette réalité. Il doit être capable d'une identification joyeuse à l'environnement: tel est le principe de l'économie sexuelle. Au contraire, le principe moral autoritaire tenta d'adapter l'enfant à un environnement hostile par le moyen d'un sentiment du devoir et à l'aide d'une pression morale. Si une mère ou un maître se comporte de telle façon que l'enfant l'aime spontanément, cela est conforme à l'économie sexuelle. Une exigence morale ou religieuse: « Tu dois aimer ta mère », qu'elle soit aimable ou non, est moralisatrice, autoritaire.

La nécessité de s'adapter à la vie sociale était préparée en de nombreuses façons chez ces enfants. Les obligations de la vie sociale émanaient des situations de la vie quotidienne et de la communauté des enfants elle-même, et non pas des décisions d'adultes névrotiques, ambitieux et privés d'amour. On expliquait simplement aux enfants pourquoi on leur demandait certaines choses; on ne leur donnait pas d'ordres. On les faisait renoncer aux satisfactions pulsionnelles qui devaient normalement être rejetées, en leur montrant qu'elles étaient contraires à une autre satisfaction, par exemple celle des désirs plus élevés, de l'amour des adultes, des camarades, etc. La confiance en soi et le sentiment de l'indépendance étaient développés et fortifiés chez l'enfant, parce que ces enfants pourraient ainsi plus facilement s'adapter aux nécessités de la vie que s'ils eussent été guidés de l'extérieur. Ces constatations, malgré leur évidence, sont absolument incompréhensibles pour l'éducateur du type adjudant-chef. Le principe d'économie sexuelle de renoncement volontaire à un type de satisfaction devenu socialement impossible était également utilisé dans l'apprentissage de la propreté. Toute espèce d'interdiction de la part des éducatrices était proscrite. Les enfants ne savaient pas que leurs impulsions sexuelles pouvaient être jugées différemment de leurs autres besoins corporels. Ils les satisfaisaient donc sans honte en présence des éducatrices, tout comme la faim et la soif. Cela évitait le besoin de secret, augmentait la confiance des enfants dans les éducatrices, favorisait leur adaptation au réel, fournissant ainsi une base solide pour le développement général. Dans ces conditions, les éducatrices avaient la possibilité d'observer pas à pas le développement sexuel de l'enfant, et de favoriser la sublimation de telle ou telle pulsion.

Véra Schmidt fait remarquer que l'éducateur doit sans cesse opérer sur lui-même. On put constater dans le jardin d'enfants que l'agitation ou le désordre chez les enfants était régulièrement le résultat d'attitudes névrotiques inconscientes de la part des éducatrices. Une éducation selon l'économie sexuelle est absolument impossible tant que les éducateurs ne se sont pas libérés d'attitudes inconscientes ou n'ont pas au moins appris à les connaître et à les contrôler. Cela devient immédiatement évident si l'on veut bien considérer que ce type d'éducation a un contenu concret.

Dans la culture dite occidentale, les mères et les nourrices ne peuvent tolérer que l'enfant *ne soit pas* habitué au petit pot dès sa première année. Dans le jardin d'enfants de Véra Schmidt, on ne faisait aucune tentative pour mettre l'enfant sur le pot « à intervalles réguliers » avant la fin de la deuxième année, et même à ce moment-là les enfants n'y étaient pas contraints, ni d'ailleurs réprimandés s'ils se mouillaient, ce qui était considéré comme quelque chose de naturel.

Cette place centrale de l'apprentissage de la propreté montre quelles conditions doivent être remplies avant même que l'on puisse songer à une éducation selon l'économie sexuelle. Celle-ci est irréalisable dans la famille, et n'est possible que dans la *collectivité d'enfants*. Alors que les médecins et éducateurs ignorants croient que mouiller son lit appelle une punition sévère (qui ne fait que créer une fixation à la perturbation), Véra Schmidt rapporte ce qui suit: une petite fille de trois ans souffrait d'une rechute d'incontinence au lit. On n'y prêta aucune attention et la petite fille redevint spontanément propre trois mois plus tard. Voilà encore un fait incompréhensible pour le pédagogue autoritaire; il n'en est pas moins évident.

« L'attitude des enfants, en ce qui concerne la propreté, écrit Véra Schmidt, est consciente et naturelle. Résistances et caprices ne s'y manifestent pas. Il n'y a pas de sentiment de « honte » lié à ces processus. Notre méthode paraît susceptible d'épargner aux enfants les dures expériences traumatisantes habituellement liées à l'apprentissage du contrôle sphinctérien. » Et en effet, l'expérience clinique nous apprend que la cause la plus fréquente des troubles graves de la puissance orgastique chez l'adulte est l'apprentissage rigoureux de la propreté excrétoire. Elle crée une association du sentiment de honte avec la fonction génitale, ce qui perturbe l'aptitude à organiser l'économie de l'énergie végétative. Véra Schmidt avait parfaitement raison. Les enfants qui n'associent pas la honte avec les fonctions excrétoires ne développent pas ultérieurement de troubles génitaux.

Les enfants du *home* n'étaient nullement contrariés dans leur désir d'activité motrice: ils avaient le droit de courir, de sauter, de crier, etc. Ils avaient ainsi la possibilité non seulement d'exprimer leurs tendances naturelles, mais aussi de les mettre en pratique, ce qui est en parfait accord avec l'idée de l'économie sexuelle que le libre exercice des pulsions infantiles est *la* condition de leur sublimation, donc de leur usage culturel, tandis que leur inhibition, provoquant le refoulement, empêche leur sublimation.

Dans nos jardins d'enfants, au contraire, où les enfants sont rendus « aptes à la culture » et « adaptés à la réalité » par l'inhibition de leur activité motrice, les enfants de quatre, cinq ou six ans présentent une altération alarmante de leur comportement tout entier: au lieu de rester naturels, vivants et actifs, ils deviennent calmes et « bien élevés »; ils deviennent froids. Anna Freud, dans son livre *Psychanalyse pour Educateurs,* confirme cette observation, sans toutefois en faire la critique; qui plus est, elle considère ce fait comme inévitable, parce qu'elle a pour objectif conscient de faire de l'enfant un citoyen *bourgeois*. Ce qui se fonde sur l'idée fausse, commune à toute la pédagogie bourgeoise, que la mobilité naturelle de l'enfant est en contradiction avec son aptitude à la culture. C'est le contraire qui est vrai.

Une partie fort importante de l'exposé de Véra Schmidt est celle qui traite de la *masturbation*. Elle observa que les enfants se masturbaient « relativement peu ». Elle distingua fort justement deux sortes de masturbation: celle qui procède des *stimuli* corporels d'origine génitale et qui ne sert qu'à la satisfaction du besoin de plaisir génital, et celle qui intervient comme « réaction à une humiliation, une perturbation ou une restriction de liberté ». La première forme ne pose pas de problèmes. La seconde provient d'un accroissement de l'excitabilité végétative dû à la crainte ou au dépit que l'enfant tente de décharger par le moyen de la stimulation génitale. Véra Schmidt saisit ce fait correctement, tandis qu'Anna Freud considère à tort la prétendue masturbation excessive des enfants comme une « libération pulsionnelle » *(Triebhaftes Sichausleben)*. Il faut remarquer que, dans les conditions d'une éducation affirmant les pulsions, la masturbation se produisait « sans aucune dissimulation, sous les yeux des éducateurs ». Quand on connaît l'anxiété à l'égard de la masturbation qu'éprouve l'éducateur moyen, on comprend qu'il faille tout d'abord « éduquer l'éducateur » pour qu'il soit capable d'assister calmement à l'expression naturelle de l'instinct chez l'enfant.

De même, les enfants étaient tout à fait libres de satisfaire leur *curiosité sexuelle* entre eux. Ils pouvaient s'examiner mutuellement; en conséquence, leurs jugements concernant la nudité étaient « parfaitement calmes et objectifs ». « Nous remarquâmes que les enfants ne manifestaient pas d'intérêt pour les organes sexuels durant la nudité, mais seulement lorsqu'ils étaient habillés. » Lorsque les enfants posaient des questions sexuelles, on leur répondait avec clarté et véracité. Ils ne connaissaient, dit Véra Schmidt, ni autorité ni contrainte parentales. Pour eux, père et mère étaient des êtres idéaux, qu'ils aimaient. « Il est bien possible, écrit Véra Schmidt, que de bonnes relations entre parents et enfants ne puissent ainsi se développer que si l'éducation s'accomplit en dehors du foyer parental. »

Alors que la pratique de ce jardin d'enfants, affirmant la sexualité et la vie en général, était tout à fait en accord avec l'économie sexuelle, les conceptions théoriques étaient divergentes. Exposant les principes de son *home,* Véra Schmidt parle du « dépassement du principe de plaisir » et de la nécessité de « le remplacer par le principe de réalité »; elle ne s'était pas libérée de la conception psychanalytique fausse d'une opposition mécanique entre le plaisir et le travail; elle n'avait pas reconnu que la réalisation du principe de plaisir est, à tous les stades, le meilleur facteur de sublimation et d'adaptation sociale. Son travail pratique contredisait en fait ses conceptions théoriques.

Un important facteur d'appréciation de ces tentatives collectivistes pour restructurer la nouvelle génération, nous est fourni par le destin que connut ce *home* d'enfants. Peu après sa fondation, toutes sortes de rumeurs se répandirent dans la ville. On disait que des choses horribles s'y passaient; que, par exemple, les éducateurs pratiquaient la stimulation sexuelle prématurée des enfants à des fins expérimentales, etc.

Les autorités qui avaient agréé la fondation du *home* ordonnèrent une enquête. Quelques pédagogues et pédiatres parlèrent en sa faveur, les psychologues, bien entendu, furent contre. Le commissariat à l'éducation déclara que le *home* ne pouvait continuer à fonctionner, en alléguant le coût élevé de son entretien. En réalité, il venait d'y avoir un changement dans la direction de l'Institut de Neuro-psychologie dont dépendait le *home*; le nouveau directeur, qui était aussi membre de la commission d'enquête, donna un avis défavorable; il alla même jusqu'à insulter le personnel et les enfants du *home*. Sur ce, l'Institut de Neuro-psychologie retira non seulement sa participation financière, mais aussi son patronage.

Au moment où le *home* allait fermer ses portes, un représentant de la confédération des mineurs allemands « Union » se manifesta et offrit, au nom des syndicats de mineurs allemands et russes, de soutenir le *home* financièrement et idéologiquement; depuis avril 1922 le *home* était approvisionné en vivres par le syndicat allemand et en charbon par le syndicat russe. Mais le *home* n'en avait plus pour longtemps. Commissions, enquêtes et privation d'appui officiel le contraignirent à fermer ses portes. Il est significatif que cela se produisait à peu près à l'époque où l'étouffement général de la révolution sexuelle russe commençait à s'exercer.

Il ne faudrait pas non plus passer sous silence le fait que l'Association Psychanalytique Internationale avait eu aussi une attitude mi-sceptique, mi-hostile, à l'égard de l'expérience de Véra Schmidt. Cette attitude négative annonçait déjà le développement ultérieur de la psychanalyse en une théorie *anti*-sexuelle. Néanmoins, le travail de Véra Schmidt était *la première tentative dans l'histoire de la pédagogie pour donner un contenu pratique à la théorie de la sexualité infantile.* A ce titre, elle revêt une importance historique, comparable, quoique sur une toute autre échelle, à la Commune de Paris. Véra Schmidt était, sans conteste, le premier pédagogue à avoir saisi, de façon tout intuitive, la nécessité et la nature d'une restructuration pratique de l'homme.

Et, comme toujours lors de la révolution sexuelle, les autorités, les « savants », les psychologues et pédagogues en place préparaient la régression et la défaite, tandis que les syndicalistes, sans aucun savoir théorique, montraient pratiquement qu'ils avaient compris l'enjeu du problème.

Nous comparerons maintenant cette tentative avisée à l'activité contemporaine d'un soi-disant pédagogue révolutionnaire, comparaison qui montrera que, s'il doit y avoir une nouvelle tentative, il faudra s'en remettre à des personnes simples ayant le sentiment naturel de la vie plutôt qu'à des psychologues professionnels réactionnaires.

3. — ÉDUCATION PASTORALE, PSEUDO-RÉVOLUTIONNAIRE

En nul autre domaine l'éducateur prolétarien ne rencontre autant de difficultés qu'en ce qui concerne l'éducation sexuelle. Certes, elle ne peut être séparée de l'éducation dans son ensemble, mais elle pose des problèmes spécifiques. L'éducateur lui-même, bien qu'il puisse être issu d'une famille prolétarienne, a passé par l'éducation sexuelle bourgeoise. Le foyer parental, l'école, l'Eglise et tout le milieu bourgeois l'ont imprégné d'attitudes anti-sexuelles, qui entrent en conflit avec ses propres attitudes révolutionnaires. Néanmoins, s'il veut éduquer les enfants de façon prolétarienne, il doit se débarrasser des points de vue bourgeois, et élaborer une vision personnelle qui s'accorde avec l'intérêt de la classe qu'il représente, puis la mettre en pratique dans la pédagogie. Il reprendra à son compte maints éléments de base de la pédagogie bourgeoise, en rejettera beaucoup comme antisexuels, et en adaptera d'autres. C'est là une tâche considérable et difficile qui a été à peine abordée. La difficulté essentielle provient des prêtres du camp révolutionnaire; il s'y trouve des intellectuels réactionnaires sexuellement sclérosés, des révolutionnaires par motivations névrotiques, qui, au lieu de contribuer au savoir positif, ne font que semer la confusion. Salkind, membre de l'Académie Communiste *et* de l'Association Psychanalytique Internationale, en fait partie. Ses idées furent violemment combattues par la jeunesse révolutionnaire soviétique, mais elles dominaient l'idéologie officielle en Russie, et en Allemagne aussi. Son article *Einige Fragen der sexuellen Erziehung der Jungpioniere* (Questions d'éducation sexuelle des jeunes pionniers; in *Das proletarische Kind*, 12. jg., H. 1/2, 1932), donna du fil à retordre au mouvement allemand de politique sexuelle (Sexpol). Nous y voyons combien est désespérant le mélange de la forme révolutionnaire et du contenu hostile à la sexualité.

Salkind commence par cette idée juste que le mouvement des Pionniers influence les enfants à « la phase la plus importante de leur développement », qu'il dispose de moyens qui font défaut à la famille et à l'école. Mais il a une notion de la sexualité infantile qui ne vaut pas mieux que celle de l'Eglise; toutes ses erreurs dérivent de cette notion. Il écrit:

« C'est pourquoi (parce que le mouvement des Pionniers dispose de meilleurs moyens que la famille) il doit devenir la force principale dans le combat *contre la dérivation parasitaire vers la sexualité de l'énergie de l'enfant qui grandit.* »

Selon Salkind, la sexualité infantile est « parasitaire ». Comment parvient-il à cette appréciation? Qu'entend-il par là? Quelles conclusions en tire-t-il en ce qui concerne l'éducation? Est « parasitaire » quelque chose qui est étranger à l'organisme. Ce philosophe de la sexualité, que l'Union soviétique tolère, affirme sérieusement que la « dérivation » de l'énergie dans le « parasitaire », le sexuel, devrait être *empêchée*.

« Si les moniteurs des pionniers savent présenter aux enfants la matière du travail de pionnier sous une forme qui convient à leur âge, il ne restera plus d'énergie à investir dans les dominantes parasitaires. »

Salkind croit donc que les intérêts sexuels de l'enfant peuvent être éliminés. Il ne se demande pas comment les intérêts collectifs pourraient être harmonisés avec les intérêts sexuels, ni même en quoi ils se contrarient ou s'accordent.

On peut se demander quelle est alors la différence entre Salkind et n'importe quel prêtre ou pédagogue réactionnaire, car eux aussi sont convaincus de la possibilité de dériver complètement l'énergie sexuelle. Il n'est plus possible aujourd'hui de nier l'existence de la sexualité infantile et juvénile, et le principe reconnu est celui de la dérivation complète de l'énergie sexuelle, ce qui n'est que la même chose sous une nouvelle forme. Salkind aurait pu se demander pourquoi l'Eglise et la société bourgeoise n'autorisent pas la vie sexuelle infantile. Il ne se rend pas compte que, s'il veut établir les règles d'une éducation réactionnaire, il doit d'abord expliquer pourquoi il conserve cependant le point de vue de la pédagogie révolutionnaire, il semble admettre vaguement que la vie sexuelle et le collectivisme se contrarient et qu'il faut éliminer la sexualité dans l'intérêt du collectivisme.

« Ce sont surtout les enfants abandonnés, délaissés, les enfants qui manquent d'une camaraderie active avec les enfants de leur âge, qui deviennent victimes de pulsions prématurées... Plus ils sont isolés de la collectivité et laissés à la solitude, plus ils risquent de sombrer dans le parasitisme sexuel précoce. »

Voilà des grands mots d'ignorant. Qu'est-ce qui est « prématuré »? Est-ce prématuré pour un enfant de quatre ans de se masturber? Est-ce prématuré pour un adolescent pubère de treize ou quatorze ans de se satisfaire? Et de désirer le rapport sexuel? Salkind et ses pairs, avec leur argumentation théorique faite de clichés, montrent qu'ils n'ont pas réussi à descendre des régions de l'éthique abstraite aux réalités de la vie infantile et juvénile. Contrairement à l'opinion de Salkind, ces moniteurs de pionniers qui commençaient à donner une instruction sexuelle dès qu'ils constataient des manifestations sexuelles malsaines dans leur groupe, avaient tout à fait raison. Tout dirigeant de jeunesse raisonnable sait que ce n'est pas le manque de « collectivisme » qui engendre ce qu'on appelle les « situations sexuelles », mais plutôt l'inverse: l'anarchie de la vie sexuelle infantile, causée et entretenue notamment par des idées comme celles de Salkind, est le facteur de trouble de la vie collective le plus important. Il ne sera jamais possible de bâtir le collectivisme sur la base d'une répression sexuelle, si ce n'est d'une manière autoritaire. Selon Salkind, « le contrôle collectif incessant du comportement en général et sexuel en particulier devrait être la base d'un développement sexuel sain de l'enfant ». « Sain » signifie dès lors « asexuel ». Salkind se propose de réaliser une « éthique de pionniers » par une « organisation judicieuse du travail ».

Mais quittons le domaine du verbalisme et voyons la signification concrète de ces idées. Combien de temps les adolescents doivent-ils travailler? Sans arrêt? Même la nuit dans leur lit, afin de ne pas avoir l'occasion de manœuvres génitales? Et lorsque les enfants et les adolescents jouent, faut-il exercer « un contrôle collectif incessant » pour les empêcher de tomber amoureux et d'avoir des « idylles »? Salkind parle explicitement d'« enfants » pour désigner des adolescents de treize à seize ans, donc pubères! Pourquoi ces « enfants » *ne* devraient-ils *pas* tomber amoureux et avoir des « idylles »? Parce que cela perturbe le collectivisme? Ou bien parce que des Salkind ne peuvent le tolérer? Au cours de discussions publiques des organisations de jeunesse berlinoises, on put établir avec certitude que les groupes se disloquent précisément lorsqu'il y a trop peu de filles, et qu'ils se maintiennent lorsqu'il y a à peu près le même nombre de garçons et de filles. Cela n'était donc pas imputable à l'exercice d'un « contrôle collectif incessant » destiné à éviter « les pensées amoureuses superflues »; mais au fait qu'ils trouvaient des partenaires, et que la sexualité ne contrariait plus alors la vie collective. Les Salkind en arrivent à leurs idées absurdes parce qu'ils ne distinguent pas la vie sexuelle *saine* de la *pathologique*; parce qu'ils ne voient pas que c'est précisément l'inhibition de la sexualité saine qui engendre une sexualité perturbée rendant impossible tout travail collectif. Voici la thèse rigoureuse, bureaucratique et hostile à la vie, de Salkind:

« Un collectivisme actif est le meilleur moyen de développer un sentiment d'égalité sexuelle. Celui qui travaille en commun n'éprouve pas de pensées amoureuses superflues, car il ne lui reste ni temps ni énergie pour cela. »

Qu'est-ce que l'« égalité sexuelle » désigne ici? Nous sommes justement favorables à l'égalité sexuelle; nous combattons la réaction politique en proposant l'idée d'une sexualité libre; les Salkind, au contraire, préconisent l'« égalité sexuelle » *dans la prohibition*, tout comme les dirigeants d'une organisation de jeunesse catholique, avec cette seule différence qu'ils ne rejettent pas, du moins *pas encore* [1],

---

[1] Note du traducteur dans l'édition anglaise: « Souligné dans l'original.

l'éducation mixte. Mais c'est justement la voie qui conduit aux absurdités: que faudra-t-il faire en pratique, d'après ce système, lorsqu'un garçon et une fille, accomplissant ensemble un travail important, et nonobstant les Dix Commandements de Salkind, tombent amoureux l'un de l'autre? Faudra-t-il exercer un contrôle collectif? « Etouffer » l'amour par l'intensification du travail? Renforcer l'égalité sexuelle dans la continence? Et ceci à l'âge qui représente « la phase la plus importante du développement », « la phase d'accroissement des besoins sexuels », comme il le dit lui-même? On voit tout ce qu'il y a de déshonnête et d'hypocrite dans des propos comme celui-ci:

« Une confiance et un respect mutuels complets, une loyauté réciproque complète, voilà la condition essentielle sans laquelle il ne peut y avoir de système d'éducation sain chez les pionniers. »

Comment peut-il y avoir une confiance et un respect mutuels entre enfants, et entre enfants et moniteurs, quand on ne comprend pas la jeunesse dans un de ses problèmes les plus brûlants?

« L'enfant à l'âge du pionnier en sait long sur les questions sexuelles. Il en sait même trop, mais ne le sait pas, ni ne sait ce qu'il devrait savoir. Et le moniteur ne peut pas laisser passer cette erreur, il doit parler. Mais comment doit-il parler? »

Oui, comment doit-il parler? Nous brûlons de le savoir.

« Il ne devra, certes, pas donner des conférences sur le problème sexuel. Bien plus: il ne devra pas parler du tout aux enfants de thèmes spécifiquement sexuels. »

Cela veut-il dire que la sexualité ne devra être

de 1935; en 1943, huit ans plus tard, nous apprîmes que l'*éducation mixte avait été supprimée* en Union Soviétique (cf. le commentaire in *International Journal of Sex-Economy and Orgone Research*, 2, 1943, p. 193). T. P. W. »

LA RÉVOLUTION SEXUELLE

discutée qu'à propos de questions politiques et sociales? Cela serait justifié, mais telle n'est pas la raison:

« L'observation attentive (!) permet de déceler chez quelques (!) enfants l'existence d'une masturbation. Il faut alors de grandes précautions de la part du moniteur, car les enfants sont particulièrement sensibles (à bon droit, W. R.) quand on essaie de combattre ces *habitudes malsaines*... »

On croirait entendre notre Père Muckermann! [1]

« En tout cas, l'éducateur n'a le droit d'intervenir dans la sphère sexuelle immédiate de l'enfant que s'il a préalablement reçu un enseignement pédagogique spécialisé. (Donné par qui? Et de quelle teneur? Disant que la masturbation est une habitude malsaine? W. R.). Une discussion publique sur des sujets aussi controversés, et sous la direction du moniteur, est absolument inadmissible. La chose doit être étouffée dans l'œuf, et entre quatre yeux. (Quelle chose? Le scandale de la masturbation infantile? W. R.). Pour ce faire, il faut s'en remettre aux meilleurs militants, ceux dont l'*impeccabilité sexuelle* est avérée. »

Voilà ce que doit être la « loyauté réciproque complète ». Il n'est pas étonnant qu'il y eût, dans les groupes de pionniers, une « délinquance sexuelle », c'est-à-dire une vie sexuelle troublée et pleine de contradictions.

Les Salkind n'ont jamais compris ce que tout adolescent, bien qu'il ne soit pas « sexuellement impeccable » connaît spontanément de sa propre vie, à savoir que ce n'est jamais l'activité sexuelle en tant que telle, mais les inhibitions et les méthodes d'éducation à la Salkind qui créent la délinquance sexuelle.

Toutefois,

[1] Jésuite allemand.

« Le moniteur ne devra aborder, entre autres, la question sexuelle que s'il y a nécessité urgente et symptômes alarmants. »

Comment l'animateur de groupes de jeunesse s'y reconnaîtra-t-il dans ce bric-à-brac d'idées des milieux dirigeants?

Des pédagogues comme Salkind éludent les immenses difficultés qui se présentent lorsqu'on veut penser jusqu'au bout le problème de la vie sexuelle de l'enfant et de l'adolescent. On ne peut simultanément les instruire de la sexualité et leur interdire le jeu sexuel et la masturbation. On ne peut leur dissimuler la vérité sur la fonction de la satisfaction sexuelle. On ne peut que leur dire la vérité et laisser enfin la vie suivre son libre cours. La puissance sexuelle, la vigueur et la beauté corporelles doivent être des idéaux permanents du combat pour le progrès social.

La révolution ne peut prôner le bœuf de trait contre le taureau, le chapon contre le coq; les hommes ont assez longtemps vécu en bêtes de somme; les eunuques ne valent rien comme combattants de la liberté.

4. — RETOUR SUR LE PROBLÈME DE LA DÉLINQUANCE

La révolution russe ne disposait pas d'un nombre suffisant de pédagogues, notamment de pédagogues ayant une bonne formation sexologique, pour faire face au problème gigantesque de la délinquance juvénile. L'incompréhension de la révolte sexuelle de la jeunesse eut pour résultat final une aggravation du problème de la délinquance vers 1935. On ne peut pas prétendre que cette nouvelle vague de délinquance fût une séquelle de la guerre civile, car les délinquants de 1935 étaient déjà enfants du nouveau système social. L'Union soviétique avait tout essayé pour résoudre le problème de la délinquance. Nous devons donc nous demander pourquoi ce problème ne put être finalement résolu. L'échec est attesté par les résolutions gouvernementales de juin 1935:

« Le Conseil des commissaires du peuple de l'U.R.S.S. et le Comité central du Parti communiste constatent que la présence d'enfants délinquants dans les villes et agglomérations du pays — alors que la situation matérielle et culturelle des travailleurs ne cesse de s'améliorer et que l'Etat accorde d'importants subsides aux institutions pour enfants — est essentiellement imputable à la médiocrité du travail accompli par les autorités soviétiques locales et les organisations du parti, des travailleurs et de la jeunesse, en vue de la liquidation et de la prévention de la délinquance juvénile, ainsi qu'à l'absence de participation organisée de l'ensemble de la population à la solution de cette question.

a) La plupart des *homes* d'enfants n'ont pas de ressources financières suffisantes et laissent à désirer du point de vue de l'éducation;

b) La lutte organisée contre le dévergondage des enfants et contre les éléments délinquants chez les enfants et les adolescents est inadéquate ou même nexistante;

c) Les mesures nécessaires n'ont pas été prises pour que les enfants qui sont à la rue, qu'ils aient perdu ou quitté leurs parents, ou qu'ils se soient échappés d'une institution, soient immédiatement confiés à une institution ou restitués à leurs parents;

d) On ne prend pas de mesures contre parents ou tuteurs qui adoptent une attitude indifférente et laissent leurs enfants s'engager dans le houliganisme, le larcin, la dégénérescence morale et le vagabondage, et on ne leur demande pas de comptes. »

Ainsi, la situation fut-elle imputée au « médiocre travail » des diverses organisations. On recourut à nouveau à l'éducation parentale et à des mesures qui n'étaient plus désormais en accord avec les principes d'éducation adoptés par la révolution. L'échec était-il celui des principes eux-mêmes? Non, ceux-ci étaient seulement incomplets, ils n'abordaient pas le problème principal, et souvent même l'éludaient consciemment. Ce problème principal est précisément celui de la vie sexuelle des enfants. L'idéologie collectiviste et la vie collective des adultes, *jointe au maintien de la traditionnelle répression de la sexualité infantile, de l'hypocrisie sexuelle et de l'éducation familiale, conduit nécessairement à la délinquance juvénile*. En présence d'une évolution générale vers la liberté, les besoins sexuels de l'enfant ne peuvent être réprimés sans dommage pour la société et l'enfant.

En 1935, le gouvernement fit un effort considérable pour réduire la délinquance. On organisa des commissariats à l'éducation chargés de placer les enfants dans des *homes*. La milice fut autorisée à frapper d'amendes pouvant aller jusqu'à deux cents roubles les parents dont les enfants vagabondaient dans la rue. Parents et tuteurs furent rendus financièrement responsables des dégâts matériels causés par les enfants. Si les parents se montraient « négligents dans la surveillance de la conduite de leurs enfants », les enfants devaient leur être enlevés et placés dans des *homes* à leurs frais. (Décret n° 3 « Sur l'organisation de la lutte contre le houliganisme dans les rues ».)

Le journal norvégien *Arbeiderbladet* du 16 juin 1935 rapporte que le gouvernement soviétique dut recourir à des arrestations massives d'enfants délinquants. L'article mentionne, outre l'effraction et le pillage, l'infestation des enfants par les maladies vénériennes: « Comme une pestilence, les enfants transportaient l'infection de place en place. » Certes, les enfants disposaient de bains publics, de *homes* d'enfants et d'hôpitaux, mais ils se refusaient à fréquenter ces institutions. Les enfants s'échappaient en grand nombre des *homes*. L'*Arbeiderbladet* rapporte que les *Izvestia* publiaient presque quotidiennement des annonces pour tenter de retrouver la trace d'enfants échappés. « Jusqu'à une époque toute récente, de telles annonces étaient rarissimes dans la presse soviétique; elles sont maintenant très fréquentes. » Le gouvernement soviétique, dit l'article, mit aussi en œuvre les mesures suivantes: il forma des pédagogues qualifiés, fournit outils, machines, films éducatifs et livres spécialisés aux organisations. En outre, il tenta de s'assurer le concours de la population tout entière pour affronter le problème.

Dans mes conversations avec les pédagogues soviétiques Véra Schmidt et Géchélina, en 1929, j'insistai constamment sur l'insuffisance et l'inefficacité de ces mesures. Il était clair que le problème de la délinquance, bien qu'issu des situations héritées de la guerre civile, s'alimentait essentiellement du manque de clarté au sujet du statut de la vie sexuelle: le travail ne manquait pas en Union soviétique; la médecine du travail était hautement développée; il n'y avait plus de chômage; les *homes* d'enfants et les collectivités étaient bien organisés; *en dépit de* tout cela, les enfants continuaient à s'enfuir, préférant la vie dangereuse, destructrice et asociale des rues à la vie des *homes* d'enfants. Ce problème gigantesque ne peut être résolu par le seul apprentissage du travail ou imputé aux tendances romanesques de la jeunesse. En Allemagne, nous eûmes tout loisir d'étudier la vraie nature de la délinquance juvénile. Lorsque mes tentatives en vue d'assurer la santé sexuelle des adolescents furent connues, un nombre croissant de jeunes fugitifs vinrent me voir et me parlèrent avec franchise et honnêteté, vu que je comprenais leur

361

vrai problème, leur misère et les raisons profondes
de leur comportement asocial. Je peux assurer au
lecteur qu'il y avait parmi eux de magnifiques jeunes
gens, très intelligents et capables. Je m'apercevais
sans cesse que ceux qu'on est convenu d'appeler
délinquants ont une vitalité bien supérieure à celle
des hypocrites bien élevés, et qu'ils n'ont fait que
se révolter contre un ordre social qui leur a refusé
leur premier droit naturel. Leur thème essentiel ne
variait guère. C'était toujours la même histoire: ils
avaient été incapables de réprimer leurs excitations et
fantasmes sexuels. Leurs parents ne les avaient pas
compris; ni non plus les éducateurs ou les autorités.
Ils n'avaient pu trouver personne avec qui s'entendre là-dessus. Cela les avait rendus dissimulateurs,
méfiants et méchants. Ils devaient garder leurs difficultés pour eux-mêmes, et n'étaient compris que par
des camarades ayant la même structure et les mêmes
problèmes. Etant donné qu'on ne les comprenait pas
à l'école, ils boycottaient l'école; étant donné que
leurs parents ne les comprenaient pas, ils maudis-
saient leurs parents. Mais comme en même temps,
ils étaient profondément attachés aux parents et en
attendaient inconsciemment aide et consolation, ils
nourrissaient de graves sentiments de culpabilité.
Voilà ce qui les avait conduits à la rue; ils n'y
étaient d'ailleurs pas heureux, mais du moins se sentaient libres; jusqu'à ce que la police leur mît le
grappin dessus et les envoyât en maison de correction, souvent pour la seule raison qu'à quinze, seize
ou dix-sept ans on les avait pris avec des filles de
leur âge. Je trouvai que nombre de ces jeunes gens
avaient été psychologiquement sains, dotés d'un
bon jugement et rationnellement révoltés, jusqu'au
moment où ils tombèrent entre les griffes de la police
et des autorités sanitaires; à partir de ce moment-là,
ils devinrent psychopathes et frappés d'ostracisme

social. Les crimes que la société commet à l'égard de ces adolescents sont incommensurables. Il est possible, et c'est une nouvelle confirmation de l'exactitude de mes vues, de mettre en confiance ces « délinquants » et de les guider réellement, si on leur montre d'une façon pratique qu'on les comprend.

Déjà dans des pays comme l'Allemagne, le problème de l'adolescence était difficile et compliqué. Mais le conflit entre les exigences impératives de la sexualité et leur rejet par la société était nécessairement plus aigu en Union soviétique, où la liberté était proclamée et la répression sexuelle maintenue. La généralisation de la vie collective, jointe au maintien de l'éducation familiale, ne pouvait que conduire à des explosions sociales. Il faut également rappeler que les mères étaient de plus en plus intégrées au processus de production et à la vie publique, ce qui était un nouveau facteur de conflit dans leurs relations avec les enfants: les mères participant à la vie sociale, les enfants voulaient aussi entrer dans la vie. Le chemin de la vie leur était ouvert, mais beaucoup se refusaient à s'y engager dès lors que celui de la sexualité leur restait barré. C'est cela, et non pas la guerre civile — qui en 1935 appartenait déjà à l'histoire —, non plus le système soviétique ni aucun autre facteur, qui était la véritable cause de la délinquance. Il n'est pas douteux que la délinquance juvénile est l'expression de la crise sexuelle souterraine de l'enfant et de l'adolescent. On peut affirmer sans hésitation qu'*aucune société ne réussira à maîtriser le problème de la délinquance et de la psychopathie infantiles et junéviles sans réunir d'abord les connaissances et le courage nécessaires pour régler la vie sexuelle des enfants et des adolescents d'une manière favorable à la sexualité.*

Il est impossible de prévoir quelles mesures concrètes particulières devront être prises à cette fin; on ne peut que relever les faits essentiels et les conditions nécessaires. La solution du problème de la délinquance, comme du problème de l'éducation en général, *dépendra des possibilités d'éliminer du processus de structuration psychique la fixation incestueuse chargée de haine et de culpabilité des enfants aux parents et des parents aux enfants.* Cela n'est possible que si les enfants entament l'éducation collective *avant* de se trouver dans les situations où se forment ces attachements destructeurs aux parents, c'est-à-dire avant la quatrième année. Cela n'implique pas la disparition des relations pathologiques et névrotiques. La solution ne sera pas donnée avant celle du conflit entre la collectivité et la famille, à l'échelle de la société globale. Parents et enfants pourraient s'aimer et s'apprécier pleinement. Mais, si paradoxal que cela puisse paraître, cela suppose précisément que l'on en finisse avec la famille et son éducation telles qu'elles se poursuivent aujourd'hui. Le problème restera entier tant que nous n'aurons pas éliminé la proscription de la sexualité infantile et le sentiment d'expulsion de la société consécutif aux désirs et actes sexuels chez l'enfant. On ne devrait plus avoir l'occasion de lire des récits comme celui-ci:

« Garik, six ans: « Pour l'amour de Dieu, que se passe-t-il? » Quelque chose d'inouï. Lioubka, qui a huit ans et vient à peine d'apprendre à écrire, « tombe amoureuse » et glisse un bout de papier à Pavlik (huit ans): « Mon sucre d'orge, mon trésor, mon bijou... » « Tomber amoureux! Comme cela peut être petit-bourgeois! Le temps du tsar Nicolas est déjà loin! » La chose fut âprement discutée et Lioubka fut punie de trois jours d'exclusion des jeux. » Voilà ce qu'écrit Fanina Halle pour prouver la moralité du système soviétique, dans son livre fameux *La Femme en Russie soviétique* (*Die Frau in Sowjetrussland*,

p. 235), où elle veut réhabiliter le communisme aux yeux de l'univers « moral ».

Des pédagogues et des sexologues qui ne peuvent supporter la vue de deux enfants qui se caressent, et sont incapables de voir le charme et le naturel de la sexualité infantile, sont inutilisables en vue d'une éducation révolutionnaire de la nouvelle génération, quelle que soit leur bonne volonté. Il y a dans l'impulsion sexuelle infantile, dans le témoignage d'amour sensuel chez l'enfant, infiniment plus de moralité, de naturel, de force et de joie de vivre que dans des milliers de thèses et d'analyses ennuyeuses. C'est dans la vitalité de la nature infantile, et en elle seulement, que réside la garantie d'une société d'hommes vraiment libres.

Voilà qui est acquis. Mais il serait dangereux de penser que par la simple révélation de ce fait les problèmes sont résolus. Au contraire, nous devons comprendre que la restructuration de l'homme au mode de vie est patriarcal et autoritaire, en un homme libre, capable de travail volontaire et de joie de vivre, représente une tâche des plus difficiles. La formule marxiste selon laquelle « l'éducateur lui-même doit être éduqué » est devenue un slogan vide; il est temps de lui donner un contenu concret: les éducateurs de la nouvelle génération, parents, pédagogues, chefs d'Etat et économistes, doivent d'abord être eux-mêmes en bonne santé sexuelle avant que de pouvoir accepter seulement l'idée d'une éducation des enfants et des adolescents conforme à l'économie sexuelle.

CHAPITRE XIV

LES LEÇONS DE LA LUTTE POUR LA
« NOUVELLE FORME DE VIE »
EN UNION SOVIETIQUE

Tous ceux qui sont confrontés à ces problèmes dans leur travail quotidien réclameront des directives concrètes. Mais cette requête, bien compréhensible, ne peut être satisfaite. On ne peut qu'analyser les causes de l'échec des transformations révolutionnaires, et esquisser des lignes directrices susceptibles de nous guider dans la bonne voie. Nous ne pouvons prévoir les situations qui se produiraient dans tel ou tel pays en cas de nouvelles poussées révolutionnaires; quelles qu'elles soient, certains principes resteront valables. Cependant, il faut absolument éviter les représentations utopiques détaillées, qui ne pourraient qu'entraver l'accès aux réalités concrètes le moment venu.

L'un des principes de base qu'on peut dégager de l'étouffement de la révolution sexuelle soviétique est celui d'*une garantie explicite de tous les présupposés du bonheur sexuel*. En ce qui concerne la législation, la direction nous est parfaitement indiquée par les lois qui prévalurent en Union soviétique entre 1917 et 1921, qu'il n'y aurait presque pas à retoucher. Mais ce qu'il faut surtout, c'est assurer l'efficacité pratique de ces lois par des mesures sérieuses, afin qu'elles s'intègrent à la structure humaine. A cet égard, il aurait dû y avoir toute une série de mesures susceptibles d'aiguiller la révolution sexuelle spontanée sur des voies organisées.

En vue de garantir l'application de la législation sexuelle révolutionnaire, il faut ôter la responsabilité de la santé sexuelle de la population des mains des urologues, gynécologues et professeurs d'hygiène réactionnaires. Tout ouvrier, toute femme, tout paysan et tout adolescent doivent comprendre que dans une société réactionnaire *il n'y a pas d'autorités* en ce domaine; que les soi-disants sexologues et spécialistes d'hygiène sont pénétrés d'esprit ascétique et du souci de la « moralité » des individus. Celui qui a beaucoup travaillé avec des adolescents sait que tout jeune ouvrier, inculte mais sain, a une meilleure intuition et un jugement plus exact dans les questions de la vie sexuelle que n'importe quelle autorité prétendue. Sur la base de cette intuition et de ce savoir sûrs, les travailleurs devraient être capables de créer des organisations et de désigner des fonctionnaires issus de leur propre milieu pour affronter les tâches de la révolution sexuelle.

Le nouveau cours de la vie sexuelle doit débuter par une révision de l'éducation de l'enfant. Il est donc indispensable que les éducateurs soient rééduqués et que le peuple apprenne à user de son intuition sûre de ces questions pour critiquer les éducateurs dont la formation sexologique est mauvaise. Il sera bien plus facile de rééduquer les pédagogues que de convaincre les démographes et les hygiénistes. De nombreux signes nous indiquent que des éducateurs progressistes d'Europe et d'Amérique recherchent spontanément la rénovation des méthodes pédagogiques et commencent souvent à acquérir des conceptions favorables à la sexualité.

La réorganisation de la vie sexuelle ne connaîtra pas le succès tant que les chefs politiques des mouvements ouvriers n'accorderont pas au problème l'attention qu'il mérite. Les dirigeants politiques à mentalité ascétique représentent un sérieux handicap. Les dirigeants, inexpérimentés dans ce domaine et souvent eux-mêmes sexuellement malades, devront comprendre qu'ils ont à cet égard beaucoup à apprendre avant de pouvoir diriger. Ils devront surtout apprendre que les discussions spontanées sur les problèmes sexuels ne peuvent pas être congédiées comme étant des « diversions par rapport à la lutte des classes », qu'au contraire ces discussions doivent être intégrées à l'effort total de construction d'une société libre. Les travailleurs ne devraient plus tolérer que des pasteurs socialistes, des intellectuels moralisateurs, des rêveurs obsessionnels et des femmes frigides détiennent le monopole de l'organisation de la vie sexuelle. On doit savoir que cette catégorie d'individus, poussés par des mobiles inconscients, s'immiscent dans la discussion précisément au moment où la situation exige la plus grande clarté; le travailleur inexpérimenté se tait alors habituellement par respect pour l'intellectuel et admet, à tort, que celui-ci dispose d'un meilleur jugement. Toute organisation de masse devra s'adjoindre des fonctionnaires compétents en sexologie, dont le rôle sera d'observer l'évolution de l'organisation au point de vue sexuel, de tirer l'enseignement de ces observations et d'affronter les difficultés en collaboration avec un office sexologique central.

Mais outre une législation sexuelle positive et les mesures destinées à protéger la sexualité, maintes autres mesures nous sont suggérées par les expériences du passé.

Il faut notamment interdire toute espèce de littérature génératrice d'anxiété sexuelle, comme la pornographie, le roman policier, les histoires d'épouvante pour enfants. On la remplacera avantageusement par une littérature qui décrive et discute, au lieu du sentiment noir et du frisson, le sentiment authentique procuré par les multiples sources et formes de joie naturelle dans la vie.

L'expérience passée montre sans conteste qu'il faut éliminer toute espèce d'entrave apportée à la sexualité de l'enfant et de l'adolescent par les parents, les éducateurs ou les autorités étatiques. On ne peut encore préciser les formes que devra revêtir cette élimination. Mais *il est certain qu'une protection sociale et légale de la sexualité de l'enfant et de l'adolescent est indispensable.*

La meilleure des mesures légales restera lettre morte tant que l'on n'aura pas fait clairement apparaître les difficultés qui ne manqueront pas de se présenter dans la promotion de la sexualité infantile et juvénile, — vu les conditons existantes d'organisation politique et de structure humaine. Si parents et pédagogues n'étaient pas eux-mêmes malades et mal élevés, si enfants et adolescents pouvaient être immédiatement placés dans les meilleures conditions d'éducation, tout serait simple. Mais comme cela n'est pas le cas, il faudra prendre simultanément deux séries de mesures:

a) Installer en divers lieux des *établissements modèles d'éducation collective,* où des éducateurs expérimentés, réalistes, sexuellement sains, étudieront soigneusement le développement de la jeune génération et résoudront les problèmes pratiques au fur et à mesure qu'ils se présenteront. Ces institutions modèles seront le noyau à partir duquel les principes du nouvel ordre se répandront dans la société tout entière. Ce travail sera long, difficile et pénible, mais il représente la seule possibilité de dissoudre enfin la structure servile humaine. De plus, il faudrait créer des *instituts de recherche* où l'on étudierait, tout autrement que jusqu'à présent, la physiologie de la sexualité, la prévention des maladies mentales et les conditions de l'hygiène sexuelle. Ces instituts n'auraient plus leurs fonctions limitées à la collection de phallus indiens et autres *curiosa sexologica.*

b) Outre ces institutions, il faudrait préparer la régulation sexuelle spontanée selon l'économie sexuelle à l'échelle collective. Le premier principe serait donc de reconnaître que la vie sexuelle *n'est pas* une affaire privée. Cela ne veut pas dire que quelque agence gouvernementale ou autre organisation serait autorisée à se mêler des secrets d'alcôve de tout un chacun. Cela veut dire que le souci de la restructuration sexuelle de l'homme, en vue d'une pleine aptitude au plaisir, ne peut pas être laissé à l'initiative privée, mais est *un problème cardinal de la vie sociale tout entière.*

Il y a quelques mesures qui seraient faciles à mettre en œuvre pour peu que l'on veuille cesser de considérer la vie sexuelle des masses comme une affaire d'importance secondaire. Les produits anticonceptionnels devraient être fabriqués avec autant de soin que les machines, sous contrôle scientifique et à l'exclusion de tout sur-profit. La propagation des méthodes anticonceptionnelles en vue de l'élimination de l'avortement devrait être effectivement réalisée.

Il sera impossible d'éviter la répétition de l'échec catastrophique de la révolution sexuelle soviétique si l'on ne résout pas le problème du logement des adolescents et des personnes non mariées. Tels que je connais les adolescents, ils se feront un plaisir de résoudre ce problème à leur manière sans attendre les mesures venues d'en haut.

L'installation de foyers de secours pour adolescents est absolument indispensable, et elle est possible, à moins que quelque autorité n'y fasse obstacle pour des raisons moralisatrices. La jeunesse doit avoir le sentiment qu'on lui laisse toute possibilité de construire sa propre vie. Cela ne l'incitera pas à négliger ses tâches sociales; au contraire, si on lui donne l'occasion de résoudre peu à peu le problème du logement, elle s'appliquera avec d'autant plus de joie au travail social général. La population tout entière doit avoir la certitude que les organismes gouvernementaux font tout ce qui est en leur pouvoir pour assurer le bonheur sexuel, sans conditions ni réserves mentales. Il sera d'autant moins utile d'informer les masses de la nocivité de l'avortement et du péril vénérien qu'elles seront mieux informées de la valeur de la sexualité saine et naturelle.

Si les individus ont le sentiment que leurs besoins sexuels sont pris en considération d'une manière pratique, ils travailleront avec joie sans qu'il faille les y contraindre. Le bonheur sexuel de la population est la meilleure garantie de la sécurité sociale d'ensemble, car, s'étant accoutumée à construire elle-même sa propre vie, elle se dressera contre toute menace réactionnaire.

Si l'on veut éviter le « chaos sexuel » et le recours à l'interdiction de l'homosexualité dans l'armée et la marine, il faudra résoudre le problème le plus difficile de l'économie sexuelle sociale: *l'inclusion de la jeunesse féminine dans la vie de l'armée et de la marine*. Si inconcevable que cela puisse paraître aux spécialistes militaires d'aujourd'hui, c'est la seule façon d'empêcher que la sexualité ne soit minée par la vie militaire; il n'est certes pas facile de résoudre ce problème, mais le principe de la solution est évident [1].

Le théâtre, le cinéma et la littérature ne devraient pas, comme c'est le cas en Union soviétique, être au service exclusif des problèmes économiques. Les problèmes de la vie sexuelle, qui déterminent l'essentiel de la production littéraire et cinématographique mondiale, ne peuvent être effacés par la glorification des machines et de la production. Cependant la vision réactionnaire et patriarcale des problèmes sexuels qui s'exprime dans la littérature et le film, notamment par la sentimentalité à bon marché, devrait être

---

[1] Note du traducteur dans l'édition anglaise: cf. *A Sex-economic prediction come true. International Journal of Sex-economy and Orgone-Research*, 3, 1944, 80, T. P. W.

remplacée par une vision progressiste et rationnelle.

Le travail sexologique de base ne devrait pas être laissé aux mains de médecins ignorants et de femmes frigides idéalistes, mais, comme tout autre effort social, devrait être organisé collectivement et réglé de façon non bureaucratique. Il ne servirait à rien de se creuser la tête à propos des détails d'une telle organisation. La question de l'organisation se résoudra spontanément dès lors que la vie sexuelle des masses sera devenue une préoccupation sociale essentielle.

En aucun cas la nouvelle régulation de la vie sexuelle ne devra être soumise aux décrets de quelque agence centrale. Un réseau étendu d'organisations sexologiques devrait assurer le contact entre les masses et les centres techniquement compétents; comme lors des soirées d'information de la *Sexpol*[1] en Allemagne, elles devraient amener en discussion les problèmes de la vie des masses, puis retourner à leur domaine de travail quelles que soient les solutions déjà élaborées. Les chercheurs et sexologues responsables devraient être examinés quant à leur santé sexuelle et leur indépendance à l'égard des préjugés ascétiques et moralisateurs.

Il ne faudra pas combattre la religion; mais il ne faudrait cependant pas tolérer d'intervention dans le droit d'apporter aux masses les acquis de la science et les moyens d'assurer le bonheur sexuel; cela permettrait d'ailleurs de voir assez rapidement si l'Eglise a raison d'affirmer l'origine surnaturelle du sentiment religieux. Il faudra néanmoins systématiquement protéger les enfants et les adolescents contre l'implantation de l'anxiété sexuelle et des sentiments de culpabilité.

Au cours du processus de la révolution sociale, la

[1] *Sexpol* est le nom de l'organisation allemande qui s'occupait d'activités de politique sexuelle collective. (Note de Wilhelm Reich Infant Trust Fund.)

famille traditionnelle se dissoudra inévitablement. Le sentiments et attachements familiaux des masses, qui subsisteront, devront être pris en considération au cours de discussions publiques traitant les problèmes au fur et à mesure de leur apparition. Notre point de vue est le suivant:

La vie végétative de l'homme, qu'il a en commun avec toute la nature vivante, l'incite au développement, à l'activité et au plaisir, à la fuite du déplaisir; elle s'éprouve sous la forme d'entraînements et de pulsions *(strömende, drängende Empfindungen)*. Ces sensations constituent le noyau de toute philosophie du progrès, donc révolutionnaire. La prétendue « expérience religieuse » et le « sentiment océanique » reposent eux aussi sur des phénomènes végétatifs. Ce n'est que récemment que l'on a pu démontrer dans quelques cas comment ces excitations végétatives proviennent de charges bio-électriques des tissus.

Le sentiment religieux d'unité avec l'univers a donc pour origine des faits naturels. Mais les sensations végétatives naturelles se sont émoussées en devenant mystiques. Le christianisme primitif était essentiellement un mouvement communiste, mais son pouvoir d'affirmation de la vie se convertit, sous l'effet de la négation concomitante de la sexualité, en son contraire, en ascétisme et en surnaturel. En prenant la forme d'une Eglise, le christianisme, qui luttait pour la délivrance de l'humanité, reniait sa propre origine. L'Eglise doit son pouvoir à la structure humaine négatrice de la vie, par la médiation d'une interprétation métaphysique de la vie: elle se nourrit de la vie qu'elle tue.

La théorie économique marxiste révéla les conditions économiques de la voie du progrès pour la vie. Mais sa limitation à des conceptions purement économiques et mécaniques la fit s'infléchir dangereusement vers la négation de la vie avec tous ses symptômes bien connus. En ces années de durs combats politiques, cet économisme a échoué parce que la tâche de formation du vouloir-vivre végétatif fut condamnée comme étant de la « psychologie » et abandonnée aux mystiques.

La vie végétative fit à nouveau irruption avec ce néo-paganisme qu'est le national-socialisme allemand. La pulsation végétative fut mieux comprise par l'idéologie fasciste que par l'Eglise et arrachée au domaine du surnaturel. A cet égard, le mysticisme national-socialiste de la « vigueur du sang » et de la « fidélité au sang et à la terre » marquait un progrès par rapport à la vieille idée chrétienne d'un péché originel; cependant, il fut étouffé par une nouvelle efflorescence mystique et par une politique réactionnaire. Ici aussi, l'affirmation de la vie se tourne en négation de la vie sous la forme d'idéologies ascétiques de sacrifice de soi, d'allégeance et de devoir. Nonobstant ceci, on ne peut préférer l'enseignement de la théorie du péché originel à celui de la « vigueur du sang », qui devra être aiguillé sur la bonne voie.

Ce rapport entre le christianisme primitif et le néo-paganisme est souvent mal compris. Certains proclament que le néo-paganisme est la véritable religion révolutionnaire; ils pressentent sa tendance progressiste, mais ne voient pas sa distorsion mystique. D'autres sentent que l'Eglise doit être protégée contre l'idéologie fasciste et croient détenir la voie révolutionnaire. Maints socialistes affirment que le « sentiment religieux » ne doit pas disparaître absolument; ils ont raison s'ils entendent par là les sensations végétatives et leur libre développement; ils ont tort en ce qu'ils ne voient pas la distorsion et la négation actuelles de la vie. Personne n'a osé aborder jusqu'à présent le noyau sexuel de la vie; au contraire, l'anxiété sexuelle inconsciente conduit à affirmer la vie sous forme d'expérience religieuse ou révolution-

naire tout en la niant simultanément sous la forme
d'un refus pratique de la sexualité. Le schéma suivant
illustre ces rapports:

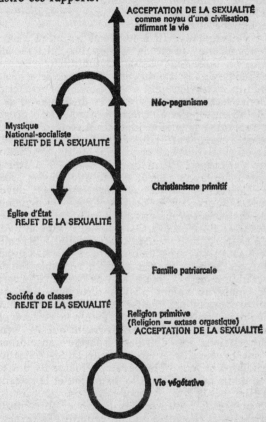

ACCEPTATION DE LA SEXUALITÉ
comme noyau d'une civilisation
affirmant la vie

Néo-paganisme

Mystique
National-socialiste
REJET DE LA SEXUALITÉ

Christianisme primitif

Église d'État
REJET DE LA SEXUALITÉ

Famille patriarcale

Société de classes
REJET DE LA SEXUALITÉ

Religion primitive
(Religion = extase orgastique)
ACCEPTATION DE LA SEXUALITÉ

Vie végétative

L'économie sexuelle peut conclure à bon droit de

ses découvertes scientifiques et de l'observation des processus sociaux que *l'affirmation de la vie doit être aidée jusqu'à son plein développement, sous sa forme subjective d'affirmation du plaisir sexuel et sous sa forme sociale objective de planification démocratique du travail*. Il faut organiser la lutte pour l'affirmation de la vie; l'obstacle majeur est représenté par l'anxiété de plaisir des hommes.

Cette anxiété de plaisir, qui provient d'une perturbation d'origine sociale des processus naturels du plaisir, est au cœur de toutes les difficultés rencontrées dans l'action psychologique collective et sexologique; elle se présente sous la forme de fausse pudeur, de moralisme, d'obéissance aveugle aux Führers, etc... Certes, on a honte d'être impuissant, tout comme d'être réactionnaire en politique; la puissance sexuelle reste l'idéal, tout comme l'attitude révolutionnaire, et tout réactionnaire joue les révolutionnaires. Mais personne ne veut avouer avoir raté ses chances de bonheur dans la vie, et reconnaître que son avenir est derrière lui. C'est pourquoi la vieille génération combat toujours les manifestations concrètes de la vie chez les jeunes gens; c'est pourquoi aussi la jeunesse devient conservatrice avec l'âge. Personne ne veut admettre que sa vie aurait pu être mieux disposée; admettre qu'il nie actuellement ce qu'il affirmait auparavant; que la réalisation de ses propres désirs exigerait une réorganisation de tout le processus social, impliquant la ruine de tant d'illusions chères et de satisfactions substitutives. On ne veut pas maudire les exécutants du pouvoir autoritaire et de l'idéologie ascétique parce qu'ils s'appellent « Père » et « Mère ». Ainsi, chacun se résigne en apparence et se révolte en sourdine.

Cependant, le déploiement de la vie ne peut être arrêté. Ce n'est pas par hasard que le processus social fut identifié au processus de la nature: ce que les socialistes appellent la « nécessité historique » n'est rien d'autre que la nécessité biologique du déploiement de la vie. Sa distorsion en ascétisme, en structures autoritaires et en négation de la vie fera peut-être quelque réapparition; mais les forces naturelles de l'homme finiront par triompher dans *l'unité de la nature et de la culture*. Tout nous indique que la vie se révolte contre les formes oppressives auxquelles elle a dû se plier. La lutte pour une « nouvelle forme de vie » ne fait que commencer, sous la forme d'abord inévitable d'une grave désorganisation, matérielle et psychique, de la vie individuelle et sociale. Mais si l'on comprend le processus de la vie, on ne peut douter de l'issue. Celui qui a suffisamment à manger, ne vole pas. Celui qui est sexuellement heureux, n'a pas besoin d'« appui moral » ou d'« expérience religieuse » surnaturelle. La vie est aussi simple que ces faits; elle ne se complique qu'avec la structure humaine de peur de la vie.

L'instauration théorique et pratique de la simplicité de la fonction vitale, et la consolidation de sa productivité, s'appelle la révolution culturelle *(die Kulturrevolution)*. Sa base ne peut être que la démocratie du travail.

OUVRAGES CITÉS PAR L'AUTEUR
AYANT ÉTÉ TRADUITS EN FRANÇAIS:

Alexandre Kollontaï, *La Femme nouvelle et la classe ouvrière*, Bruxelles, 1932.

Ben B. Lindsay, *Le Mariage sans chaîne*, Paris, 1935.

Bronislav Malinowski, *La Vie sexuelle des sauvages du N.-O. de la Mélanésie; La Sexualité et sa répression...*

Klaus Mehnert, *La Jeunesse en Russie soviétique*, Paris, 1933.

Van de Velde, *Le Mariage parfait*.

N. d. T.

TABLE DES MATIÈRES

Note du traducteur 9
Préface de la quatrième édition 15
Préface de la troisième édition (1945) . . . 21
Préface de la deuxième édition (1936) . . . 29

Première partie

LE FIASCO DU MORALISME SEXUEL
(Das Fiasko der Sexualmoral)

Chapitre I. — Les bases cliniques de la critique
    opérée par l'économie sexuelle 45
    (Die klinischen Grundlagen der sexual-
    ökonomischen Kritik)
1. De la régulation morale à la régulation par
    l'économie sexuelle 45
    (Vom moralischen zum sexualökonomischen
    Prinzip)
2. Une contradiction dans la théorie freudienne
    de la culture 53
    (Ein Widerspruch der Freudschen Kultur-
    theorie)
    a) Refoulement sexuel et renoncement à
      l'instinct 53
      (Sexualverdrängung und Triebverzicht)
    b) Satisfaction de l'instinct et renoncement
      à l'instinct 57
      (Triebbefriedigung und Triebverzicht)

LA RÉVOLUTION SEXUELLE

3. Pulsions secondaires et réglementation morale 66
   (Sekundärer Trieb und moralische Regulierung)
4. La « moralité » de l'économie sexuelle . . . 72
   (Sexualökonomische « Moral »)

Chapitre II. — Misère du réformisme en matière de sexualité 78
   (Die Misere der Sexualreform)

Chapitre III. — L'institution du mariage comme source des contradictions de la vie sexuelle 82
   (Die Eheinstitution als Grundlage von Widersprüchen des Sexuallebens)

Chapitre IV. — L'influence de la morale sexuelle conservatrice 89
   (Der Einsfluss der konservativen Sexualmoral)
1. La science « objective » et « apolitique » . . 89
   (« Objektive », « unpolitische » Wissenschaft)
2. La morale conjugale comme cause d'étouffement de toute réforme sexuelle 103
   (Die Ehemoral als Bremsung jeder Sexualreform)
   a) Hélène Stöcker 103
   b) Auguste Forel 112
   c) La fin de la Ligue Mondiale pour la Réforme Sexuelle 114
3. L'impasse de l'éducation sexuelle 116
   (Die Sackgasse der Sexualaufklärung)

Chapitre V. — La famille autoritaire en tant qu'appareil d'éducation 129
   (Die Zwangsfamilie als Erziehungsapparat)

LA RÉVOLUTION SEXUELLE

1. L'influence de l'idéologie sociale. 131
2. La structure triangulaire. 134

Chapitre VI. — Le problème de la puberté . . 140
  (Das Problem der Pubertät)
1. Le conflit de la puberté 140
  (Der Pubertätskonflikt)
2. Exigence sociale et réalité sexuelle 146
  (Gesellschaftliche Forderung und sexuelle Wirklichkeit)
  a) La jeunesse ouvrière 149
    (Arbeiterjugend)
  b) La jeunesse bourgeoise 155
    (Grossbürgerliche Jugend)
3. Considérations médicales, amorales, sur la vie sexuelle de la jeunesse 168
  (Eine medizinische, unethische Betrachtung über den Geschlechtverkehr der Jugend)
  a) La continence à l'époque de la puberté . 169
    (Die sexuelle Abstinenz in der Pubertät)
  b) La masturbation 177
    (Die Onanie)
  c) Les rapports sexuels chez les adolescents 179
    (Der Geschlechtsverkehr der Puberilen)

Chapitre VII. — Le mariage coercitif et les liaisons sexuelles durables 185
  (Ehe und sexuelle Dauerbeziehung)
1. La liaison sexuelle durable. 188
2. Le problème du mariage 201
  a) La fonction sociale du mariage 203
  b) La contradiction inhérente à l'institution du mariage 218

LA RÉVOLUTION SEXUELLE

Deuxième partie

LA LUTTE POUR LA « NOUVELLE FORME DE VIE » EN UNION SOVIÉTIQUE
(Der Kampf um das « neue Leben » in der Sowjetunion)

Mise au point préalable. — Le retour aux méthodes autoritaires 229

Chapitre VIII. — L'« abolition de la famille » . 234
  (Die « Aufhebung der Familie »)

Chapitre IX. — La révolution sexuelle 243
  (Die sexuelle Revolution)
1. Une législation progressiste 243
  (Voranstrebende Gesetzgebung)
2. Certains travailleurs adressent une mise en garde 250
  (Arbeiter warnen)

Chapitre X. — L'étouffement de la révolution sexuelle 264
  (Die Bremsung der Sexualrevolution)
1. Les conditions générales qui permirent l'étouffement 264
  (Die Voraussetzungen der Bremsung)
2. Où la prédication morale remplace la compréhension et la maîtrise des problèmes . . 270
  (Moralisieren statt erkennen und bewältigen)
3. Les causes objectives de cet étouffement . . 278
  (Objektive Ursachen der Bremsung)

LA RÉVOLUTION SEXUELLE

Chapitre XI. — La liberté du contrôle des naissances et de l'homosexualité, et le coup d'arrêt qui suivit. 284
(Befreiung und Bremsung in der Geburtenregelung und der Homosexualität)
1. Le contrôle des naissances 284
2. Le rétablissement de la loi sur l'homosexualité 299

Chapitre XII. — Ce même étouffement dans les communes de jeunes 303
(Die Bremsung in den Jugendkommunen)
1. La jeunesse révolutionnaire 303
2. Les communes de jeunes 306
    a) La commune Sorokine 310
    b) La commune « Bolchevo » pour délinquants 314
    c) La jeunesse à la recherche de nouvelles formes de vie 316
    d) La contradiction insoluble entre la famille et la commune 327
3. Conditions de structure indispensables . .
(Notwendige strukturelle Voraussetzungen)

Chapitre XIII. — Quelques problèmes de sexualité infantile 331
(Einige Probleme der kindlichen Sexualität)
1. La création d'une structure collective . . . 332
(Kollektive Strukturierung)
2. La création d'une structure non-autoritaire chez l'enfant. 338
Unautoritäre Umstrukturierung beim Kleinkinde)
3. Education pastorale, pseudo-révolutionnaire 347
(Scheinrevolutionäre pastorale Erziehung)
4. Retour sur le problème de la délinquance. . 354
(Von neuem die Verwahrlostenfrage)

383

LA RÉVOLUTION SEXUELLE

Chapitre XIV. — Les leçons de la lutte pour la
« nouvelle forme de vie » en Union Soviétique 362
*(Was folgt aus dem sowjetischen Kampf
um das « Neue Leben »)*

Ouvrages cités par l'auteur ayant été traduits
en français 375

IMPRIMÉ EN FRANCE PAR BRODARD ET TAUPIN
6, place d'Alleray - Paris.
Usine de La Flèche, le 13-11-1974.
6961-5 - Dépôt légal n° 362, 2ᵉ trimestre 1970.